Hôtel

Relais du Silence
Silencehotel

Relais du Silence – Silencehotel

International

1998 - 1999

Où trouver notre Guide
Where to find our guide...
Wo sie unseren führer finden...

(33) **FRANCE**
Au siège social : 17, rue d'Ouessant - 75015 Paris - Tél. : 01 44 49 79 00 - Fax : 01 44 49 79 01
Dans les Offices de Tourisme et les Syndicats d'Initiatives.

(49) **DEUTSCHLAND**
Sekretariat in Deutschland : c/o Parkhotel Bayersoien am See
Am Kurpark 1- 82 435 Bayersoien am See - Tél. : 0 88 45 / 1 21 10 - Fax : 0 88 45 / 83 98

(44) **GREAT BRITAIN**
Secretariat in Great Britain : The Garrack Hotel
Burthallan Lane, Higher Ayr St. Ives - Cornwall TR26 3AA - Tel. : 01736-79 61 99 - Fax : 01736-79 89 55
A la Maison de la France : 178, Picadilly - London Wiv Oal - Tel. : 0171 629 93 76 - Fax : 0171 493 65 94

(43) **ÖSTERREICH**
Sekretariat in Österreich : Herr Ebner - Seepromenade, 73 - 5330 Fuschl am See - Tel. : 06226-8264 - Fax : 06226-8644
A la Maison de la France : Argentinierstrasse, 41A - 1040 Wien - Tel. : 0222 503 28 90 - Fax : 0222 503 28 71

(32) **BELGIQUE & LUXEMBOURG** (352)
In the Officiele Franse Dienst voor Toerisme te Brussel :
Aux Services Officiels Français du Tourisme à Bruxelles

(31) **NEDERLAND**
Secretariaat van Nederland : Hotel De Witte Raaf Duin weg - 117 - 119 - 2204 at Noordwijk - Tel. : 0252 37 59 84 - Fax : 0252 37 75 78
Aux Services Officiels Français du Tourisme à Amsterdam

(41) **SUISSE**
Secrétariat Suisse : CH-1923 les Marecottes - Tel. : 027-7 611 667 - Fax : 027-7 611 600

(39) **ITALIA**
A la Maison de la France : 7, via Larga - 20122 Milan - Tel. : 2 58 31 6610 - Fax : 2 58 31 65 33

(34) **ESPAÑA-ANDORRA** (376)
Secretariado en España : Almadraba Park Hotel - 17480 Rosas Playa de la Almadraba - Tel. : 72 25 65 50 - Fax : 72 25 67 50
Aux Services Officiels Français du Tourisme à Barcelone et Madrid

(1) **CANADA**
Aux Services Officiels Français du Tourisme :
à Montréal : Tel. : 514 288 42 64
à Toronto : Tel. : 416 593 47 23

(1) **USA**
Our Representative in USA : HSA Voyages
5609 Green Oaks Bd SW Suite 105 - Arlington - Texas 76017 - Tel. : 817 483 9400 - 800 927 4765-800 OK France - Fax : 817 483 7000

Sommaire
Contents
Inhaltsverzeichnis

Informations

319 hôtels en Europe et au Canada

Les circuits touristiques
Tourist tours - Ausflüge

*Par le Danemark et la Hongrie,
l'Europe des Relais du Silence-Silencehotel
s'ouvre cette année sur deux nouveaux pays.*

*Les frontières s'estompant, vous êtes sans cesse plus nombreux à découvrir
d'autres horizons.*

*Sur votre route nos relais se gardent soigneusement de l'agitation et du bruit, vous
faisant découvrir le charme des routes tranquilles et des itinéraires inédits.*

*Dans ces belles demeures, choisies avec le plus grand soin, vous serez accueillis
chaleureusement et servis avec courtoisie et compétence.*

*Vous y apprécierez la traditionnelle hospitalité des Relais du Silence, gardiens d'un
véritable art de vivre des terroirs.*

*Partenaires professionnels ou voyageurs indépendants qui utilisez de plus en plus notre
centrale de réservation, vous pourrez cette année nous retrouver sur Internet.*

*Conservez bien ce guide que nous avons voulu mieux informé : il est édité pour deux
années, le prochain sortant en novembre 1999.*

Nous attendons le plaisir de vous recevoir.

Le Conseil d'Administration

This year the Europe of the Relais du Silence-Silencehotel is opening up to two new countries: Denmark and Hungary.

Borders are fading away, and more and more of you are discovering new horizons.
On your route our establishments are carefully selected - they are always removed from noise and bustle, and offer you the charm of quiet roads and little-known itineraries.
In these beautiful hotels, chosen with the greatest care, you will be warmly welcomed and competently and courteously served. You will enjoy the traditional hospitality of the Relais du Silence establishments. They preserve the true art of living of the provinces.
Business partners or individual travellers who increasingly use our centralized booking service, you can find us on Internet this year.
Please keep this guide, which we have made efforts to update. It is published for two years, the next one being scheduled for November 1999.

We are looking forward to welcoming you.

Mit Dänemark und Ungarn wird das Europa von Relais du Silence-Silencehotel dieses Jahr zum zwei Länder reicher.

Grenzen verschwinden; immer mehr Menschen brechen auf zu neuen Horizonten.
Auf Ihrem Wege finden Sie unsere Relais, fern von Lärm und Hektik. Der Zauber friedlicher Pfade, unbekannte Reiserouten erwarten Sie.
In schönen sorgfältig ausgewählten Anwesen bereitet man dem Gast herzlichen Empfang - er erfährt ausgezeichnete und höfliche Bedienung. Entdecken Sie die traditionelle Gastfreundschaft der Relais du Silence, der Bewahrer der Kunst des behaglichen Landlebens.
Gute Nachricht für Geschäftsleute und Einzelreisende, die sich in immer stärkerem Masse unserer Buchungszentrale bedienen: dieses Jahr finden Sie uns auf Internet.
Bewahren Sie den Hotelführer gut auf, wir haben alle Anstrengungen unternommen, ihn mit möglichst viel Information auszustatten: er wird für zwei Jahre herausgegeben; die nächste Ausgabe erscheint somit im November 1999.

Wir würden uns freuen, Sie bald bei uns begrüssen zu dürfen.

EUROPE
318 Relais du Silence

Norvège

Suède

Scotland

Danemark

MER DU NORD

Copenhague

Dublin

Ireland

Berlin

England

Amsterdam

London

Nederland

Deutschland

Bruxelles

LA MANCHE

Belux

Prague

Luxembourg

Paris

Fort-de-France

Martinique

France

Bern

Österreich

Suisse

OCEAN ATLANTIQUE

Andorra

Italia

Madrid

Portugal

Roma

Lisboa

España

MER MEDITERRANEE

Iles Canaries

7

Relais du Sile**nce**-Silencehotel
sur INTERNET

http://www.relais-du-silence.com/

■ Pour vous informer sur la chaîne et les 319 Relais,

Pour voyager à travers 14 pays et les régions de France,

Pour vous promener dans les établissements,

Pour réserver vos séjours.

■ To give you information on the chain and its 319 relais,

To travel across 14 countries and the different regions of France,

To wander through the hotels,

To book your stays.

■ Um Sie über die Kette und die 319 Relais zu informieren,

Um über 14 Länder und alle Regionen Frankreichs zu surfen,

Um alle Häuser zu besichtigen,

Um Ihren Aufenthalt zu buchen.

Comment Réserver
How to Book
Vorgehen bei Buchungen

?

- En contactant directement l'hôtel de votre choix
  By contacting the hotel of your choice directly
  Sie nehmen direkt mit dem Hotel Ihrer Wahl Kontakt auf

- Gratuitement d'un relais à un autre
  Free of charge from one Relais to another
  Sie buchen Kostenlos von einem Relais zum anderen

- Notre **centrale de réservation** à votre service
  du lundi au vendredi de 9h à 18h
  Central Booking Service • Reservationszentrale

  Tél. : (33) (0)1 44 49 90 00
  Fax : (33) (0)1 44 49 79 01

  Via Internet
  http://www.relais-du-silence.com/

  Un n° de réservation vous sera donné pour confirmation
  A booking number will be given to you to confirm
  Zur bestätigung erhalten Sie eine Buchungsnummer

- U.S.A. : notre représentant   (1) 800 927 47 65
  : our representative   (1) 800 OK FRANCE
  : unser Vertreter

J'ai besoin du silence et de l'ombre des bois.

Nicolas Boileau

Pour chaque hôtel les agréments sont classés en 2 catégories :
sur fond blanc : à l'hôtel même,
sur fond jaune : à proximité dans un rayon maximum de 20 km.

For each hotel attractions and facilities are split into two categories:
on white background : at the hotel itself,
on yellow background : close to the hotel, within a maximum radius of 20 km.

Bei allen Hotels sind die mit Piktogrammen dargestellten Serviceleistungen in zwei Kategorien eingeteilt:
auf weissem Grund : im Hotel,
auf gelbem Grund : in der Nähe des Hotels, im Umkreis von höchstens 20 km.

Garage / Covered car-park / Garage		Sauna	
Parking / Car-park / Parkplatz		Spa / Whirlpool / Whirlpool	
Parking et Garage / Parking and Covered car-park / Parkplatz und Garage		Hammam / Turkish bath / Dampfbad	
Animaux refusés au restaurant / Animals not allowed in the restaurant / Tierre nicht zugelassen im Restaurant		Equitation / Riding / Reitsport	
Animaux refusés à l'hotel / Animals not allowed in the hotel / Tierre nicht zugelassen im Hotel		Manège couvert / Indoor riding / Reithalle	
Ascenceur / Lift / Aufzug		Nautisme - plage / Watersport - beach / Wassersports - Strand	
Accès aux handicapés / Accessible to handicapped / Zugang für Köperbehinderte		Tennis	
Salle de réunion / Meeting room / Tagungsraum		Golf	
Chambre climatisées / Rooms with airconditioned / Zimmer Klimaanlage		Pêche à la ligne / Angling / Angeln	
Héliport / Héliport / Hubschraberlandeplatz		Ski alpin / Alpine skiing / Alpinschilaufen	
Groupes acceptés / Groups accepted / Reisegruppen akzeptiert		Ski de fond / Cross country skiing / Schilanglauf	
Piscine / Swimming pool / Freibad		Motoneige / Snow mobiling / Schneemotorroller	
Piscine couverte / Indoor swimming-pool / Hallenbad		Château / Castle / Schloss	
Salle de sport / Keep-fit-room / Trimm-dich-Raum			
Séminaire / Conference / Seminar		Petit déjeuner / Breakfast / Frühstück	
Table remarquée / Restaurant with special note / Die bernerkenswerte küche		Menu	
Chambre simple / Single room / Einzelzimmer		Demi-pension / Half board / Halb-pension	
Chambre double / Double room / Dopplelzimmer		Pension complète / Full board / Vollpension	
Carte de crédit / Credit card / Kreditkarten			

A	Agence de voyage / Travel agency / Reisebüros	
T	Tour Operator	
○ □ △	Soirée étape affaire	

Fermeture annuelle
Annual closure
Jahresurlaub
Fermeture hebdomadaire
Weekly closed
Wöchentlicher Ruhetag

★★	★★★	★★★★
Comfortable	Très confortable	Grand confort
Comfortable	Very comfortable	Top class
Komfortabel	Sehr Komfortabel	Luxuriös

Les étoiles sont attribuées par les Commissariats Généraux de Tourisme de chaque pays.

Stars are attributed by the Tourism Commissions of each country.

Die Sterne werden von der nationalen Fremdenverkehrsverwaltung vergeben.

Bienvenue aux Relais du Silence - Silencehotels

Les **Relais du Silence** naissent en 1968 de l'initiative de quelques hôteliers intuitifs... Le bruit, nuisance sociale majeure, engendre le stress, détruit insidieusement notre équilibre et notre santé.
Trop souvent aussi, le modernisme bon marché installe autour de nous la laideur et le surfait, tandis qu'une certaine indifférence s'insinue dans les rapports humains.
Dans ce triple constat résident les clés de la philosophie des **Relais du Silence - Silencehotels**.

- **environnement de nature** et de paix privilégiant le repos et la détente par le calme et la tranquillité,
- **maisons de caractère**, très confortables, pour répondre à notre besoin de charme, de beauté et d'authenticité,
- **chaleur de l'accueil**, art de vivre et **gastronomie** garantis par des propriétaires présents et attentifs qui savent donner à leur maison une atmosphère sympathique et détendue mais néanmoins très professionnelle.

Chaîne sincère et différente, elle respecte l'échelle humaine, l'identité et la qualité. Elle n'est ni uniforme, ni monotone. La diversité des architectures, des lieux, des prestations (de 2 à 4 étoiles) en font une chaîne au charme unique... En Europe et au Canada, nous avons sélectionné ces manoirs, hostelleries, résidences, châteaux, domaines, moulins, mas, fermes, chalets, tous aussi accueillants que charmants et paisibles.
C'est notre réponse au besoin profond de nature et de paix que nous ressentons tous dans ce monde frénétique.
Madame, Mademoiselle, Monsieur, soyez les bienvenus dans nos maisons.
Nous vous souhaitons beaucoup de bonheur de relais en relais...

Réservation et arrivée tardive

Réservation Centrale : Tél. (33) 01 44 49 90 00
Fax (33) 01 44 49 79 01

Il arrive de plus en plus fréquemment que des réservations ne soient pas honorées par les clients et que ceux-ci ne préviennent pas de leur annulation.
Cela pénalise l'hôtelier car il refuse bien souvent ces chambres à des clients qui se présentent entre-temps.
C'est pourquoi nous autorisons nos adhérents à disposer des chambres réservées dès 17 heures, à moins que le client attardé ne prévienne téléphoniquement l'hôtelier de son retard ou qu'il n'ait envoyé au préalable des arrhes en garantie de sa réservation. Cette dernière pratique est d'un usage courant dans la profession et constitue au demeurant une garantie réciproque.
A partir d'un **Relais du Silence - Silencehotel**, vous pouvez réserver gratuitement dans un autre Relais de la chaîne.

Vous souhaitez faire un cadeau à votre famille,
à vos amis, à vos collaborateurs.

OFFREZ UN CHEQUE CADEAU
" RELAIS DU SILENCE - SILENCEHOTEL "

N'hésitez pas à vous renseigner auprès de notre service réservation :
(33) 01 44 49 90 00

Séminaires au calme

Un certain nombre de **Relais du Silence - Silencehotels** se sont dotés des équipements et installations nécessaires pour recevoir des séminaires. Tous ces hôtels, raffinés et confortables, situés pour la plupart en dehors des villes, bénéficient d'une situation privilégiée et vous permettront de travailler "au vert" dans un environnement propice à la réflexion et à la détente.

Leurs équipements ont été adaptés aux exigences actuelles : système vidéo, matériel audio-visuel, etc. Renseignez-vous au moment de la réservation car une redevance-location est parfois demandée.

Attention, même en période de fermeture, certains Relais pourront vous accueillir pour un séminaire d'une certaine importance.

Dans chaque maison un responsable des séminaires est à votre disposition pour étudier vos projets.

Les tables remarquées des Relais du Silence

Faire étape dans un **Relais du Silence - Silencehotel,** c'est avoir
l'assurance d'une bonne table, qu'elle soit simple et rustique ou luxueuse et raffinée.

Néanmoins, certains de nos cuisiniers font preuve d'un grand talent qui ne peut passer inaperçu.

**Ces Relais se reconnaissent
sur les cartes par la présentation suivante**

Comment les prix sont indiqués dans le guide

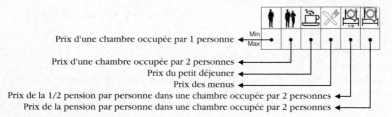

Prix d'une chambre occupée par 1 personne ◀ Min / Max

Prix d'une chambre occupée par 2 personnes ◀

Prix du petit déjeuner ◀

Prix des menus ◀

Prix de la 1/2 pension par personne dans une chambre occupée par 2 personnes ◀

Prix de la pension par personne dans une chambre occupée par 2 personnes ◀

Les prix minimum et maximum sont établis en fonction, soit du type de chambre, soit de la haute ou de la basse saison. Ils sont donnés à titre indicatif et ne comprennent pas la taxe de séjour.

La fourchette de prix tient compte du fait que le guide est édité pour 2 ans, mais une légère fluctuation pourra intervenir en 1999.

Dans tous les cas faites préciser les conditions lors de la réservation.

Le symbole "accueil handicapés" est noté pour certains Relais, mais les installations offertes ne sont pas toujours accessibles à des personnes non accompagnées ou conformes à des établissements spécialisés. Renseignez-vous lors de vos réservations dans chaque relais.

Les renseignements figurant dans ce guide ont été donnés sous la responsabilité de leurs auteurs.

Welcome to the Relais du Silence - Silencehotels chain

The **"Relais du Silence"** chain was created in 1968 on the initiative of a few perceptive hoteliers...

Noise, as we all know, is a major social intrusion. It produces stress and undermines our health and happiness. Also, what is cheap and modern all too often tends to be ugly, disappointing, and increasingly impersonal.

It is these three thoughts that have moulded the distinctive features of the **Relais du Silence - Silencehotels :**

• **a natural and peaceful environment,** offering rest and recreation in calm and tranquillity.

• **comfortable buildings of character** and individuality to satisfy our need of charm, beauty and authenticity.

• **a warm welcome**, stressing the quality of life and **gastronomy,** assured by the personal attention of the owners themselves who know how to make guests feel at home while still being entirely professional.

This is a chain that cares and is different, that gives due attention to the human scale, to quality and to the personal touch. It is neither standardized nor boring. The diversity of architectural styles, of settings, of service (from 2 to 4 stars) make it a chain with a unique appeal... In Europe and in Canada, we have made a special selection of manors, inns, country houses, chateaux, estates, mills, cottages, farmhouses, chalets - all as welcoming as they are charming and peaceful. This is our response to that deep-seated need for nature and tranquillity that we all feel in an ever more frenetic world. We extend a cordial welcome to you as our guest. We trust you will enjoy your stay with us - from one relais to the next...

Reservation and late arrivals

Central booking service: Tel. (33) 01 44 49 90 00

Fax (33) 01 44 49 79 01

Advance room reservations are usually held until 5.00 pm on the due day of arrival.
If you are delayed a phone call will hold your room.
Advanced payment will of course guarantee your reservation.
From any **Relais du Silence - Silencehotel,** your reservation at another hotel member of the chain situated within 200 km will be made for you free of charge.
For an extra special welcome, tell your host you have chosen your hotel from the **"Relais du Silence - Silencehotel"** guide.

You'd like to please your family, your friends your collaborators.

OFFER A "RELAIS DU SILENCE - SILENCEHOTEL" GIFT VOUCHER

For further informations, do not hesitate to contact our booking service: (33) 01 44 49 90 00

Conference facilities in peaceful surroundings

A number of **Relais du Silence - Silencehotels** offer excellent conference facilities in a peaceful country setting.

If you would like information on conference facilities please contact reservations, who will also advise on the availability of audio-visual materials.

Please note that although some hotels close to general guests during certain periods, they do still offer conference facilities.

In each hotel a conference manager is available to discuss your particular needs.

Relais du Silence with restaurants of special note

To stay at a **Relais du Silence-Silencehotel** is to be assured of a fine table - be it the simplicity of traditional country cooking or the luxury and delicacy of haute cuisine.

However, some of our chefs have such a very special talent that they deserve to be brought to your attention.

These Relais-Silencehotels are identified on the maps by the following presentation

How prices are indicated in the guide

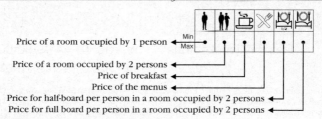

Price of a room occupied by 1 person
Price of a room occupied by 2 persons
Price of breakfast
Price of the menus
Price for half-board per person in a room occupied by 2 persons
Price for full board per person in a room occupied by 2 persons

Minimum and maximum prices are set according to the type of room, the high or the low season. They are given as indications and do not include the tourist tax.

The price ranges takes into account the fact that the guide is published for a two-year period, but there may be a slight change in the prices in 1999.

In every case, ask for terms to be confirmed when making your reservation.

The symbol signifying facilities for handicapped people is indicated for certain hotels, but the installations offered are not always accessible to unaccompanied people or do not always correspond to specialised establishments. Please inquire when you make your reservations in each hotel.

The informations in respect of each hotel referred to in the guide is as advised by the proprietor of each respective establishment.

Der Zusammenschluss unter dem Markenzeichen **Relais du Silence** erfolgte 1968 auf spontane Anregung einiger initiativer Hoteliers.... Lärm, ein heute weitverbreitetes Übel, bringt uns zunehmend physische und se lische Belastungen und zerstört, weitgehend unbemerkt, unsere Ausgeglichenheit und Gesundheit.

Zu oft auch umbibt uns billiger Modernismus mit seiner Hässlichkeit und immer mehr Gleichgültigkeit schleicht sich in unsere menschlichen Beziehungen. Der Schlüssel zur Philosophie der **Relais du Silence - Silencehotels** steckt in diesen drei Feststellungen. Unser Angebot ist geprägt durch nachstehende Grundsätze und Merkmale.

• Sie finden Ruhe und Geborgenheit inmitten einer friedlichen und **intakten Natur.**

• **Charaktervolle Häuser** mit bestem Qualitätsstandard erfüllen das Bedürfnis nach reizvoller Umgebung und Ursprünglichkeit.

• **Freundlicher Empfang**, Lebenskunst und **hohes gastronomisches** Niveau werden durch die Eigentümer der Häuser persönlich gewährleistet, die ihrem Hotel eine gemütliche, entspannende Atmosphäre, gepaart mit dem gebotenen Fachwissen, verleihen.

Unverfälscht und anders als andere, respektiert die Vereinigung **Relais du Silence - Silencehotel** menschliche Masstäbe, Qualität und- persönliche Bedürfnisse.

Sie strebt Vielfältigkeit an in Architektur und Ausstattung einerseits und Leistung andererseits (2 bis 4 Sternehäuser) hier liegt das Geheimnisse ihrer einzigartigen Ausstrahlung... In ganz Europa und in Kanada haben wir sorgfältig Landsitze, Gasthäuser, Schlösser, Bauernhöfe und Gehöfte ausgesucht, alle mit gleicher Gastlichkeit, Charme und Ruhe. Dies ist unsere Antwort auf das steigende Bedürfnis nach unverfälschter Natur und Frieden, die wir alle in unserer hektischen Welt suchen.

Verehrter Gast, herzlich Willkommen in unseren Häusern. Wir wünschen Ihnen einen angenehmen Aufenthalt - von Hotel zu Hotel.

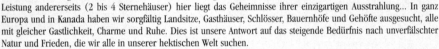

Reservierung und verspätete Ankunft

Reservationszentrale: Tel. ㉝ 01 44 49 90 00

Fax ㉝ 01 44 49 79 01

Es geschieht immer häufiger, dass Reservierungen von Gästen nicht eingehalten werden und vorher nicht annuliert worden sind. Dies ruft einen Gewinnverlust für den Hotelier hervor, da er oft Zimmer an Gäste verweigern muss, die zwischenzeitlich danach fragen. Deshalb erlauben wir unseren Hoteliers, über die reservierten Zimmer ab 17 Uhr zu verfügen, falls der zurückgehaltene Gast den Hotelier nicht telefonisch über seine Verspätung unterrichtet hat oder er nicht schon vorab eine Anzahlung gemacht hat, um die Reservierung zu garantieren.

Jedes **Relais du Silence - Silencehotel** nimmt gerne und kostenlos Zimmerreservierungen in anderen Mitgliedsbetrieben vor.

Sie möchten Ihrer Familie, Ihren Freunden, Ihren Kollegen eine Freunde machen, dann

SCHENKEN SIE EINEN RELAIS DU SILENCE - SILENCEHOTEL GESCHENKGUTSCHEIN

Informieren Sie sich unbedingt bei unserer Reservierungsabteilung:
㉝ 01 44 49 90 00

Seminare / Tagungen

Die **Relais du Silence - Silencehotels** haben vielfältige
Tagungsmöglichkeiten mit modernster technischer Ausstattung.
Die meisten von Ihnen, ausserhalb der Städte gelegen, geniessen eine
bevorzugte Lage und erlauben Ihnen, im Grünen zu arbeiten, in einer
Umgebung, die das Nachdenken und die Entspannung begünstigt.
In jedem Haus steht ein Verantwortlicher für Tagungen zu Ihrer Verfügung
und studiert genaustens Ihre Wünsche und Vorhaben.

Die bemerkenswerten Küchen der Relais du Silence

Halt in einem **Relais du Silence - Silencehotel** zu machen, gibt ihnen
die Garantie einer guten Küche, sei es einfach, rustikal oder luxuriös und
raffiniert.
Dennoch einige unserer Köche beweisen ein ganz ausserordentliches
Talent, was wir nicht unberücksichtigt lassen möchten.

**Diese Relais (Hotels) werden auf der Karte
mittels folgender Darstellung kenntlich gemacht**

Wie die Preise in unserem Führer angegeben sind

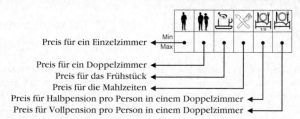

Preis für ein Einzelzimmer
Preis für ein Doppelzimmer
Preis für das Frühstück
Preis für die Mahlzeiten
Preis für Halbpension pro Person in einem Doppelzimmer
Preis für Vollpension pro Person in einem Doppelzimmer

Mindest- und Höchstpreise sind je nach Zimmerkategorie, Hoch- Vor-, bzw. Nachsaison angegeben. Sie sind nur
Hinweise und enthalten nicht die Kurtaxe.
**Die Preisberechnung berücksicht die Tatsache, dass der Hotelführer für zwei Jahre herausgegeben
wird. Leichte Schwankungen im Jahre 1999 können jedoch nicht ausgeschlossen werden.**
Die jeweils geltenden Geschäftsbedingungen lassen Sie sich bitte bei Ihrer Reservierung genau mitteilen.
Das Symbol für den Empfang von Körperbehinderten ist bei bestimmten Hotels vermerkt; die vorhandenen
Einrichtungen sind aber nicht immer für Personen ohne Begleitung zugänglich oder sie sind nicht konform mit den
spezialisierten Anstalten. Informieren Sie sich bei ihren Reservierungen in jedem Hotel. Für die hier genannten
Angaben und Preise wird keine Haftung übernommen.

Los **Relais du Silence** fueron creados en 1968 por iniciativa de algunos hoteleros intuitivos. El ruido, como todo el mundo sabe, quizá es la mayor intrusión social : nos destruye, insidiosamente, el equilibrio y la salud. Además, demasiado a menudo, el modernismo nos rodea de fealdad y crea cierta indeferencia en la relación humana. Por todo ello, la filosofía de los **Relais du Silence - Silencehotels** se basa en esta triple propuesta :

1. Entorno de naturaleza y sosiego, privilegiando el descanso y la relajación gracias a la tranquilidad y a la calma.

2. Casas con carácter propio, muy cómodas, para responder las necesidades humanas de encanto, belleza y autenticidad.

3. Acogida cordial, arte de vivir y gastronomía garantizados por propietarios, presentes y atentos, que saben dar a sus establecimientos un ambiente simpático, sosegado, y al mismo tiempo muy profesional. La nuestra es una cadena sincera y diferente que se propone respetar la dimensión humana, la identidad y la calidad. No es uniforme, ni monótona : la variedad de las arquitecturas, de los sitios, de las prestaciones (2 a 4 estrellas), hacen de ella una cadena con encanto único. En Europa y en Canadá, hemos elegido moradas hostelerías, residencias, castillos, dominios, molinos, caseríos, fincas, chalés, todos tan acogedores como atractivos y sosegados. Es nuestra respuesta a la profunda necesidad de naturaleza y de paz que todos experimentamos en un mundo frenético.

Señoras y señores, bienvenidos a nuestros establecimientos. Esperamos disfruten en su estancia entre nosotros, de hotel en hotel, de un bienestar más grande.

Reservación central: Tel. ㉝ 01 44 49 90 00
Fax ㉝ 01 44 49 79 01

Las reservas de las habitaciones se mantienen hasta las 17 h. De no tener previo aviso de ustedes, dispondremos de ellas. Es costumbre mandar una cantidad a cuenta, lo cual constituye una garantía recíproca. A partir de un **Relais du Silence - Silencehotel** se puede reservar gratuitamente en otro Relais de la cadena. No olvide señalar al Hotel donde acuda, de que ha ido allí gracias a la Guía de los **Relais du Silence - Silencehotels**.

Vd desea hacer un regalo, a su familia, a su amigos, a sus colaboradores

REGALE UN CHEQUE REGALO
"RELAIS DU SILENCE - SILENCEHOTEL"

No dude en informarse ante nuestro servicio de reservas:
㉝ 01 44 49 90 00

Seminarios al sosiego

Cierto numero de **Relais du Silence - Silencehotels** se han equipado y dotado de instalaciones necesarias para recibir congresos. Todos esto hoteles, cuidados y confortables, situados en su mayor parte fuera del núcleo urbano de ciudades, gozan de una ubicación privilegiada y les permitirán trabajar en un medio ambiente "verde", favorable a la reflexión y al descanso.

Sus equipos estan adaptados a las exigencias de hoy dia : sistema de video, material audio-visual, etc. Solicite informes al momento de la reserva.

Es posible que un establecimiento, aún estando de vacaciones, acoja un seminario. En cada albergue, un responsable de los seminarios está a su disposición para estudiar su proyecto particular.

Las mesas notadas de los Relais du Silence

Hacer una etapa en un **Relais du Silence - Silencehotel**, es la seguridad de hallar una buena mesa, que sea sencilla y rústica, sea lujosa y refinada.

Sin embargo, y puntuaciones a parte, muchos de nuestros cocineros demuestran un gran arte del que es imposible no darse cuenta.

Estos hoteles se reconocem en los mapas por la presentación siguiente

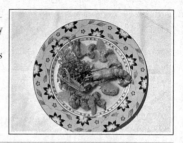

Como los precios están indicados en la guia

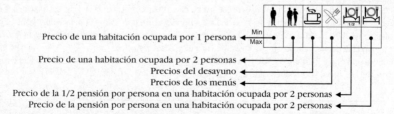

Precio de una habitación ocupada por 1 persona

Precio de una habitación ocupada por 2 personas

Precios del desayuno

Precios de los menús

Precio de la 1/2 pensión por persona en una habitación ocupada por 2 personas

Precio de la pensión por persona en una habitación ocupada por 2 personas

Los precios mínimos y máximos están establecidos en función del tipo de habitacíon y de la temporada.

Se proporcionan a título indicativo y no comprenden el impuesto de estancia.

La gama de precios toma en consideración el hecho de que la guía se edita por 2 años, pero podrá intervenir una pequeña fluctuación en 1999.

En cualquier caso es preciso que usted, cuando reserve, pida las condiciones.

En ciertos hoteles, se indica el símbolo "Acogida minusválidos", pero las instalaciones ofrecidas no son conformes en todos los casos para personas no acompañadas o a los establecimientos especializados. Puede usted informarse cuando reserve en cada hotel, y sepa que los informes de esta Guía han sido señalados bajo la responsabilidad de sus autores.

Benvenuti ai Relais du Silence - Silencehotels

I **"Relais du Silence"** nascono nel 1968, in seguito alla iniziativa di un gruppo di albergatori particolarmente sensibili. Il rumore, uno dei problemi maggiori della società, aggredisce insidiosamente il nostro equilibrio e la nostra salute. Troppo sovente un modernismo sbagliato con le sue bruttezze genera intorno a noi indifferenza nei rapporti umani. La "filosofia" che inspira la catena **"Relais du Silence - Silencehotel"** tiene conto di tre elementi importanti :

• **tranquillità** e rispetto per l'ambiente che favoriscono un soggiorno di relax ;
• **stile personalizzato,** elegante, confortevole ;
• **gestione quasi sempre familiare** dove i proprietari si occupano direttamente dell'andamento della "casa" e seguono personalmente gli ospiti.
E' una catena diversa da tutte le altre. Vengono rispettati i criteri umani della qualità e dei bisogni personali. Mai un relais è uguale all'altro: la diversità delle architetture, della posizione, delle categorie (da due a quattro stelle) ne fanno un insieme dal fascino assolutamente unico.
La catena nata in Francia e progressivamente sviluppatasi in tutt'Europa ed in Canada ha selezionato fra i suoi soci case patrizie, manieri, castelli fattorie, mulini, antichi "alberghi posta", chalets: tutti diversi, ma tutti egualmente accoglienti e dotati di fascino e di confort.
Questa é la nostra risposta al bisogno di ambienti naturali e di un po' di pace in un mondo frenetico, un bisogno sentito sempre di più da tantissime persone.
Gentili Ospiti, siete benvenuti nei nostri relais. Vi auguriamo dei soggiorni piacevolissimi visitando un albergo dopo l'altro.

Prenotazioni ed arrivi in ritardo

Ufficio centrale di prenotazione: Tel. ③③ 01 44 49 90 00
Fax ③③ 01 44 49 79 01

Spesso i clienti non rispettano le prenotazioni fatte oppure non avvertono eventuali annullamenti.
Ció costituisce un danno notevole per l'albergatore che spesso deve rinunciare ad altri clienti che nel frattempo si erano presentati. Per tale motivo autorizziamo i nostri soci albergatori a disporre delle stanze prenotate dopo le ore 17 qualora il cliente non abbia avvertito telefonicamente il suo arrivo ritardato oppure qualora non abbia inviato una caparra confirmatoria. La richiesta di una caparra costituisce una garanzia reciproca.
Se Vi trovate in un **Relais du Silence - Silencehotel** potete prenotare gratuitamente un altro RELAIS della stessa catena. E ricordateVi di dire al Vostro albergatore che siete venuti tramite la nostra Guida.

Desiderate fare un regalo alla Vostra famiglia,
ai Vostri amici, ai Vostri colleghi o collaboratori:

REGALATE UN BUONO-REGALO
RELAIS DU SILENCE - SILENCEHOTEL

Non esitarte ad informarvi presso il nostro servizio prenotazioni:
③③ 01 44 49 90 00

Seminari

Le strutture contraddistinte con questo segno sono **"Relais du Silence - Silencehotels"** che dispongono di sale convegni ben attrezzate. Sono alberghi sempre raffinati e comodi che si trovano principalmente in posizioni privilegiate fuori dalle grandi città e Vi consentono di lavorare in un'atmosfera rilassante.

In ognuno di questi relais c'è a Vostra disposizione una persona che Vi da tutte le informazioni necessarie ed accoglie le Vostre richieste.

Cucina particolarmente raffinata nei Relais du Silence

Soggiornare in un **"Relais du Silence - Silencehotel"** significa anche avere la certezza di mangiare bene. E' garantita una eccellente gastronomia, raffinata benchè mediata spesso con le cucine locali. Molti dei nostri cuochi dimostrano grande talento per una cucina di alto livello.

La seguente presentazione permette di riconoscere questi alberghi.

Indicazione dei prezzi nella guida

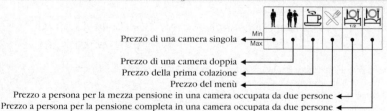

Prezzo di una camera singola
Prezzo di una camera doppia
Prezzo della prima colazione
Prezzo del menù
Prezzo a persona per la mezza pensione in una camera occupata da due persone
Prezzo a persona per la pensione completa in una camera occupata da due persone

I prezzi minimi e massimi sono stabiliti in funzione del tipo di camera e della stagione, alta o bassa.
Sono segnalati a titolo indicativo e non sempre comprendono la tassa di soggiorno.
La forcella dei prezzi tiene conto del fatto che la guida viene pubblicata per 2 anni, ma è possibile che nel 1999 si verifichi una leggera fluttuazione.
In ogni modo Vi consigliamo di informarVi sulle condizioni al momento della prenotazione.
Alcuni Relais sono in grado di ospitare persone inabili. Tuttavia bisogna prima informarsi, non sempre questi relais hanno le atrezzature in conformità alle leggi.
La catena **"Relais du Silence - Silencehotel"** non risponde della conformità delle informazioni e dei prezzi indicati in questa guida.

Welkom in Relais du Silence - Silencehotels

De **Relais du Silence**-keten is in 1968 ontstaan op initiatief van een aantal hoteliers, zich bewust van het feit dat ze hun gasten een goed produkt konden aanbieden.

Lawaai is, zoals iedereen weet, een grote inbreuk op onze omgeving. Het geeft stress, ondermijnt onze gezondheid en brengt soms zelf ons dagelijks evenwicht in gevaar. Daarbij komt, dat 'modern' en 'goedkoop' vaak lelijk, teleurstellend en onpersoonlijk blijkt te zijn. Deze gedachten hebben de filosofie van Relais du Silence - Silencehotels gevormd; ver weg van alle drukte en op de meest prachtige lokatie gelegen wijden professionele hoteliers zich met liefde aan hun taak: verzorging van hun gasten.

In de hotel van Relais du Silence ligt de nadruk op de kwaliteit van het leven. Dat komt tot verschillende manieren tot uitdrukking:

In de Silencehotels wordt u omringd door prachtige natuur en vredige rust.

De Silencehotels zijn alle gevestigd in karakteristieke panden, die tegemoet komen aan uw gevoel voor charme en authenticiteit. Zo zijn er in Nederland, Europa en Canada landhuizen, hostelleries, residenties, kastelen, domeinen, molens, boerderijen en chalets voor u uitgekozen.

De eigenaren van Silencehotels zorgen voor een warme, persoonlijke ontvangst, waardoor u zich al heel snel thuis voelt.

Alle hotels hebben een uitstekende keuken, waar de maaltijden met de meeste zorg worden bereid.

Relais du Silence - Silencehotels is een vereniging die gastvrijheid, identiteit en kwaliteit respecteert en uitstraalt. Door de verscheidenheid aan architectuur, ligging en presentatie van de lokaties is deze vereniging niet uniform en monotoon, maar juist uniek en charmant. Relais du Silence - Silencehotels is ons antwoord op die diepgewortelde behoefte aan rust en natuur, die iedereen in deze drukke samenleving meer en meer voelt.

Wij heten u van harte welkom en wensen u een plezierig verblijf van Relais tot Relais.

Reserveringen en late aankomsten

Reserveringscentrale: Tel. ㉝ 01 44 49 90 00
Fax ㉝ 01 44 49 79 01

Geboekte reserveringen worden gewoonlijk vastgehouden tot 17.00 uur op de dag van aankomst.
Als u verlaat bent belt u dan even de afdeling reserveringen.
Een aanbetaling of uw creditcardnummer garandeert natuurlijk uw reservering.
De reservering die u in een **Relais du Silence - Silencehotel** maakt is kosteloos.
Voor een extra speciaal welkom: Vertel uw host dat u gekozen heeft voor een **Relais du Silence - Silencehotel.**

Indien u een kado aan een van uw vrienden,
kennissen of familie wilt aanbieden

DENK DAN EENS AAN EEN CHEQUE VAN
RELAIS DU SILENCE - SILENCEHOTEL

Neem in geval van vragen gerust contact op met onze afdeling
Reserveringen: ㉝ 01 44 49 90 00

Conferentie faciliteiten in een rustige omgeving

Veel **Relais du Silence - Silencehotels** bieden uitstekende faciliteiten in een rustige landelijke omgeving.
In elk hotel is een verantwoordelijke voor de conferenties om uw project te bestuderen en te begeleiden.

De opmerkelijke restaurants van de Relais du Silence

Elk **Relais du Silence - Silencehotels** staat borg voor een kwalitatief goed restaurant maar er zijn een aantal restaurants die wat extra aandacht verdienen.

Op de kaarten zijn deze relais te herkennen aan de volgende afbeelding

Verklaring van de prijsaanduiding

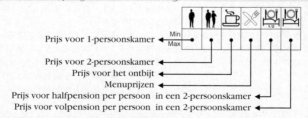

Prijs voor 1-persoonskamer ◄ Min Max
Prijs voor 2-persoonskamer ◄
Prijs voor het ontbijt ◄
Menuprijzen ◄
Prijs voor halfpension per persoon in een 2-persoonskamer ◄
Prijs voor volpension per persoon in een 2-persoonskamer ◄

De minimum en maximum prijzen worden op basis van het type kamer en van het seizoen (voor-, na- of hoog) vastgelegd. Ze worden ter informatie gegeven en worden exclusief verblijfstaks gerekend.
De prijsmarge houdt rekening met het feit dat de gids 2 jaar geldig is, maar in 1999 kan een lichte prijsverandering plaatsvinden.
Vraag in ieder geval een bevestiging wanneer u een reservering maakt.
Het gehandicaptenmsymbool is op enige hotels van toepassing, maar de aanpassingen zijn niet altijd voldoende zonder begeleiding.
Vraag informatie wanneer u een reservering maakt in een hotel.

サ イ レ ン ス ・ ホ テ ル ・ チ ェ ー ン へ よ う こ そ

サイレンス・ホテルは1968年、いくつかの良心的なホテルのイニシアティブから生まれたホテル・チェーンです。騒音という社会公害は人々のストレスを高め、知らず知らずのうちに私達の心のバランスと健康をむしばんでいます。また現代生活は、ますます安易で雑多なものを身の回りにふやし、その一方、人間同志はお互い無関心になるという傾向があるのは残念なことです。

このような認識の中からサイレンス・ホテルの哲学が生まれました。

- 自然環境と静けさを大切にし、落ち着いた雰囲気の中で休息し、リラックスする。
- 私達の心が求める本物の良さ、美しさにふれることのできる、快適で個性的な家。
- 暖かいもてなし、ベターライフ、そして質の良い食事を大切にする主人－経営者－がそこにおり、プロとしてのベスト・サービスを心掛けると同時に、率直でくつろいだ雰囲気を提供する。

一味ちがう、心暖まるホテル・チェーンとして、我々は人間的な尺度、個性とクォリティーを大切にします。没個性的なものを排除し、部屋も建物もそれぞれの持ち味が生かされています。それぞれに違う設計のスタイル、立地場所、ホテルのクラス（2つ星から4つ星まで）など、あらゆる面で他とはちょっと違う個性をもったチェーンなのです。フランス、ヨーロッパ、カナダで選び抜かれた邸宅、館、ホステル、レジデンス、シャトー、庭つきの領館、風車館、農家、シャレーなど、全て暖かく落ち着いた家ばかりです。

この騒がしい時代にあって、我々が心から必要としている自然の中での安らぎを与えてくれるのがこのサイレンス・ホテル・チェーンです。

皆様、私共の家にどうぞお越しください。

それぞれの家の魅力を発見していただく楽しみをぜひ味わって頂きたく存じます。

予約と夜の到着

予約センタ (33) 01 44 49 90 00 - Fax (33) 01 44 49 79 01

予約が入ったまま、お客様が到着されないケースが増えています。満室の場合、ほかのお客様をお断りし
で、ホテルとしてはこういう事態をなるべく避けたいものです。

17時までにお客様から到着が遅れる旨の電話があるか、または前もって予約金をお支払いになった場合で
メンバーのお客様が見えたときには、その部屋をお渡しすることがあることをご了承ください。予約金は
ではよく行なわれているシステムで、ホテルとお客様との間の相互のギャランティーと考えます。

ひとつのサイレント・ホテルから、ほかのサイレント・ホテルを無料で予約することができます。その際
ト・ホテル・チェーンのガイドブックで予約をした旨、フロントまでお伝えください。

"サイレンス・ホテル・やすらぎのパートナー"

ご家族、友人、同僚へのプレゼントに最適の

ご遠慮なく、当方予約係りにお問い合わせください。(33) 01 44 49 90 00

落ち着いた環境でのセミナー

サ イレンス・ホテルの中にはセミナーの開催ができる設備を備えたところもあります。たいていは都市を少し離れたところにある洗練された快適なホテルで、緑に囲まれリラックスして仕事のできる優雅な環境にあります。

ビデオ・音響・映像装置など、最新の設備を備えています。使用料については予約時にお確かめください。

また、休館中でも、大規模なセミナーの場合、開催可能なこともありますのでお確かめください。セミナー専門家が必ずホテルに一人おり、お客様の企画のご相談を受け付けます。セミナー施設付きのホテルのリストについては20ページをご参照ください。

サイレンス・ホテルでのお食事

サ イレンス・ホテルにお泊まりになると、お食事については簡単なものから田舎風料理、洗練された高級料理まで色々なチョイスがありまた料理の質についてはいつも安心していただけるものです。その腕前を公式に認められているシェフもチェーンのうちに何人かおります。

地図の上に次のシンボルはこのホテルを象徴します。

このガイドの中の料金の使用法

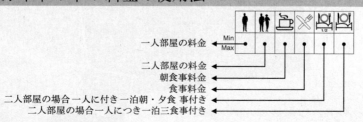

一人部屋の料金
二人部屋の料金
朝食事料金
食事料金
二人部屋の場合一人に付き一泊朝・夕食 事付き
二人部屋の場合一人につき一泊三食事付き

ご予約のときに、食事付きかどうかも含めてご指示ください。
「障害者施設あり」と記されたホテルもありますが、付き添いのない場合や、非常に特殊な施設の場合には、適当でないこともあります。ご予約のときにお確かめください。
このガイドブックの内容はそれぞれの内容を提供したホテルの責任によるものです。

Vous qui organisez des réunions
recherchez ce pictogramme

Séminaires
au calme

Pour vous réunir
163 Relais du
Silence
in which
für
om

Seminars
in peaceful surroundings

When you organise your meetings,
look for this pictogram

Wenn Sie Tagungen organisieren, suchen Sie das Piktogramm

Seminare... im ruhiger Umgebung!

-Silencehotel to meet Tagungen bijeen te komen

Seminars in alle rust

U die bijeenkomsten organiseert, zoek di pictogram op.

Le brouillard fait le silence sur l'océan :
il assoupit la vague et étouffe le vent.

Victor Hugo

Chèque Cadeau
Gift voucher
Geschenkgutschein...

... pour offrir des moments de bonheur
To offer moments of happiness
So schenken Sie Momente des Glücks

Nous sommes à votre disposition
We are at your service
Wir stehen gerne zu Ihrer Verfügung

Tél. : (33) (0)1 44 49 79 00

Fax : (33) (0)1 44 49 79 01

http://www.relais-du-silence.com/

SIEMENS

Ce qui rapproche Siemens des fidèles des **RELAIS DU SILENCE**, c'est sans aucun doute l'amour d'une cuisine authentique, au nom d'un art de cuisiner basé sur les saveurs et les richesses d'un terroir.

Aux commandes d'un équipement Siemens, se mettre aux fourneaux devient un plaisir et l'on se sent vite une âme de chef capable des plus grandes perfections.

Cette hotte en inox apporte dans la cuisine une touche décorative et esthétique. Elle offre une puissance maximum pour un bruit minimum.

Ce four multifonction est auto-nettoyant par pyrolyse. Il donne autant satisfaction aux adeptes de la cuisine attentionnée et méticuleuse, qu'aux adeptes de la cuisine sans soucis et "sans trop y penser".

Élégamment incurvée, cette table de cuisson vitrocéramique encastrable est esthétique et facile d'entretien. Elle se signale par deux foyers Quick-Light® et deux foyers halogène.
Les foyers montent en température en un temps record et la température choisie se régule automatiquement. Ainsi, la cuisson est aussi précise qu'économique.

Ce réfrigérateur-congélateur possède un double compartiment fraîcheur. Cette innovation permet avec des températures entre 0 et 3° C de conserver les fruits, légumes, viandes et poissons, en multipliant par trois ou quatre le temps de conservation.

Siemens, c'est aussi une gamme complète d'appareils électroménagers conçus dans une véritable chasse aux décibels pour la paix des cuisines et des foyers, ce qui n'est pas pour déplaire aux fidèles des RELAIS DU SILENCE...
Pour en savoir plus et recevoir gratuitement des informations et la liste des revendeurs, appeler le service consommateurs au : 01 49 48 30 30.

Siemens. Offrez-vous la perfection, c'est moins cher.

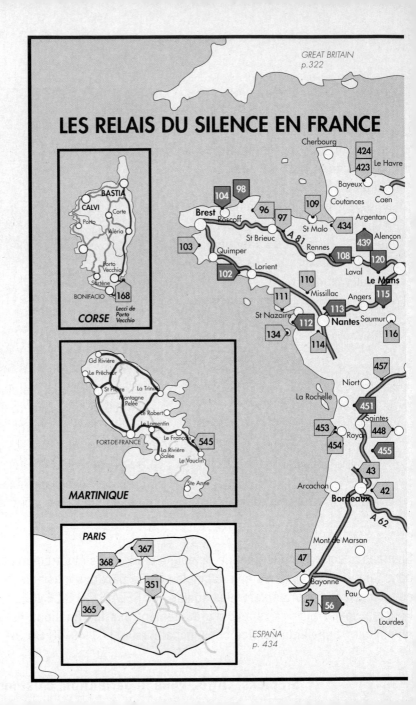

LES RELAIS DU SILENCE EN FRANCE

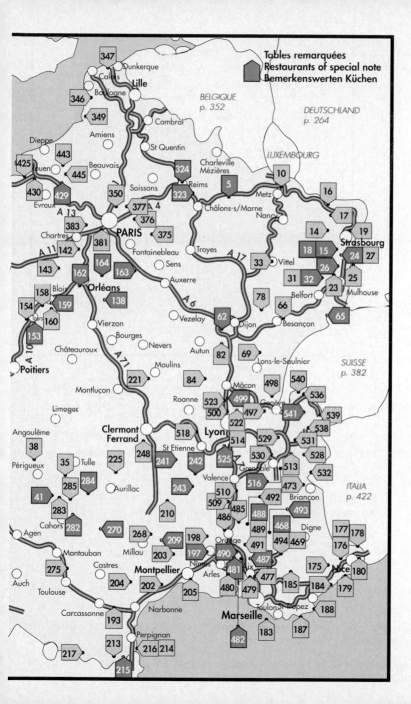

Tables remarquées
Restaurants of special note
Bemerkenswerten Küchen

33

33   *Francs français*

Les prix sont indiqués en franc français. Renseignez-vous auprès de chaque hôtel individuellement. Pour plus d'informations, reportez-vous aux pages 12 à 25.

The prices are given in french franc. For inquiries, contact directly each hotel. For more informations, report to pages 12 to 25.

Die Preise sind in französichen Franc angegeben. Erkundigen Sie sich in jedem Hotel. Für mehr Informationen, siehe Seite 12 bis 25.

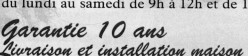

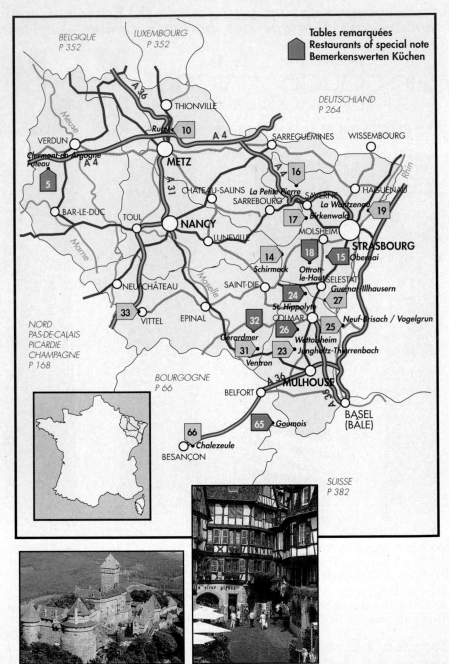

Tables remarquées
Restaurants of special note
Bemerkenswerten Küchen

BELGIQUE
P 352

LUXEMBOURG
P 352

DEUTSCHLAND
P 264

THIONVILLE

Rugy **10**

A 4

SARREGUEMINES

WISSEMBOURG

VERDUN

Clermont-en-Argonne
Foteau

5

A 4

METZ

A 31

CHATEAU-SALINS

16

La Petite Pierre

SAVERNE

La Wantzenau

HAGUENAU

BAR-LE-DUC

SARREBOURG

17

Birkenwald

19

TOUL

NANCY

MOLSHEIM

STRASBOURG

LUNEVILLE

18

15

Obernai

NEUFCHÂTEAU

Moselle

SAINT-DIE

14

Schirmeck

Ottrott-
le-Haut

SELESTAT

Guémar·Illhausern

33

VITTEL

EPINAL

24

St. Hippolyte

27

32

COLMAR

25

Neuf-Brisach / Vogelgrun

NORD
PAS-DE-CALAIS
PICARDIE
CHAMPAGNE
P 168

Gérardmer

26

Wettolsheim

31

23

Jungholtz-Thierrenbach

Ventron

BOURGOGNE
P 66

A 36

MULHOUSE

BELFORT

BASEL
(BÂLE)

66

65

Goumois

A 35

Chalezeule

BESANÇON

SUISSE
P 382

Alsace Lorraine

L'Alsace-Lorraine a forgé
au fil des temps toutes ses
traditions.
Du cristal à la gastronomie,
elle vous invite à la détente
dans ses paysages verdoyants
et boisés.

Alsace-Lorraine has forged
its traditions througout the
ages. From glass-making to
gastronomy, it invites you
to relax in its green and
wooded landscapes.

Elsaß-Lothringen hat alle
seine Traditionen im Laufe
der Jahre bewahrt. Seine
grüne und bewaldete
Landschaft bietet Ihnen
von berühmten Kristallen
bis hin zur edelsten
Gastronomie alles zu
Ihrer Erholung.

A NE PAS MANQUER.

- La route du cristal en Lorraine,
- Faïenceries et Emaux de Longwy,
- Les Dimanches de Meuse à
  Azannes (mai) Tél.03 29 85 60 62,
- Soirées folkloriques de Colmar
  (week-end de mai à septembre),
- Fest. de musique de Strasbourg
  (juin) Tél.03 88 32 43 10,
- Fête des ménétriers à Ribeauvillé
  (1er week-end de septembre),
- Fête des vendanges (3ème week-end
  d'oct. à Obernai),
- Défilé des "Sans Culottes"
  à Mutzig (13 Juillet),
- Marchés de Noël en Alsace
  de fin nov. au 24/12.

37

A l'Orée du Bois ★★

France

55120 Futeau

Tél. 03 29 88 28 41
Fax 03 29 88 24 52

F 5

R. et P.AGUESSE Maître cuisinier de France

7 Chambres - Relais du Silence depuis 1986

Vacances de Toussaint et mois de Janvier
H&R: Lundi et Mardi R: Mardi midi en saison

320

360 - 380

50

120 - 365

430

CC

En plein cœur de l'Argonne, à quelques minutes des Islettes, lieu prestigieux des faïenceries et des verreries, l'Orée du Bois vous réserve son accueil chaleureux. Vue panoramique sur la vallée. Havre de repos et de silence près de la Champagne. Table renommée.

Im Herzen des Argonne-Gebietes, in der Nähe der Islettes, ein für seine Fayencerien und Glashütten berühmter Ort, bereitet Ihnen l'Orée du Bois einen herzlichen Empfang. Panoramablick über das Tal. Ein Hafen der Entspannung und Ruhe. Namhafte Küche.

In the heart of Argonne, near "les Islettes", famous for its faience and glass work, the Orée du Bois will offer you a warm and friendly welcome. Panoramic view of the valley. Haven of peace and quiet. Near the Champagne country. Renowned food.

Metz-Nancy 110 km

Les Islettes 4km

Autoroute A4 Sortie 29 N3
Aux Islettes Dept. 2

La Bergerie ★★

France

F
10

10, rue de la Bergerie
57640 RUGY
Madame Michèle KEICHINGER
48 Chambres - Relais du Silence depuis 1981

Tél. 03 87 77 82 27
Fax 03 87 77 87 07

Du 22/12 au 02/01
Ouvert tous les jours

330 - 390
330 - 390
45 - 55
150 - carte
330
450

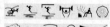

Entre Metz et Thionville, à la lisière du petit village lorrain de Rugy, "La Bergerie" vous accueille dans un cadre superbement restauré et vous offre calme et tranquillité ainsi qu'une excellente table dans le décor rustique d'une vieille maison française du XVIè siècle. Salles pour réunions et séminaires.

Zwischen Metz und Thionville, am Rande des kleinen lothringischen Dorfes Rugy, bietet dieser umgestaltete Landsitz aus dem 16. Jahrhundert Ihnen Ruhe und eine exzellente Küche. Räumlichkeiten für Feste und Seminare.

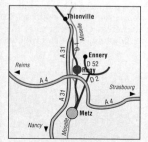

Between Metz and Thionville at the edge of the small village of Rugy "La Bergerie" welcomes you in a superbly renovated 16th century estate and offers you tranquility as well as an excellent cuisine. Possibility for festivities and seminars.

Louvigny 20 km
Metz 10 km

39

Hôtel Neuhauser ★★

France

F
14

Les Quelles
67130 SCHIRMECK
Evelyne et Pierre NEUHAUSER
17 Chambres - Relais du Silence depuis 1993

Tél. 03 88 97 06 81
Fax 03 88 97 14 29

Ouvert toute l'année
Ouvert tous les jours

650 m

300 - 700

50
135 - 300
340 - 530
1/2
390 - 600

CC ☐ AV

Vous êtes au cœur de la forêt Vosgienne, environné de verdure et de calme. Depuis trois générations, l'hôtel Neuhauser réserve à ses hôtes un accueil digne des traditions en pays alsacien. Saveurs de la cuisine régionale et plaisirs de la vraie détente. Piscine chauffée extérieure d'été. 17 chambres dont 3 chalets suite.

Im Herzen der Vogesen, umgeben von Ruhe und Natur. Seit 3 Generationen wird Ihnen im Hotel Neuhauser gemäß elsässischer Tradition ein herzlicher Empfang bereitet. Genießen Sie die Landesgerichte und Momente wirklicher Erholung. Geheiztes Freibad im Sommer.

In the heart of the Vosges Forest, a peaceful place. In the Hotel Neuhauser, guests are cordially welcomed according to Alsace tradition, for 3 generations now. Savour the regional food and pleasures of real leisure. Heated outdoor swimming pool during summer.

Strasbourg 40 km

Rothau 6 km

Hôtel Le Parc ★★★★

France

F 15

169, route d'Ottrott
67210 OBERNAI
Monique et Marc WUCHER
52 Chambres - Relais du Silence depuis 1975

Tél. 03 88 95 50 08
Fax 03 88 95 37 29

 Décembre
R: Dimanche soir et Lundi

 520

 620 - 1600

 75

 200 - 430

 500 - 720
1/2

CC AV

 25

Au pied du Mont Sainte-Odile et au cœur d'Obernai, le Parc réunit pour vous tous les bonheurs : décor superbe, jardins fleuris, deux piscines, salle de jeux, remise en forme et découvertes gourmandes. Le Parc vous propose aussi un restaurant alsacien "Stub" ouvert le midi exclusivement.

Am Fuße des Mont Sainte-Odile, im Herzen von Obernai verbindet Le Parc alle denkbaren Genüsse: wundervolles Dekor, Blumengärten, zwei Swimmingpools, Spielesalons, Fitneßbereich und Entdeckungen für Feinschmecker. Die elsässiche "Stub" (Regionalküche) nur mittags geöffnet.

Below Mount Sainte-Odile and in the heart of Obernai, Le Parc offers happiness: superb décor, flower gardens, two swimming pools, games rooms, fitness studio and gourmet discoveries. The Alsace restaurant "Stub" is open at lunchtime only.

✈ Strasbourg 20 km
🚆 Obernai 1 km
🚗

Auberge d'Imsthal ★★

F 16

Route forestière
67290 LA PETITE-PIERRE
M. et Mme MICHAELY Jean
23 Chambres - Relais du Silence depuis 1985

Tél. 03 88 01 49 00
Fax 03 88 70 40 26

Ouvert toute l'année
Ouvert tous les jours

- 240 - 420
- 290 - 650
- 50
- 85 - 250
- 310 - 470
- 390 - 550

CC ☐ AV

Au cœur de la forêt vosgienne, à proximité de la Petite-Pierre, l'Auberge d'Imsthal bénéficie d'un cadre naturel vraiment reposant. La forêt proche et l'étang attenant à l'auberge offrent de grandes possibilités de détente et de randonnées. A voir : les musées du parc des Vosges du Nord, les cristalleries, les châteaux...

Im Herzen der Vogesen, nahe Petite-Pierre, ist die Auberge Imsthal inmitten der Wälder und am Wasser ein wahres Paradies für Naturliebhaber und Wanderfreudige. Besuchen Sie die Museen im Nord-Vogesen-Park, die Kristall-Manufakturen und die Schlösser der Umgebung.

Situated in the heart of the Vosges Forest, near Petite-Pierre, the Auberge Imsthal benefits from its tranquil and relaxing nature surroundings. Lake and forest near the hotel offer great possibilities for long walks. Visit the museums in the North-Vosges park, the crystal factories and the nearby castles.

✈ Strasbourg 60 km

🚆 Saverne 20 km

🚗 A4 : Strasbourg-Saverne-La Pte-Pierre/A4 : Metz-Sarre-Union-La Pte-Pierre

42

Au Chasseur ★★

France

F 17

7, rue de l'Eglise
67440 BIRKENWALD
M. et Mme GASS Roger
26 Chambres - Relais du Silence depuis 1991

Tél. 03 88 70 61 32
Fax 03 88 70 66 02

 Janvier 98 et du 29/06 au 06/07/98 inclus
R: Lundi toute la journée et Mardi midi

 280

300 - 450

55

95 - 380

350 - 450

400 - 500

Dans le calme et la verdure d'un petit village en lisière de forêt, "Au Chasseur" est idéalement situé pour excursionner dans la belle Alsace. M. et Mme Gass vous accueillent avec gentillesse et simplicité. Ambiance élégante et toujours gaie. Cuisine sérieuse réalisée à base de produits soigneusement sélectionnés. Chambres intimes de grand confort.

Am Rande des Waldes empfängt Sie "Au Chasseur" in angenehmer Lage, für Ausflüge ins schöne Elsaß. Ruhe - Komfort - Entspannung und ernsthafte Küche mit ausgewählten Produkten. Elegante Atmosphäre, doch auch fröhlich und gediegen. Hallenbad - Sauna - Solarium - whirlpool.

Friendly setting on the edge of the forest. Peace, comfort, relaxation and gastronomy. Restaurant of fine reputation or traditional cooking prepared from local produce. Covered swimming pool, sauna, solarium, whirlpool.

✈ Entzheim 30 km

🚉 Saverne 12 km

🚗 A4 sortie Saverne - dir. Marmoutier

Hostellerie des Châteaux ★★★★

France

11, rue des Châteaux
67530 OTTROTT LE HAUT
Sabine et Ernest SCHAETZEL
62 Chambres - Relais du Silence depuis 1982

Tél. 03 88 48 14 14
Fax 03 88 95 95 20

Février 98
R: Dim. soir et Lun. en Nov. et Déc.97 et Jan. 98

470 - 505

550 - 880

70

200 - 430

1/2 435 - 775

CC △ AV TO

58

Au cœur de l'Alsace chaleureuse, en bordure de forêt, une grande maison qui fleure bon les traditions. Au restaurant tout est douceur et saveurs. Un cadre pour le travail et la détente, espace forme. Confort intimité et raffinement, week-end de charme. 6 suites de 1300 à 1600 Frs. Spécialités : foie gras d'oie maison et sa gelée au Tokay, sole au coulis d'écrevisses, filet de bœuf à la ficelle sur choucroute à la crème, gibiers en saison, strudel aux pommes.

Am waldesrand, ein großes Haus in elsässer Tradition, gemütliches Restaurant. Komfort und Zurückgezogenheit für entspannende Wochenenden aber auch zum Arbeiten. Spezialitäten-Küche.

On the edge of a forest, a large house embedded in the traditions of Alsace. Calm and delicaties in the restaurant. Comfort, refuge and refinement for charming weekends, with all inclusive rates.

⊕ Entzheim 24 km

🚂 Obernai 4 km

🚗 A35 sortie N422 dir. Obernai

Le Moulin de la Wantzenau ★★

France

F
19

3, impasse du Moulin
67610 LA WANTZENAU
Andrée DAMETTI et Béatrice WOLFF
20 Chambres - Relais du Silence depuis 1982

Tél. 03 88 59 22 22
Fax 03 88 59 22 00

H: du 24/12/98 au 02/01/99
R: du 01 au 15/01/98 et du 06 au 28/07/98
R: le soir des dimanches et jours fériés

 350 - 465

 350 - 465

 52 - 58

✗ Restaurant à côté

CC

Sur la route des vacances, en voyage professionnel, ou en visite à Strasbourg, nous sommes sur votre chemin ! Dans le cadre chaleureux de l'ancien moulin, appréciez le calme de la campagne alsacienne, à proximité des centres économiques, culturels et touristiques. Restaurant à côté de l'hôtel, cuisine du marché, réservation conseillée. Parking surveillé.

Im gemütlichen Rahmen der ehemaligen Mühle können Sie die Ruhe der elsässischen Landschaft genießen. In der Nähe befinden sich Geschäfts- Kultur- und Tourismuszentren. Gegenüber gutes Restaurant, Gerichte aus frischen Marktprodukten. Reservierung erwünscht.

The warm and friendly setting of this old mill offers you the chance to enjoy the tranquillity of the Alsatian countryside while nevertheless being close to the great economic, cultural and holiday centres. The next-door restaurant serves cuisine from market produce, reservation advisable.

✈ Strasbourg 25 km
🚉 La Wantzenau 2 km
🚗 A4 sortie 49 dir. Reichstett - D63 ZI - D468 La Wantzenau

"Les Violettes" ★★★

France

F 23

68500 JUNGHOLTZ-THIERENBACH
Jean-Pierre MUNSCH
24 Chambres - Relais du Silence depuis 1974

Tél. 03 89 76 91 19
Fax 03 89 74 29 12

 Ouvert toute l'année
R: Lundi soir et mardi toute la journée sauf fériés

👤	380 - 750
👥	380 - 750
☕	68
✕	180 - 410
🍽 1/2	
🍽	

CC △ AV

Au pied des Vosges, à l'orée d'une forêt de sapins, "Les Violettes" vous attendent. C'est une belle maison fleurie, cossue et soignée, où l'accueil est chaleureux et l'ambiance feutrée. La cuisine, bien équilibrée entre tradition et modernité, vous séduira. Petite collection de voitures anciennes. Musée des Techniques à Mulhouse. Musée Unterlinden à Colmar. Route des vins. Belles randonnées.

Eine Etape für Feinschmecker in einem von Blumen geschmückten Haus am Waldesrand gelegen. Herrliche und warme Atmosphäre. Ausserhalb des Hotels bieten sich weitere Möglichkeiten für Sport und Entspannung an. Kleine Oldtimer-Sammlung.

A gastronomic halt with a warm and peaceful atmosphere in the midst of flower gardens and on the edge of the forest. Sport and relaxation. Small collection of antique cars. Cuisine is well balanced between tradition and modern. Wine-route.

✈ Bâle-Mulhouse 50 km

🚆 Colmar 27 km

🚗

"Aux Ducs de Lorraine" ★★★

France

F 24

16, route du Vin
68590 SAINT HIPPOLYTE
Marie-Jeanne MEYER
40 Chambres - Relais du Silence depuis 1984

Tél. 03 89 73 00 09
Fax 03 89 73 05 46

Du 06/01 au 14/02 et du 23/11 au 09/12 inclus
R: Lun. toute l'année / Dim. soir de Nov. à mi-Mai

300 - 350
400 - 700
60
115 - 315
450 - 600
1/2

CC ☐ AV

14

Auberge de tradition familiale située au cœur du vignoble alsacien au pied du Château du Haut Königsbourg. Point de départ idéal pour randonnées pédestres et pour tous circuits de découvertes. Cuisine gastronomique et du terroir imprégnée de vins de propre récolte.

Familienhotel mitten in den Weinbergen am Fuße des Schlosses Haut-Königsbourg. Idealer Ausgangspunkt für Wanderungen und Entdeckungen des Elsass entlang der Weinstraße. Gastronomische und elsässische Küche geprägt vom Wein aus eigener Produktion.

Family hotel located in the middle of the vineyards below the Château du Haut-Königsbourg. Ideal starting point for walks and discoveries on the Alsace wine-route. Gastronomic and local food with wine from our own production.

Strasbourg 50 km
Sélestat 7 km
A 35 sortie N°12 Saint-Hippolyte

47

" L'Européen " ★★★

France

F 25

Ile du Rhin
68600 VOGELGRUN
Famille DAEGELE
45 Chambres - Relais du Silence depuis 1987

Tél. 03 89 72 51 57
Fax 03 89 72 74 54

Ouvert toute l'année
Ouvert tous les jours

👤	500 - 560
👥	500 - 620
🛏	60
🍴	170 - 420
🍽 1/2	420 - 540
🍽	520 - 640

CC ☐ AV TO

Une Ile au bord du Rhin, écrin de verdure et de calme. Accueil chaleureux d'une famille. Cuisine raffinée et spéc. Alsaciennes. Terrasse avec vue sur le Rhin. Maison élégante et coquette (5 Cat/Suites 720/1100 Frs). Détente entre parc fleuri et piscine chauffée. Départ idéal pour visiter toute l'Alsace, Vosges, Forêt Noire, Suisse.

Am Rhein eine Insel in Grune/Ruhige Lage. Herzlicher Empfang von einer Familie. Raffinierte Kure und Elsass/Spezial. Sommer Terrasse/Blick auf den Rhein. Elegantes Haus mit gehobener dekor/lokaler Typs. Ruhe/Erholung zwichen Park/Blummen und geheiztes Schimmbad. Im Elsass idealer Abfahrtspunkt zu Vogessen, Schwartzwald, Schweitz.

On the Rhine Side landscape in green/peaceful area. Ideal setting from the Alsace, Vosges, Forêt Noire, Swirtzerland excursions. Warmly welcome by family Daegele. To taste refined and typically Alsacian cooking, terrace with pretty view on the Rhin. Elegant sweet home to appreciate the room's appearance with several atmospheres, relaxation and rest on outdoor heated swimming pool in flower park.

✈ Mulhouse Bâle 45 km

🚆 Colmar 20 km

🚗 De Colmar N415 dir. Freiburg
- De France A35 sortie D2B
puis N415 - Allemagne ou
Suisse sor. Bad Krozingen

Auberge du Père Floranc ★★ et ★★★

France

F
26

9, rue Herzog
68920 WETTOLSHEIM
Famille FLORANC
28 Chambres - Relais du Silence depuis 1974

Tél. 03 89 80 79 14
Fax 03 89 79 77 00

 Du 12/01 au 10/02/98 et du 28/06 au 15/07/98
Dim. soir hors saison et Lundi

250 - 425
360 - 610
55
195 - 400
405 - 610
1/2

CC

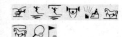

Sur la route du vin, à 5 km de Colmar, belle auberge fleurie dans la plus pure tradition alsacienne. Chambres intimes et confortables. Dans les très belles salles à manger, il vous sera servi l'une des meilleures cuisines d'Alsace. Point de départ vers le vignoble alsacien ou les vestiges médiévaux.

An der Els. Weinstraße, 5 km von Colmar, steht diese blumengeschmückte Herberge, so typisch für die elsässische Tradition. In den rustikalen Speiseräumen wird Ihnen eine der besten Küchen des Elsaß serviert. Ausgangspunkt ins elsässische Weingebiet oder zu mittelalterlichen Sehenswürdigkeiten.

A beautiful inn with masses of flowers, in true Alsace tradition, 5 km from Colmar, on the wine route. The best of Alsace cuisine in lovely rustic dining rooms. Numerous outings to wine-producing areas and mediaeval sights.

Colmar 4 km
Colmar 4 km

La Clairière ★★★

France

F 27

50, route d'Illhaeusern
68970 GUEMAR-ILLHAEUSERN
Marie-France et Roger LOUX
25 Chambres - Relais du Silence depuis 1993

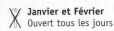
Tél. 03 89 71 80 80
Fax 03 89 71 86 22

Janvier et Février
Ouvert tous les jours

 450

600 - 1100

 75

✗ sans restaurant

CC

A la lisière de la forêt de l'Ill, point de départ pour découvrir les richesses de l'Alsace. Chambres de grand confort au décor raffiné. Tennis. Piscine. Appartements 1350 FF à 1650 FF.

Am Ill-Waldrand gelegen ; Ausgangspunkt, um die Schönheit des Elsaß zu entdecken. Zu Ihrer Erholung sind die geschmackvoll eingerichteten Zimmer mit bestem Komfort ausgestattet. Tennis und Schwimmbad.

At the edge of the Ill-forest, starting point to discover the region's beauty. The rooms are tastefully furnished and very comfortable. Tennis, swimming pool.

Colmar 15 km
Selestat 8 km

50

Hôtel des Buttes ★★★

F
31

Ermitage Frère Joseph
88310 VENTRON
Pascale et Thibaut LEDUC
29 Chambres - Relais du Silence depuis 1991

Tél. 03 29 24 18 09
Fax 03 29 24 21 96

Du 12/11 au 15/12/98
Ouvert tous les jours

 900 m

🚶	304 - 712
👫	380 - 850
🅿	60
🍴	140 - 290
🛏 1/2	330 620
🛏	440 - 730

CC ☐

Véritable havre de paix au cœur de la forêt vosgienne. L'assurance du meilleur accueil, d'un service de qualité et d'un calme absolu. 12 chambres rénovées, ravissantes et romantiques grâce à la chaleur du bois. Point de départ idéal pour les randonnées et les excursions, à pied ou à VTT.

Traumhaft ruhige Waldlage gepaart mit erlesener Gastlichkeit. 10 entzückende und romantische renovierte Zimmer mit besonderer Wärme dank Holz-Ausstattung. Hallenbad und Sauna. Reitmöglichkeiten in der Nähe. Idealer Ausgangspunkt für Wanderungen, entweder zu Fuß oder mit Mountain bike.

The hospitality and dream-like tranquil forest location of Hotel des Buttes will charm you. 12 renovated stylish rooms. Indoor swimming pool and sauna. Enjoy your stay in this peaceful area. Ideal starting point for excursions, mountain biking and horse-riding.

✈ Mulhouse-Bâle 70 km

🚉 Remiremont 30 km

🚌 Nancy - Epinal - Remiremont
- Cornimont

H. Bas-Rupts et Chalet Fleuri ★★★

France

F
32

Les Bas Rupts
88400 GERARDMER
Sylvie et Michel PHILIPPE
30 Chambres - Relais du Silence depuis 1968

Tél. 03 29 63 09 25
Fax 03 29 63 00 40

Ouvert toute l'année
Ouvert tous les jours

800 m

380 - 800
480 - 850
80
160 -450
550 - 800

Gérardmer, c'est le lac. C'est aussi cette maison et sa chaleur de vivre. Dans cet élégant relais de montagne, la cuisine se pratique comme un art et l'accueil fait de chaque client un invité. Vous y trouverez tout pour mener la vie de chalet et de vacances, ski l'hiver, joie de l'eau l'été et la magie de la montagne vosgienne.

Elegantes Berg-Relais für Winter- und Sommersaison, inmitten duftiger Tannenwälder. Spezialitätenrestaurant. Langlauf, Tennis, Freibad-Bassin. Hier ist der Gast König.

Elegant summer and winter mountain relais. Surrounded by greenery and pine trees. C.C. Skiing, tennis, swimming pool. Gastronomic restaurant. You will find everything to lead a manor life and enjoy a holiday as well as sports in these magical mountains.

Mulhouse-Bâle 80 km

Saint-Dié 25 km

à 3 km de Gérardmer, direction la Bresse

L'Orée du Bois ★★

 France

F 33

1, lieu dit l'Orée du Bois, face hippodrome
88800 VITTEL
Ghislaine FERRY
36 Chambres - Relais du Silence depuis 1994

Tél. 03 29 08 88 88
Fax 03 29 08 01 61

 Ouvert toute l'année
R: Dimanche soir du 01/11 au 26/02

 260 - 266

 303 - 313

 40

 70 - 190

 277 - 282

 367 - 372

Votre hôtel à 3 km de Vittel pour LA FORME : visa forme Week-end ou 5 jours. LE SPORT: golf, tennis, VTT, piscine couverte et chauffée - jacuzzi. LA TABLE: produits frais de saison.

Ihr Hotel knapp 3 km von Vittel, für: ihre FITNESS: ein Pass zur Formgewinnung. Formel für Wochenenden od. 5 Tage. SPORT: Golf, Tennis, Geländeradsport (Mountain Bike) mit staatlich diplomiertem Spielleiter. Unsere KÜCHE: mit täglich frischen, saisonbedingten Erzeugnissen.

Your hotel, 3km away from Vittel offering: FITNESS: WE or 5 days fitness visa. SPORT: golf, tennis, moutain-bike with qualified instructor. FOOD: fresh in season produce.

 Vittel 3 km

Epinal 12 km

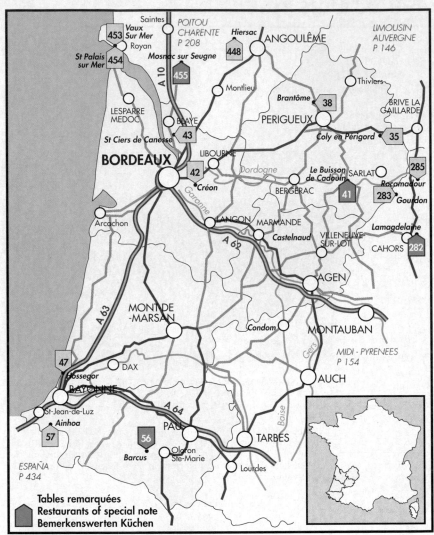

POITOU
CHARENTE
P 208

LIMOUSIN
AUVERGNE
P 146

Saintes

453 *Vaux Sur Mer*

Royan

454 *St Palais sur Mer*

Mosnac sur Seugne **455**

A 10

Hiersac

448 ANGOULÊME

Thiviers

Montlieu

Brantôme **38**

PERIGUEUX

BRIVE LA GAILLARDE

LESPARRE
MEDOC

Coly en Périgord **35**

St Ciers de Canesse

BLAYE

43

LIBOURNE

Dordogne

Le Buisson
de Cadouin

SARLAT

285

BORDEAUX

42

Créon

BERGERAC

Rocamadour

283 *Gourdon*

41

Garonne

LANGON

MARMANDE

Lamagdelaine

Arcachon

A 62

Castelnaud

VILLENEUVE
SUR-LOT

CAHORS **282**

AGEN

MONT DE
-MARSAN

Condom

MONTAUBAN

Gers

MIDI - PYRENEES
P 154

A 63

47

DAX

AUCH

Hossegor

BAYONNE

A 64

St-Jean-de-Luz

Ainhoa

PAU

57

56

Barcus

Oloron
Ste-Marie

TARBES

Lourdes

ESPAÑA
P 434

Tables remarquées
Restaurants of special note
Bemerkenswerten Küchen

Aquitaine

Entre mer et montagne, pays de cocagne aux parfums de truffe, de foie gras et d'Armagnac, terre de vignobles prestigieux, habité depuis la nuit des temps, bordé par les vagues de l'océan, bercé par la chanson du vent dans les pins.

Between the sea and the mountains, a land of plenty with the fragance of truffles, foie gras and Armagnac, a land of prestigious wines, populated since the dawn of time, lined by the ocean's waves and lulled by the song of the wind in the pine trees.

Zwischen Meer und Bergen ist Aquitanien Heimat der Trüffel, "Foie gras" und berühmter Weinreben. Seit dem Anbeginn der Zeit bewohnt, wird diese Region von den Wellen des Ozeans umzäunt, und vom Säuseln der Kiefern in den Schlaf gewiegt.

A NE PAS MANQUER.

- Foire aux jambons à Bayonne (mars) Tél.05 59 46 01 46,
- Fêtes musicales de Biarritz (avril) Tél.05 59 22 20 21,
- Grand Prix automobile de Formule 3000 à Pau (W.E. de Pentecôte),
- Vinexpo à Bordeaux (juin) Tél.05 56 56 00 22
- Festival d'art flamenco à Mont de Marsan (début juillet) Tél.05 58 06 86 86,
- Festival des jeux de théâtre à Sarlat (dernière sem. juillet à mi-août),
- Gant d'Or prof. de Cesta Punta à Biarritz (août) Tél.05 59 23 91 09,
- Sinfonia en Périgord (2ème quinzaine de Sept.) Tél.05 53 35 50 10,
- Fêtes des vendanges à l'ancienne à Marcillac (octobre) Tél.05 57 32 41 90,
- Férias et corridas : Bayonne : (août) Tél.05 59 46 01 46,
  Dax : (mi août du ven. au mer.) Tél.05 58 90 20 00.

Sur la voie des Mille et une Histoires en Périgord

Sarlat, cliché F. ANNET

Découverte du Périgord avec de vrais professionnels de l'Hôtellerie et de la restauration

Lascaux II, cliché J. GRELET

Jours 1 et 2 : Halte au Domaine de la Roseraie Relais n°38
Visite des châteaux de Bourdeille et de Puyguilhem, de Saint-Jean-de-Cole, de Brantôme, des grottes de Viallars, de l'Eco-musée de la Truffe à Sorges, de Périgueux et ses vieux quartiers.

Jours 3 et 4 : Halte au Manoir d'Hautegente Relais n°35
Visite de la grotte de Lascaux ll, de Saint-Amant-de-Coly, du châteaux de Losse, du village de Saint-Léon sur vézère, de la Roque-Saint-Christophe, des Eyzies, des jardins du Manoir d'Eyrignac, de l'Imaginaire à Terrasson et du château d'Hautefort.

Jours 5 et 6 : Halte au Manoir de Bellerive Relais n°41
Visite de Sarlat, de Domme, de la Roque Gageac, des châteaux de Beynac, de Fénelon, de Puymartin, de Castelnauld et des Milandes, de l'abbaye de Cadouin, le Village du Bournat et l'Aquarium au Bugue, du gouffre de Proumeyssac, des jardins de Marqueyssac.

Sur demande d'information Séjour ou week-end à thème

Relais n° 38 : Découverte de la gastronomie périgourdine, des champignons et des gibiers selon saison et visite des vins régionaux de Bergerac.
Relais n° 35 : Découverte avec des vrais professionnels du monde des jardins, des roses et des potagers (petits groupes).
Relais n° 41 : Cours de cuisines gastronomique, périgourdine et des champignons selon saison.

Spécialités régionales, cliché F. LASFARGUE

Possibilité de modification du séjour sur demande sous réserve de disponibilité

Séjour pour 2 personnes : 595 F en demi pension
par jour et par personne (minimum 2 jours)
7140 F pour 6 nuits
Hors saison la 7ème nuit offerte ou 10% de réduction
4760 F pour 4 nuits
2380 F pour 2 nuits
10% de réduction hors saison (avril, mai, oct., nov.)

 RESERVATIONS
RELAIS DU SILENCE
17, rue d'Ouessant - 75015 PARIS
Tél. 01 44 49 79 00 - Fax 01 44 49 79 01

Brantôme, Venise du Périgord

Manoir d'Hautegente ★★★

France

F
35

24120 COLY EN PERIGORD
Mme HAMELIN et son fils PATRICK
14 Chambres - Relais du Silence depuis 1995

Tél. 05 53 51 68 03
Fax 05 53 50 38 52

De début Novembre à début Avril
R: Lundi Mardi et Mercredi Midi sauf Juil. et Août ou sur demande

 520 - 970

 65

 220

1/2 520

 Sur demande

 △ AV TO

2

Dans une région au tissu culturel très riche (Sarlat 20 km et Lascaux 9 km) manoir du XIIIe siècle dans un cadre de verdure romantique. Accueil personnalisé. Intérieur de grand confort, élégant et raffiné, meubles anciens, salle à manger et salons avec cheminée, terrasse au bord de l'eau pour les dîners de la belle saison. Cuisine généreuse de tradition locale. Une rivière à truite traverse le parc. VTT. Canoe.

Das Manoir d'Hautegente, ein eleganter Wohnsitz aus dem 13 Jhdt. im Grünen gelegen. Höchster Komfort erwartet Sie inmitten einer Parkanlage mit Forellenbach. Antike Mötel. Terrasse am Wasser im Sommer, Kabin im Restaurant im Winter.

Elegant 13th century residence in the heart of nature. Utmost comfort in a charming atmosphere. Flower gardens and a river with trout. Antique furniture. Terrace by the water for dining in summer, open, fireplace in the restaurant and salons in winter.

Carte

Limoges
Hautefort

◄ Périgueux   Le Lardin Terrasson   Brive ►

N 89

D 704   Coly

D 62

D 64

Souillac

Montignac ▼   Sarlat ▼

Brive 20 km
Brive 25 km

Domaine de la Roseraie ★★★

France

F
38

Route d'Angoulême
24310 BRANTOME
Evelyne et Denis ROUX
7 Chambres - Relais du Silence depuis 1997

Tél. 05 53 05 84 74
Fax 05 53 05 77 94

De mi-Novembre à mi-Mars
Ouvert tous les jours

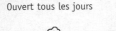

400 - 750

400 - 750

50

145 - 225

390 - 590

CC △ AV TO

Chartreuse du 17e siècle entièrement rénovée, au grand calme sur son parc de 4 hectares, aux portes de Brantôme "la Venise Verte du Périgord". Chambres de plain pied très "cosy", décoration soignée, meubles et tapis anciens. Charme, détente et gastronomie. Accueil convivial. Cuisine de tradition et de qualité.

Ruhig gelegene, renovierte "Chartreuse" aus dem 17. Jahrh. mit einem 4 ha großen Park, vor den Toren von Brantôme, dem "Grünen Venedig des Périgord". Evelyne und Denis erwarten Sie zum augenehmen Aufenthalt voller Entspannung und traditionsbewußten Gaumenfreuden.

"Chartreuse" of the 17th century, completely renovated, quiet place in 10 acres of grounds, just outside of Brantôme, "the green Venice of Périgord". Cosy rooms with antique furniture. Evelyne and Denis propose a nice stay of relaxation and first rate Périgord cooking.

Paris Angoulême — Nontron
Mareuil — Villars — Limoges
St Crépin — St Jean de Côle
La Chapelle Faucher — Thiviers
Brantôme
Bourdeilles
Ribérac — Sorges
Périgueux
Bordeaux

Périgueux 30 km

Périgueux 30 km

RD939 dir. Angoulème / Périgueux

58

Manoir de Bellerive ★★★

France

F 41

Route de Siorac
24480 LE BUISSON DE CADOUIN
M. CLEVENOT
22 Chambres - Relais du Silence depuis 1995

Tél. 05 53 27 16 19
Fax 05 53 22 09 05

15/12/98
R: Mercredi soir

430 - 490

490 - 850

50 - 70

95 - 280

460 - 620
1/2

CC ☐ AV TO

Élégant manoir 1830, style Directoire, situé en bordure de la Dordogne au milieu d'un parc de 4 ha, entre Sarlat et Bergerac. Le Périgord noir avec ses 1001 châteaux, ses bastides, ses grottes, Lascaux, Les Eysies, etc. La douceur de vivre avec grand confort, sauna, hammam, balnéo, gastronomie. Accueil chaleureux.

Schloß im Directoire-Stil an den Ufern der Dordogne in einem 3 ha großen Park. Im Zentrum touristischer Sehenswürdigkeiten: die Höhlen von Lascaux, Les Eysies, prehistorische Dörfer, 1001 Schloß! 30 km von Sarlat und Bergerac. Joie de vivre mit allem Komfort: Sauna, Dampfbad, Balnéo. Und ein freundliches Willkommen.

Elegant manor house set in 7 acres of parkland on the banks of the Dordogne river within the Golden Triangle of the Bastides, between Sarlat and Bergerac. Very close to prehistoric villages and Lascaux. La joie de vivre with every comfort, sauna, Turkish bath and a warm welcome.

✈ Bergerac 28 km

🚉 Le Buisson 800 m

🚗 Bergerac D703 -
Périgueux/Le Bugue D710

Map: Périgueux, Limoges, Terrasson, Brive, N 89, Montignac, Les Eysies, Clermont-Ferrand, N 20, Bordeaux, Bergerac, Sarlat, Souillac, D 703, Le Bugue, Lalinde, Le Buisson, Siorac, N 21, Cadouin, Agen, Fumel, Cahors, D 704

59

Château Camiac ★★★

France

F 42

Route de Branne - D121
33670 CREON/BORDEAUX
Jean-Marc PERRIN
21 Chambres - Relais du Silence depuis 1997

Tél. 05 56 23 20 85
Fax 05 56 23 38 84

Ouvert toute l'année
R: ouvert du 01/04 au 31/10
sur réservation 48 heures à l'avance du 01/11 au 31/03

440 - 1300

500 - 1300

75

165 - 450

1/2 400 - 1050

570 - 1220

CC △ AV TO

Tout près des grands vignobles du Bordelais, à 18 km de St-Emilion, un joli château dans un parc romantique aux 200 espèces d'arbustes floraux. 9 chambres château et 12 chambres relais offrent tout le confort d'aujourd'hui. Terrasse ombragée. Fine cuisine. Une cave des meilleurs Bordeaux pour accompagner vos dîners. Cours d'œnologie. Organisation de visites de châteaux de vins prestigieux.

18 km von St-Emilion, Organisation von Weintouren in prestigieusen Schlössern, Weinkurse-Œnologie, Park mit 200 Arten von Bäumen und Sträuchern. Schattige Terrasse, feine Küche und ein Keller voll bester Bordeaux-Weine.

Situated 18 km from St-Emilion, surrounded by its own parklands with 200 shrub species. We organise guided tours to the most prestigious chateaux and vineyards of the region as well as wine tasting lessons. Terrace in the shade, fine cuisine and a cellar full of the best Bordeaux wines.

Bordeaux 40 km

Bordeaux 25 km

La Closerie des Vignes ★★

France

F 43

Village des Arnauds
33710 SAINT CIERS DE CANESSE
Gladys ROBERT
9 Chambres - Relais du Silence depuis 1990

Tél. 05 57 64 81 90
Fax 05 57 64 94 44

01/11/97→31/03/98
R: le midi et le Dimanche soir (hors saison)

 390

 390

 40

 135 - 165

 360

En Haute Gironde, au cœur du vignoble, accueil, charme, sérénité, harmonie. A Blaye (5 km), vous traverserez par le bac le plus grand estuaire d'Europe vers le Médoc. St Emilion à 45 km. Contacts avec les viticulteurs locaux. Circuits touristiques nombreux et très variés. Cuisine de femme.

Mitten in den Weinbergen der Haute Gironde - eine freundliche Atmosphäre voller Charme, Gelassenheit und Harmonie. In Blaye (5 km) Fährverbindung über die größte trichterförmige Flußmündung Europas zum Medoc. Nur 45 km nach Saint Emilion. Kontakte zu den örtlichen Weinbauern. Viele abwechslungsreiche Besichtigungsrouten. Gutbürgerliche Küche.

In the heart of vineyards of Haute Gironde, welcome, charm, calmness and harmony. In Blaye, crossing the largest European estuary to the Medoc by ferry (5 km). 45 km from Saint Emilion. Contact with local winegrowers. Many and various tours. Home cooking with a feminin flair.

Mérignac 55 km

Libourne 40 km

Autoroute sor. Blaye - N137
Carrefour Bel Air dir. Berson -
D251 puis D250

Hôtel Beauséjour ★★★

France

F 47

333, avenue du Tour du Lac - B.P. 1
40150 HOSSEGOR
Françoise et Alain FOURNIER
45 Chambres - Relais du Silence depuis 1988

Tél. 05 58 43 51 07
Fax 05 58 43 70 13

Du 16/10 au 28/04
Ouvert tous les jours

👤	300 - 650
👥	400 - 750
🛏	65
🍴	140 - 295
🔸1/2	500 - 700
🔸	640 - 840

CC ☐ AV TO

Dans un havre de verdure, demeure 1930 à proximité du lac marin et de l'océan. Le restaurant Le Green, riche en saveurs des recettes régionales et gastronomiques, le piano bar, le salon et la piscine chauffée, sont de charmants lieux de détente. Golf de réputation mondiale, capitale du surf, wind surf, VTT.

Inmitten von Pinien, in der Nähe von Salzwassersee und Ozean, lädt Sie das Hotel Beauséjour ein. Das Restaurant "Le Green" reicht Gastronomie regionaler Rezepte. Pianobar, Salon, geheiztes Schwimmbad im Garten. In der Umgebung : Golf, Surfen, Windsurfen, Radtouren.

In the middle of pine trees, close to a lagoon and the ocean. The restaurant "The Green" offers the rich flavours of local recipes. A piano bar, a lounge and a swimming pool are at your disposal for your relaxation. Golf, surf, wind surf, biking.

✈ Biarritz 25 km
🚉 Bayonne 17 km
🚗 N10 - A10 Sortie Capbreton - Hossegor

Hôtel Restaurant Chilo ★★

France

F
56

64130 BARCUS
Martine et Pierre CHILO
12 Chambres - Relais du Silence depuis 1994

Tél. 05 59 28 90 79
Fax 05 59 28 93 10

Du 05 au 31/01 et 1 semaine en Mars
Dimanche soir et lundi (hors saison)

250 - 270	
350 - 750	
45 - 50	
120 - 200	
330 - 370	
440 - 470	

CC O AV TO

Au centre d'un petit village fleuri, une maison basque de caractère qui s'ouvre sur un joli jardin donnant sur les Pyrénées. Maison douillette et gaie au confort cossu. Outre un accueil charmant, vous apprécierez l'excellente cuisine du terroir et inventive de Pierre Chilo. Point de départ pour de belles randonnées.

Im Herzen der Berge liegt dieses charaktervolle baskische Haus mit exzellenter Küche. Ausgangspunk für herrliche Wanderungen in die Berge. Garten, Hallenbad. Und all dies mitten in einem kleinen Dorf voller Blumen.

Situated in the heart of the mountains, a charming hotel with a lot of character, offering an excellent cuisine. Wonderful excursions to the mountains. Pretty ornamental garden, swimming-pool. And all this in a small village full of flowers.

Pau 45 km

Oloron Ste Marie 15km

A64 sortie Urt en arrivant de Bayonne ou sortie Pau

Argi-Eder ★★★

France

F
57

Route de la Chapelle
64250 AINHOA
Annie et Jean-Pierre DOTTAX
32 Chambres - Relais du Silence depuis 1997

Tél. 05 59 93 72 00
Fax 05 59 93 72 13

 Du 15/11 au 31/03
Dimanche soir et Mercredi hors saison

490 - 660

550 - 900

52 - 54

130 - 250

600 - 630
1/2

660 - 700

CC △ AV TO

✳
4

Dans un domaine de 5 hectares, à l'écart du typique village d'Aïnhoa, Argi Eder est un superbe chalet Basque où tout concourt à la détente : les chambres de grand confort, la savoureuse cuisine de Jean-Pierre Dottax dans un registre traditionnel, l'environnement plein de charme.

Im Hotel "Argi Eder", im Herzen des Baskenlandes, erwartet Sie alles, was für einen angenehmen Aufenthalt nötig ist: komfortable Zimmer, gute Gastronomie und eine schöne Umgebung.

In the heart of the basque country, superb chalet where all is combined for complete relaxation : comfort of rooms, quality of cooking and charming environment.

 Biarritz Parme 25 km

St Jean de Luz 22 km

Autoroute sortie Bayonne sud
- route de Cambo les bains

Fraîcheur d'esprit Depuis1862.

ROGE**R**&**G**ALLET

PARIS

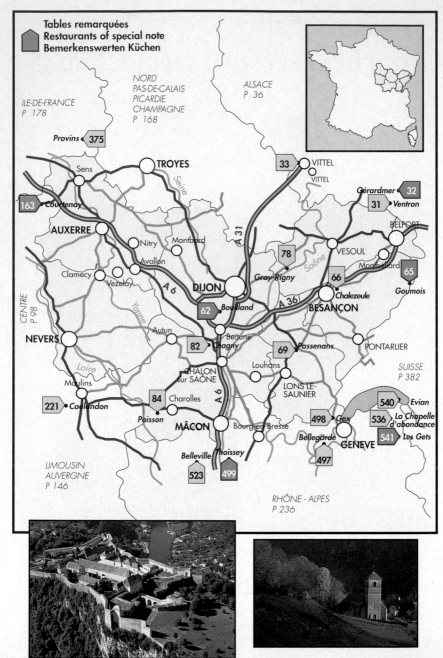

Tables remarquées
Restaurants of special note
Bemerkenswerten Küchen

ILE-DE-FRANCE
P 178

NORD
PAS-DE-CALAIS
PICARDIE
CHAMPAGNE
P 168

ALSACE
P 36

Provins ◄ **375**

TROYES

33 ► VITTEL
VITTEL

Sens

Gérardmer ◄ **32**
31 ► Ventron

163 ◄ Courtenay

Seine

BELFORT

AUXERRE

Nitry
Montbard

VESOUL
Montbéliard **65**

A 31

78

Clamecy
Avallon
Vezelay

Saône

Gray Rigny
66
Goumois

A 6
DIJON

Chalezeule
BESANÇON

CENTRE
P 98

62 Bouilland
A 36

Yonne

Autun
Beaune
82 Chagny

69 Passenans
PONTARLIER

NEVERS

Louhans

SUISSE
P 382

Loire

CHALON
sur SAONE

LONS LE-
SAUNIER

Moulins

84 Charolles
A 6

540 ► Evian
536 ► La Chapelle
d'abondance

221 ◄ Coulandon

Poisson
MÂCON

Bourg-en-Bresse

498 ► Gex
Bellegarde
GENEVE
541 ► Les Gets

497

LIMOUSIN
AUVERGNE
P 146

Belleville Thoissey
523 **499**

RHÔNE - ALPES
P 236

Bourgogne Franche-Comté

Beauté et variété des paysages,
richesse du patrimoine architectural
et qualité de vie.
Découvrez cette région savoureuse
cultivant l'art des bons vins,
de la gastronomie
et de la joie de vivre.

*Beautiful and varied landscapes,
a rich architectural heritage and
a quality way of life. Discover
this flavoursome region which
cultivates the art of good wine,
gastronomy and joie de vivre.*

Eine Landschaft voller Schönheit und
Abwechslung, reich an architektoni-
schem Erbe und Lebensqualität.
Entdecken Sie diese köstliche Region,
die die Kunst des guten Weines, der
Gastronomie und der " joie de vivre "
kultiviert.

A NE PAS MANQUER.

- Vente des vins des Hospices (mars) Tél.03 80 61 12 54,
- Salon des antiquaires à Dijon (mai) Tél.03 80 77 39 00
- Gr. prix de France de F.1 à Magny Cours (juin) Tél.03 86 21 80 00,
- Montgolfiades à Chalon sur Saône (W.E. de Pentecôte),
- Fest. intern. de musique baroque et classique à Beaune (juil.),
- Fest. des artistes de rue à Chalon sur Saône (juillet) Tél.03 85 48 05 22,
- Pélerinage de la Madeleine à Vezelay (juillet) Tél.03 86 33 24 36,
- Festival musical de Cluny (août) Tél.03 80 51 81 11,
- Fête du Biou à Arbois (septembre) Tél.03 84 37 47 37,
- Folkloriades internationales de Dijon (fin août) Tél.03 80 30 37 95,
- "Les trois glorieuses" : Vougeot, Beaune, Meursault (W.E. du 15/11),
- Lumières de Noël et Marché de Noël à Montbéliard (3 au 24/12).

Hostellerie du Vieux Moulin ★★

France

F 62

21420 BOUILLAND
Isabelle et Jean-Pierre SILVA
26 Chambres - Nouveau Relais du Silence

Tél. 03 80 21 51 16
Fax 03 80 21 59 90

 Janvier
Mer. et Jeu. midi sauf du 01/05 au 30/09

 480 m

♀	380 - 800
♀♀	380 - 800
☕	80
✕	140 - 480
🍽 1/2	470 - 680
🛏	670 - 880

AV

Au cœur de la Bourgogne gourmande et vinicole. Beaune à 10 mn et Nuits St-Georges à 15 mn. Nous proposons le charme d'un petit village bourguignon, des balades dans nos belles forêts et les dégustations de merveilleux vins cachés dans les caves alentours.

Bouilland liegt im Herzen von Burgund, das für seine gute Küche und Weinberge berühmt ist. Wir bieten Ihnen den Charme unseres burgundischen Dorfes. Sie finden hier Gelegenheit zu ausgedehnten Wanderungen in unseren herrlichen Wäldern und - nicht zuletzt - natürlich Weinproben unserer großartigen Weine, die überall in Burgund in den Weinkellern ruhen.

In the heart of gourmet Burgundy and vineyards, Beaune only 10 and Nuits St-Georges 15 min. away. We offer the charme of a Burgundy village, country walks in our wonderfull forests and not least - wine. Tasting of our great wines hidden away in wine cellars all around our region.

✈ Dijon 40 km
🚂 Beaune 15 km
🚗 Sortie Beaune Nord dir. Savigny les Beaune puis D2 dir. Bouilland

68

Hôtel Restaurant Taillard ★★★

France

F
65

Route de la Corniche
25470 GOUMOIS
Eliane et Jean-François TAILLARD
24 Chambres - Relais du Silence depuis 1968

Tél. 03 81 44 20 75
Fax 03 81 44 26 15

De mi Novembre à Mars
Mercredi en Mars, Oct., Nov. et Mercredi midi en Avril

 580 m

 275 - 630

 54

135 - 380

 360 - 550
1/2

 490 - 680

CC □ AV TO

Dans un petit village comtois de la vallée du Doubs, la famille Taillard vous invite à renouer avec la tranquillité et la douceur de vivre. Depuis quatre générations, elle perpétue une tradition d'hospitalité, un art de vivre authentique et une excellente cuisine. Nombreuses activités de pleine nature et découverte d'un terroir.

Besinnen Sie sich auf die Ruhe und Annehmlichkeiten des Lebens. Das in dem comtoiser Dorf Goumois, einem Kleinord des Doubs-Tals, gelegene Hotel Taillard lädt Sie herzlich ein. Die Familie Taillard pflegt seit 4 Generationen die Tradition der Gastfreundschaft und den mit ihr verbundenen Komfort. Forellenangeln, Wandern, Radeln und vielfältige Ausflüge.

In the small Comté village in the Doubs valley the Taillard family offers peace and tranquility. For four generations now, they have received guests with traditional hospitality. Many activities and excursions in the Jura.

⊹ Bâle-Mulhouse 90 km

🚂 Montbéliard 45 km

🚗 Frontière Suisse. A36 sorties
Montbéliard Sud, Besançon,
L'Isle sur le Doubs

Hôtel des 3 Iles ★★

France

F
66

1, rue des Vergers
25220 CHALEZEULE
Violette et Michel THIERRY
16 Chambres - Relais du Silence depuis 1995

Tél. 03 81 61 00 66
Fax 03 81 61 73 09

 2ème quinzaine de Décembre
Ouvert tous les jours

 250 - 260

 270 - 300

 35 - 45

 330
1/2

CC ○ AV TO

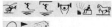

A 5 minutes du centre historique de Besançon, repos dans un environnement de verdure, pêche, VTT, équitation, randonnées pédestres ; accueil familial. Le service du bar est complété par une restauration de proximité allant du repas simple à la gastronomie de bon niveau.

5 Minuten vom Stadtzentrum Besançon, im Grünen gelegen, Wanderungen, Angeln, Reitsport, Mountain Bike. Freundlicher und persönlicher Empfang. Zusätzlich zu unserer Bar finden Sie Restaurants in der Nachbarschaft, wo Sie Speisen in reicher Auswahl vom einfachen Gericht bis zur feinen Küche zu sich nehmen können.

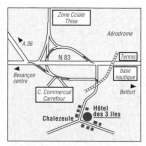

Only 5 minutes from the heart of Besançon, with a lovely green parkland, fishing, riding, mountain-biking ; family-like atmosphere. The hotel's own bar is complemented by a variety of nearby restaurants offering everything from a simple meal to fine dining.

 La Vèze 15 km

Besançon 5 km

A36 sortie Besançon/N - Dir.
centre ville puis Belfort
/Montbéliard et CC. Carrefour

70

Le Revermont ★★

F 69

39230 PASSENANS
Marie-Claude et Michel SCHMIT
28 Chambres - Relais du Silence depuis 1974

Tél. 03 84 44 61 02
Fax 03 84 44 64 83

Janvier et Février
Dimanche soir et Lundi du 01/10 au 31/03

 400 m

 325 - 385

355 - 415

45

110 - 280

1/2 310 - 355

390 - 435

CC ☐ AV TO

Le calme de la campagne au cœur du vignoble jurassien et des pâturages. Une cuisine raffinée privilégiant les produits du terroir : vin jaune, morilles, comté... Des sites exceptionnels à deux pas : Salines d'Arc et Senans, reculée de Baume les Messieurs, musée de jouets, lacs, forêts, châteaux...

Ländliche Ruhe im Herzen der Jura-Weinberge und Weiden. Die feine Küche bevorzugt die hiesigen Produkte: gelbe Wein, Morcheln, Comtékäse. In der Nähe wunderschöne Landschaften, geschichtsträchtige Anlagen: Baume les Messieurs, Jura-Seen und Wälder, das Salzbergwerk Arc et Senans...

Peace and calm of the surrounding countryside in the heart of the vineyards and pastures. A delectable and varied cuisine, enriched by such local specialities as morels, large variety of cheeses and the renowned yellow wine. Many sites of natural beauty and historical interest within easy reach.

Dole Tavaux 35 km

Lons le Saunier 18 km

RN83 entre Lons le Saunier et Poligny prendre D43

71

Château de Rigny ★★★

 France

F
78

Rigny
70100 GRAY
Brigitte et Jacques MAUPIN
29 Chambres - Relais du Silence depuis 1984

Tél. 03 84 65 25 01
Fax 03 84 65 44 45

Du 06 au 30/01/98
Ouvert tous les jours

 350 - 450

 400 - 980

 60

 190 - 350

 450 - 750

CC △ AV TO

Une ancienne demeure dans un parc de 5 ha au bord de la Saône. Le charme de l'authentique allié au confort d'aujourd'hui. Les salons, le jardin d'hiver, un accueil personnalisé, une cuisine raffinée et une discrète efficacité contribuent à rendre votre étape, votre court ou long séjour le plus agréable possible.

Alter Besitz in einem großen Park mit Teich am Ufer der Saône. Ausgestattet mit aktuellem Komfort sowie geheiztem Schwimmbad, Tennisplätzen und Fahrrädern.

Old historic residence in a park of 12 acres on the banks of the river Saône. The romantic charm of its location is the ideal point to visit the Jura or Burgundy or just to have a nice stop on your way. The Château de Rigny is well-known for its comfort, nice and warm interior, beautiful surroundings and refined cuisine.

Dijon Longvic 40 km

Dôle 38 km

Château de Bellecroix ★★★

F
82

Route Nationale 6
71150 CHAGNY
Familles GAUTIER et CRINQUANT
21 Chambres - Relais du Silence depuis 1983

Tél. 03 85 87 13 86
Fax 03 85 91 28 62

De mi-Décembre à mi-Février
H: Mercredi sauf du 01/06 au 30/09
R: Tous les mercredis + jeudi midi

 570 - 850

 570 - 1100

 68 - 70

 150 - 370

 600 - 800

750 - 950

CC △ AV

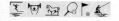

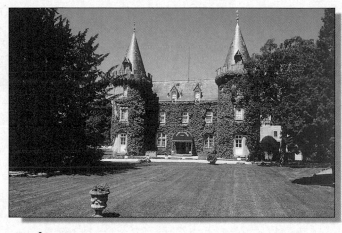

Au cœur de la Bourgogne et de ses richesses (Beaune et ses hospices, Cluny, les églises romanes, les charmants villages aux vignobles prestigieux), ce château des 12e et 18e siècles est une étape gourmande qui allie tradition et vins de grande renommée dans un cadre accueillant.

Im Herzen Burgunds und seiner Reichtümer (Beaune, Cluny, romanische Kirchen), Feinschmecker-Adresse in einem reizvollen Schloß mit Architektur vom 12. bis 18. Jahrhundert. Der Charme burgunder Weinregionen und großer traditioneller Weine.

In the heart of Burgundy and its riches (Beaune and its Hospices 12 Km, Cluny and its abbey, Roman churches) gourmet halt in a charming château, its architecture dating from the 12th to the 18th century. Prestigious vineyards and great traditional wines.

⊰ Lyon Satolas 130 km

🚃 Chagny 3 km

🚗 du Sud : A6 sor. Chalon Nord
puis dir. Nord. Du Nord : A6
sor. Beaune puis dir. Sud

73

"La Reconce" ★★★ Rest. de la Poste ★★

France

F 84

Le Bourg
71600 POISSON
Jean-Noël DAUVERGNE
7 Chambres - Nouveau Relais du Silence

Tél. 03 85 81 10 72
Fax 03 85 81 64 34

3 sem. de Fév. et 2 premières sem. d'oct.
H: Lu. et Ma.   R: Lun. soir et Ma. sauf Juillet et Août

290 - 380
310 - 400
48
80 - 480
310 - 350 ½

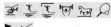

Aux confins de la Bourgogne du Sud, au cœur des célèbres pâturages du Charolais, sur le chemin du Brionnais roman, une étape qui sait allier gastronomie, confort et bien être. Sous la véranda ou en terrasse ombragée vous apprécierez ces instants de bonheur simple. Projet de piscine pour l'été 98.

Am äußersten Südende Burgunds - im Herzen der bekanntesten Weiden des Charolais - auf dem Weg des romanischen Brionnais - eine Etappe, die Gastronomie, Komfort und Wohlgefühl verbindet. Auf der Veranda oder einer schattigen Terrasse genießen Sie diese einfachen aber glücklichen Momente.

In the southernmost part of Burgundy, situated in the heart of the splendid pastureland of the Charolais and near to the romanesque churches that abound in the neighbouring Brionnais. You will appreciate the subtle art of cooking with truly local produce and the comfort of this charming hotel.

Saint-Yan 8 km

Paray-le-Monial 8 km

RN79 - à Paray-le-Monial prendre D34

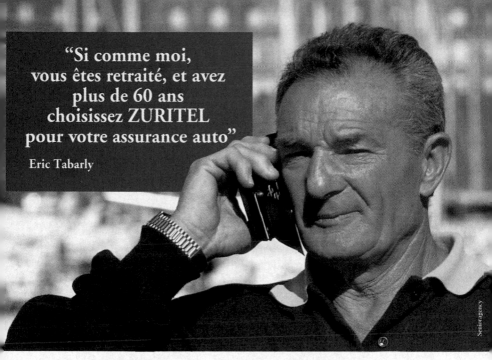

"Si comme moi, vous êtes retraité, et avez plus de 60 ans choisissez ZURITEL pour votre assurance auto"

Eric Tabarly

ZURITEL, des avantages exclusifs pour les retraités :

Les contrats auto classiques ne tiennent pas compte de la façon de conduire plus responsable des retraités. Si bien qu'en cas d'accident, ils sont généralement mal remboursés car leurs véhicules sont souvent âgés et les franchises à leur charge élevées.

C'est pourquoi le groupe **Zurich** présent dans plus de 80 pays, a créé ZURITEL, la première assurance auto directe spécifique pour les retraités de plus de 60 ans.

1. Vous bénéficiez de meilleures garanties :
Nos garanties sont plus complètes et cela, à des conditions très avantageuses. Seuls les retraités y ont droit.

2. Votre voiture est mieux cotée :
En cas d'accident, la valeur expertisée de votre voiture peut être augmentée de 40% si elle a plus de 6 ans.

3. Votre franchise est réduite :
Après chaque année passée sans accident, votre franchise est minorée progressivement. C'est notre façon de récompenser votre prudence et votre fidélité.

4. Votre voiture est mieux dépannée :
L'assistance est toujours comprise dans votre contrat. Elle peut s'étendre au prêt d'une voiture de remplacement.

Pour en savoir plus et pour obtenir un devis gratuit téléphonez tout de suite au :

N° Vert 0800 068 068
APPEL GRATUIT

ZURITEL

La 1ère assurance Auto spécialiste des retraités

Zuritel, Compagnie d'assurance RCS Tours B 341 738 011

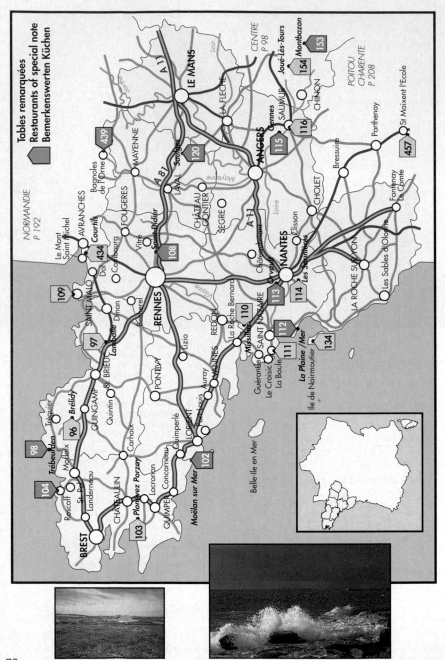

Tables remarquées
Restaurants of special note
Bemerkenswerten Küchen

NORMANDIE
P 192

CENTRE
P 98

POITOU
CHARENTE P 208

LE MANS

Loir

La Flèche

Sauges

MAYENNE

A 81

LAVAL

Sarthe

A 11

Bagnoles de l'Orne

439

120

CHÂTEAU GONTIER

SEGRÉ

Mayenne

Loire

ANGERS

115

116

Gennes

SAUMUR

Joué-Lès-Tours

Montbazon

153

154

CHINON

Parthenay

St Maixent l'Ecole

457

Bressuire

CHOLET

Clisson

108

AVRANCHES

Le Mont Saint Michel

Courtils

434

Combourg

Dol

Vitré

FOUGÈRES

Saint-Didier

Châteaubriant

Ancenis

NANTES

113

114

Les Servitudes

LA ROCHE SUR YON

Les Sables d'Olonne

Fontenay le Comte

109

SAINT MALO

Dinan

Lamballe

Cancale

97

RENNES

Vilaine

La Roche Bernard

Questembert

Missilac

110

SAINT NAZAIRE

112

La Plaine /Mer

134

111

Guérande

Le Croisic

La Baule

Ile de Noirmoutier

Tréguier

Bréhat

98

Trébeurden

96

GUINGAMP

Quintin

St BRIEUC

Morlaix

Carhaix

PONTIVY

Josselin

REDON

VANNES

Auray

Port-Louis

LORIENT

102

Quimperlé

Concarneau

104

Roscoff

St Pol

Landerneau

CHÂTEAULIN

103

Plomodiern Porzay

QUIMPER

Locronan

Moëlan sur Mer

BREST

Belle-Ile en Mer

76

Bretagne
Pays de la Loire

De l'Anjou au Pays Nantais, la nature s'est vouée au vin. La route des vignobles en Val de Loire vous conduira vers l'Atlantique et la Bretagne, terre de bout du monde, brodée de légendes, enlacée par l'océan, envoûtante, sauvage, authentique, naturelle.

From the Anjou to the Pays Nantais, nature is dedicated to the art of wine producing. The Val de Loire vineyard route leads you towards the Atlantic and Brittany, a country at the edge of the world, full of legends, embraced by the ocean, enchanting, wild, authentic and natural.

Von Anjou bis Pays Nantais ist die Natur dem Wein geweiht. Die Weinstraße im Loiretal führt Sie zum Atlantik und zur Bretagne, der Endstation vor dem Ozean, bestickt mit Legenden, umgeben von Meer, bezaubernd, wild, autentisch, natürlich.

A NE PAS MANQUER.

- Floraison des mimosas à Noirmoutier (février),
- Pardon de St Yves à Tréguier (mai) Tél.02 96 92 30 19,
- Festival du Livre d'aventure à St Malo (Pentecôte),
- La Troménie de Locronan (1er ou 2ème dim. de juillet),
- Festival international folklorique de Cornouailles à Quimper (juillet) Tél.02 98 53 04 05,
- Fêtes de la St Loup à Guingamp (août) Tél.02 96 43 87 10,
- 24 Heures du Mans Tél.02 43 28 17 22,
- Fêtes des vins de Loire à Saumur (1er week-end de mai),
- Cinéscenie du Puy du Fou Les Epesses Tél.02 51 64 11 11 (Ve. et Sa. de début 06 à début 09),
- Soirée du Cadre Noir à Saumur Tél.02 41 51 03 06,
- Fêtes du bocage vitréen Tél.02 99 74 52 61.

Château Hôtel de Brélidy ★★★

France

F 96

22140 BRELIDY
Eliane et Pierre YONCOURT-PEMEZEC
10 Chambres - Relais du Silence depuis 1990

Tél. 02 96 95 69 38
Fax 02 96 95 18 03

Toussaint/Pâques
Ouvert tous les jours

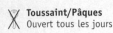

380 - 450

420 - 790

50

145-185 dîner seul.

400 - 635

 □ AV TO

Dernier fief de la chouannerie dans le Trégor, le Château de Brélidy, appuyé à une "motte féodale" du Xè siècle, domine 2 rivières et un domaine de 35 ha. Face aux valonnements du Méné-Bré, point culminant des Côtes d'Armor, l'élégante demeure du XVIè siècle propose 10 chambres riantes, salons douillets, billard français et bibliothèque. Proche de Paimpol, de Bréhat l'île aux fleurs, de la Côte de Granit Rose et de l'île aux oiseaux, il est idéalement situé pour découvrir la Bretagne Nord.

Genießen Sie den Charme eines Schlosses des 16. Jahrh., die geschützte Natur, Paimpol, die Insel Bréhat und die Küste des "Granit Rose" ebenso wie eines der größten Vogelschutzgebiete Frankreichs: die Sieben Inseln.

Discover the charm of authentic 16th century castle, preserved nature near Paimpol, the island of Bréhat and the "Rose Granit" coast.

Lannion 30 km

Guingamp 15 km

RN12 sortie Lannion/Bégard
- D712 vers Tréguier puis D15
vers Brélidy

Manoir des Portes ★★

France

F 97

La Poterie
22400 LAMBALLE
Mme et M. CHAUVEL
16 Chambres - Relais du Silence depuis 1978

Tél. 02 96 31 13 62
Fax 02 96 31 20 53

Du 25/01 au 05/03
R: Lundi

345

405 - 560

42

110 - 175

 405 - 483

 530 - 630

CC ☐ AV

A 2 km de Lamballe, dans la paisible campagne du Penthièvre, un élégant manoir du 16e siècle autour d'une belle cour carrée, près d'un plan d'eau. Sur votre table, les plus beaux produits de la gastronomie des Côtes d'Armor : fruits de mer et poissons, homards du vivier. Visite des haras de Lamballe (tous les jours). A 10 mn des plages et à proximité du Mont St-Michel, de St-Malo et de la Côte de Granit Rose.

Typisch ländliche Umgebung, 10 min vom Strand und Fischer-Hafen, unweit vom Mont Saint-Michel, Saint-Malo und Küste des Granit Rose. Elegantes Herrenhaus aus dem 16. Jahrh., um einen großen Garten-Innenhof. Feinste Meeresfrüchte.

In the heart of countryside, 10 min from beach and fishing ports. Near Mont Saint-Michel, Saint-Malo and Rose Granite Coast. Elegant manor from 16th century around a big beautiful garden-court. Best seafood.

St-Brieuc 20 km

Lamballe 2 km

D28 à l'est de Lamballe

Ti al lannec ★★★

F
98

Allée de Mézo-Guen - B.P. 3
22560 TREBEURDEN
Danielle et Gérard JOUANNY
29 Chambres - Relais du Silence depuis 1979

Tél. 02 96 15 01 01
Fax 02 96 23 62 14
ti.al.lannec@wanadoo.fr

 De mi-Novembre à mi-Mars
Ouvert tous les jours

 410 - 800
 650 - 1135
70 - 90
110 - 395
 605 - 845
1/2
795 - 1040

CC △ AV TO

Sur la côte de Granit Rose, une des plus belles de Bretagne. Etape de charme dans une belle demeure bretonne de caractère. Confort, détente, loisirs, fine cuisine inspirée par l'ambiance océane. Site exceptionnel. Vue panoramique sur le port et les îles. Centre de balnéoesthétique à l'hôtel. Cures de remise en forme. Tous les sports nautiques.

An der Rosa-Granit-Küste, ein typisches Anwesen voll Schönheit und Charakter. Komfort und Entspannung, feine Küche und Fischspezialitäten. Außergewöhnliche Lage, Panoramablick auf Yachthafen und Inseln. Fitnescenter im Hotel ; Wassersport.

On the Rose-Granite coast, one of the most beautiful of all Brittany. A typical, beautiful place with character. Comfort, relaxation, leisure, fine cooking inspired by the sea. Exceptional location, panoramic view onto the yacht harbour and islands. Balnéo and fitness centre in the hotel. All water sports.

Lannion 10 km
Lannion 10 km
De Paris A11, RN12, D767
dir. Lannion, D65 Trébeurden

Les Moulins du Duc ★★★

France

F 102

29350 MOELAN SUR MER

27 Chambres - Relais du Silence depuis 1990

Tél. 02 98 39 60 73
Fax 02 98 39 75 56
lmd@winner.fr

2 premières semaines de Déc., Janv. et Fév.

 380 - 1000

380 - 1000

50

150 - 360

500 - 900
1/2

CC △ AV TO

Depuis le XVIe siècle, ce charmant moulin cache dans ses murs un havre de tranquillité. Vous dormirez dans l'une des jolies petites maisons qui abritent les chambres, et les repas vous seront servis dans le moulin où vous pourrez savourer une cuisine délicate réalisée à partir des meilleurs produits locaux. Pour un bain de douceur et de poésie sur les rives du Belon, dans un parc boisé de 60 ha avec étangs et rivières. Piscine couverte ouverte de mi-avril à fin octobre.

In zwei aus dem 16. Jh. an einem Flusslauf gelegenen Mühlen verbergen sich heute eine romantische Unterkunft und ein anspruchsvolles Restaurant. In einem 60 ha großen Park mit Teichen und Flüssen. Delikate Küche aus feinsten regionalen Produkten.

Two 16th century water mills and their granite buildings have been tastefully converted into a comfortable cottage style accomodation. Tasty cuisine from finest local produce. In a 150 acres parc, with ponds and rivers.

Lorient 32 km

Quimperlé 15 km

N165 sortie Quimperlé (centre) - D24 dir. Moëlan

81

Manoir de Moëllien ★★

France

F 103

29550 PLONEVEZ PORZAY
Marie-Andrée et Bruno GARET
18 Chambres - Relais du Silence depuis 1983

Tél. **02 98 92 50 40**
Fax 02 98 92 55 21
man.moel@ad.com

 De mi-Novembre à mi-Décembre et début Janvier à fin Mars
R: Ma. Merc. Jeu. midi de mars à mi-juin et de mi-sept. à nov.
sauf fériés et vac. scolaires

 360 - 570

360 - 570

45 - 60

126 - 300

 370 - 590

465 - 685

CC AV

Manoir du 17e au coeur touristique du Finistère. Cuisine fine à tendance marine, chambres toutes de plain-pied aménagées dans les dépendances. Havre de paix et de verdure pour se ressourcer. Non loin : Locronan 2 km - Plages de sable fin 3 km - Port cure-marine 10 km - Quimper, faiencerie 20 km.

In Herzen des Finistere-Fremdenverkehrs, ein historiches Landhaus aus dem 17.Jahrh. Liebevoll restauriert, schmackhafte Küche je nach Jahreszeit, ruhige Zimmer im Nebengebäude. Insel des Friedens im Grünen. Locronan 2 km, feine Sandstrände 3 km, Quimper und seine Fayencen 20 km.

In the tourist heart of Southern Finistère, a historic 17th century manor, entirely restored, with refined cuisine adapted to the seasons, and the tranquility of rooms in an annex. A haven of peace and greenery. Nearby: Locronan 2 km - fine sandy beaches 3 km -Quimper and its famous faience 20 km.

Quimper 20 km

Quimper 20 km

A Locronan direction
Douarnenez et à Plonevez-
Porzay également

Hôtel Brittany ★★★

France

F
104

Boulevard Sainte Barbe - B.P. 47
29681 ROSCOFF Cedex
Patricia CHAPALAIN
25 Chambres - Nouveau Relais du Silence

Tél. 02 98 69 70 78
Fax 02 98 61 13 29

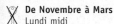
De Novembre à Mars
Lundi midi

 520 - 690

 590 - 890

 62

 130 - 350

 520 - 790

CC △ AV TO

Situé en bordure de mer, dominant le pittoresque port de Roscoff, "petite cité de caractère" ce manoir breton vous enchantera par le raffinement de son mobilier ancien, le confort de ses chambres, son espace détente et la qualité de son restaurant "Le Yachtman". Centres de thalassothérapie à proximité.

Im alten Hafen von Roscoff bietet dieses ehemalige bretonische Herrenhaus einzigartigen Komfort. Überdachter, beheizter Pool-Renommiertes Restaurant "Le Yachtman". In der Nähe Hydrotherapie Zentren. Schiffsverbindungen nach Irland und Großbrittanien, zahlreiche Ausflugsmöglichkeiten.

Londres
Porthmouth
Plymouth
Roscoff
TGV Paris-Brest
Brest
Morlaix
St Malo
Paris
Quimper
Rennes
Espagne
Irlande

In the old port of Roscoff, this Breton seaside manor house offers unexcelled comfort, heated and covered swimming pool, renowned restaurant "Le Yachtman". Shipping links with Cornwall and Ireland. Numerous excursion possibilities.

Brest 50 km

Roscoff 1 km

Voie rapide N12 sortie Morlaix

Pen'Roc ★★★

France

F 108

Lieu-dit La Peinière (sortie Châteaubourg)
35220 SAINT-DIDIER
Mireille et Joseph FROC
33 Chambres - Relais du Silence depuis 1995

Tél. 02 99 00 33 02
Fax 02 99 62 30 89
hotel@penroc.cite-net.fr

Vacances de Février
R: Lundi, Dimanche soir et Vendredi soir hors saison

 340 - 410

360 - 540

48 - 50

 110 - 350

380 - 410

CC ☐ AV TO

Dans le bocage Vitréen, en pleine campagne, endroit rêvé pour une escapade. Mireille et Joseph Froc vous accueillent et vous font partager une cuisine enthousiaste par l'originalité et la finesse des plats : les poissons, les homards du vivier, les volailles fermières, les vins de propriété et de pays.

Inmitten der Bocage-Landschaft von Vitré gelegen, der ideale Ort für Ihren Kurzurlaub. Mireille und Joseph Froc freuen sich auf Ihren Besuch, um ihre Leidenschaft für originelle und erlesene Speisen mit Ihnen zu teilen : Fischspezialitäten, Hummer aus dem Fischbassin, Geflügel vom Bauernhof, Erzeuger-und Landweine.

In a country setting near the town of Vitré, the ideal place in which to get away from it all. Mireille and Joseph Froc will be delighted to share with you their enthusiasm for cuisine : fish, fresh lobster, farm poultry, château-bottled wines and vins de pays.

Rennes St-Jacq. 30km

Vitré 12 km

De Paris A10, A11, A81 sortir à Châteaubourg après péage

Le Grand Hôtel de Courtoisville ★★★

France

F 109

69, bd. Hebert - 57, av. Pasteur
35400 SAINT-MALO
Marie-Hélène et Jean DETROIS
44 Chambres - Nouveau Relais du Silence

Tél. 02 99 40 83 83
Fax 02 99 40 57 83

 De Mi-Novembre à mi-Février
Ouvert tous les jours

👤	360 - 635
👥	360 - 635
☕	50
🍽	130 - 180
🍽 1/2	327 - 490
🍽	367 - 530

CC ☐ AV

A St-Malo, un hôtel de charme et de caractère situé à proximité immédiate de la grande plage et du centre de thalassothérapie. Séjour de calme et de tranquillité dans un cadre à la fois moderne et familial. Cuisine traditionnelle et soignée réalisée à partir de la pêche locale et des produits du terroir. Séminaires-réceptions-cocktails. Canal+ et canalsatellite du 01/04 au 31/10.

In St-Malo, ein Hotel mit Charme und Charakter. Es liegt in unmittelbarer Nähe des großen Strandes und eines Thalasso-Zentrums. Ruhiger Aufenthalt und Entspannung in einem raffinierten und zugleich modernen Rahmen, traditionelle gepflegte Küche, einheimische Fischgerichte und Landprodukte.

In St-Malo, near the main beach, the Grand Hotel de Courtoisville stands in its own delightfully quiet garden. Pleasant stay in a family-like atmosphere. Exquisite cuisine specialised on locally caught seafood.

✈ Dinard-Pleurtuit 10km

🚉 Saint-Malo 1 km

🚗 N137 sortie D301 St-Malo centre, puis dir. Courtoisville-suivre flèches bleues "Thermes Marins"

Hôtel de la Bretesche ★★★★

F 110

44780 MISSILLAC
Christophe DELAHAYE
29 Chambres - Nouveau Relais du Silence

Tél. 02 51 76 86 96
Fax 02 40 66 99 47

 Février
R: Dimanche soir et lundi du 15/10 au 15/03

👤 420 - 1300

👥 420 - 1300

☕ 65 - 90

🍴 160 - 420

🍽 1/2 445 - 900

🍽 605 - 1060

CC AV TO

Jadis résidence des Barons de la Roche-Bernard, la Bretesche est un magnifique ensemble architectural des 14e et 16e siècles, environné d'un parc de 200 hectares. C'est aussi l'un des plus beaux golfs de France. Autour d'une belle cour carrée, dans les anciennes écuries du château, l'hôtel propose 29 chambres personnalisées, rénovées en 1996. Cuisine fine dans un cadre raffiné, dîners aux chandelles. Véritable havre de paix en lisière du Parc Régional de la Brière.

Herrliches Schloss aus dem 14.-16. Jahrh., umgeben von einem 200 ha Park und einem der schönsten Golfplätze Frankreichs. 29 individuelle Zimmer, 1996 renoviert.

La Bretesche is a former mansion of the Barons de la Roche-Bernard. The hotel offers 29 entirely renovated rooms and provides an ideal resort for entertainment, in the midst of La Bretesche's golf course. A true haven of peace alongside the Parc Natural de la Brière.

✈ Nantes 55 km

🚉 Pontchâteau 7 km

🚗 A11 puis sa prolongation sor. Missillac "La Bretesche" à 300 m du domaine

86

La Mascotte ★★

France

F
111

26, avenue Marie-Louise
44500 LA BAULE
Armelle et Joël LANDAIS
23 Chambres - Relais du Silence depuis 1994

Tél. 02 40 60 26 55
Fax 02 40 60 15 67

De Novembre à Février
Ouvert tous les jours

390 - 470
430 - 550
45
150 - 250
390 - 470
515 - 595

CC ☐ AV TO

Au cœur du quartier résidentiel du Casino, à 50 m de la plus belle plage d'Europe et du centre de Thalassothérapie, dans un jardin sous les pins. Le restaurant gastronomique dans un cadre intime et chaleureux, propose une cuisine évolutive basée sur les produits de la mer.

Im schönen "quartier du casino", unter Pinienbäumen inmitten eines Gartens, nur 50 m entfernt vom Meer und vom Zentrum für Thalassotherapie. Das gastronomische Restaurant bietet Ihnen im intimen und behaglichen Rahmen eine innovative "Cuisine" basierend auf Meeresfrüchten.

Situated in a garden under pine trees in the heart of a residential area just 50 m from the most beautiful beach in Europe, the Casino, and the Thalassotherapie center. The friendly and warm setting of the gastronomic restaurant offers an inventive cuisine based on fresh seafood.

Nantes 60 km
La Baule 3 km
NANTES - LA BAULE - Dir. Front de Mer - Casino - 1ère à droite

Anne de Bretagne ★★★

France

F
112

Port de la Gravette
44770 LA PLAINE-SUR-MER
Michèle et Philippe VÉTELÉ
25 Chambres - Relais du Silence depuis 1985

Tél. 02 40 21 54 72
Fax 02 40 21 02 33

 De début Janvier à fin Février
R: Dim. soir et Lundi d'oct. à Avril- Lundi en Mai, Juin et Sept.-
Lundi midi seulement en Juillet et Août

 390 - 680

 50 - 59

 105 - 380

 440 - 620

 CC △ AV TO

En pays de Retz, face à la mer, le charme d'une grande maison balnéaire, calme et confortable. Chambres avec vue panoramique sur mer, chambres avec terrasse ensoleillée donnant sur le parc. Fine cuisine inspirée de la pêche locale et des produits du terroir. Cave de 15000 bouteilles. Côte sauvage, balades iodées et chemins côtiers.

An der Côte de Jade direkt am Meer in aussergewoehnlicher Lage erwarten Sie die charmante Atmosphäre eines Badehotels, Ruhe und jeglicher Komfort, Zimmer mit Meeresblick. Gourmetrestaurant, inspiriert von den frischen Produkten der Region u. des Meeres. Hervorragend sortierter Weinkeller.

Château Bougon 50 km

St-Nazaire 16 km

Direction Pornic, sortie D213
La Plaine-Sur-Mer

Rooms with a view, facing the sea in the Land of Retz in a charming big house where calm and relaxation reign. Come and enjoy a gourmet stay with fine French cuisine inspired by local fish and products. The wine cellar is composed with 15000 bottles. An exceptional place with panoramic view.

Le Domaine d'Orvault ★★★★

France

F
113

Chemin des Marais du Cens
44700 ORVAULT/NANTES
Aline et Jean-Yves BERNARD
26 Chambres - Relais du Silence depuis 1997

Tél. 02 40 76 84 02
Fax 02 40 76 04 21

R: du 15/02 - 6/03 (Vac. scol. de Février)
R: Lundi midi

 330 - 550

420 - 1050

50 - 70

165 - 350

570 - 720
1/2

770 - 920

 CC △ AV TO

Aurea Vallis, la Vallée d'Or, étendait ses forêts jusqu'aux lisières de Nantes. Le parc romantique et la gentilhommière du domaine s'inscrivent aujourd'hui au calme des frondaisons de ce qui est devenu un quartier résidentiel à quelques minutes du centre ville. Belle maison de plain-pied aux charmantes et vastes chambres.

Unweit von Nantes, mitten im Grünen, ein elegantes Haus ländlicher Prägung mit einem schönen Park. Sehr komfortabel und persönlich gehaltene Zimmer, alle ebenerdig.

Once upon a time, the forest of the Aurea Vallis, the Golden Valley, extended all the way to the gates of Nantes. Today, part of that valley is a romantic park cradling a wonderful manor house in a green residential quarter just a few minutes from the city centre. This beautiful single-story house has charming, spacious rooms.

✈ Nantes-Atlant. 12 km

🚘 Nantes 7 km

🚗 Périph. Nord - Echang. Pte Rennes dir. Nantes centre sur 800m puis fléchage à droite.

Abbaye de Villeneuve ★★★★

France

Route de la Roche sur Yon
44840 LES SORINIERES
Philippe SAVRY - Frédéric BREVET
20 Chambres - Relais du Silence depuis 1997

Tél. 02 40 04 40 25
Fax 02 40 31 28 45

Ouvert toute l'année
Ouvert tous les jours

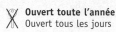

🧍	390 - 950
👫	400 - 1500
☕	70
✕	95 - 350
🍽 1/2	410 - 940
🍽	575 - 1700

CC △ AV TO

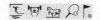

A la porte sud de Nantes, l'Abbaye de Villeneuve fut fondée en 1201 par Constance de Bretagne. En partie détruite à la Révolution, elle abrite aujourd'hui une belle hostellerie où authenticité, majesté et confort se conjuguent pour des moments d'exception. Table à la hauteur de son cadre.

Diese Abtei vor den Toren von Nantes wurde von Constance von Bretagne 1201 gegründet und während der Revolution teilweise zerstört. Heute beherbergt sie ein schönes Hotel, in dem Authentizität auf Königlichen Komfort trifft. Die Küche ist diesem aussergewöhnlichen Rahmen ebenbürtig.

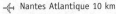

✈ Nantes Atlantique 10 km

🚉 Nantes 10 km

🚗 A83 sortie La Roche/Yon - Dir. Viais

This abbey near Nantes was founded in 1201 by Constance of Brittany and partly destroyed during the Revolution. It now shelters a beautiful hotel where authenticity meets majestic comfort for exceptionnal times. Cuisine at the same regal level.

Le Prieuré ★★★★

France

F
115

Chênehutte-les-Tuffeaux
49350 GENNES
Philippe DOUMERC, Directeur
35 Chambres - Nouveau Relais du Silence

Tél. **02 41 67 90 14**
Fax 02 41 67 92 24
prieuré@wanadoo.fr

Janvier et Février
Ouvert tous les jours

350 - 750	
600 - 1200	
85	
235 - 400	
625 - 1005	
855 - 1230	

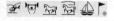

CC AV TO

Pour apprécier la douceur de vivre en Anjou, un élégant manoir Renaissance dans son parc de 25 h. Le site, dominant la Loire, est unique et la vue splendide. Vous en profiterez au restaurant tout en dégustant une fine cuisine classique. 20 chambres de caractère au château et 15 chambres modernes en pavillons dans le parc.

Der schöne Landsitz aus dem 12. und 16. Jahrhundert liegt 6 km von Saumur entfernt und bietet 20 hübsche Zimmer im Schloß und im 25 ha. großen Park, 15 moderne Pavillons, über der Loire gelegen mit herrlichem Ausblick. Klassische feine Küche.

Charming manor from the XII and XVI century in a unique surrounding above the Loire valley in a 62 acre park with a splendid view. 20 rooms in main-building, 15 rooms in modern cottages. Fine classic cuisine.

Nantes Atlant. 140 km

Saumur 7 km

A10 sor. Tours puis D751 Saumur ou A11 Angers puis A85 Saumur

91

Clos des Bénédictins ★★

F 116

Rue des Lilas - St Hilaire-St Florent
49400 SAUMUR
Nicole et Jean-Luc DELIAS
22 Chambres - Relais du Silence depuis 1987

Tél. 02 41 67 28 48
Fax 02 41 67 13 71
clos@club-internet.fr

Du 15/11/97 au 28/02/98
Ouvert tous les jours

👤 300 - 450
👥 300 - 550
☕ 60
✕ 120 - 190
🛏 400 - 500
1/2
🛏

CC △ AV TO

Situé sur une colline dominant la Loire et Saumur, dans une région où il fait bon vivre, Le Clos des Bénédictins vous propose une table raffinée, qui alliée au panorama unique vous fera passer un agréable moment. A deux pas du Cadre Noir, caves du saumurois, châteaux.

Das hotel Clos des Bénédictins liegt auf einen die Loire und Saumur beherrschenen Hügel, in einer wunderschönen Gegend. Die Qualität der Küche und das unvergleichliche Panorama werden Ihnen eine herrliche Zeit garantieren. Nur wenige Minuten vom Cadre Noir, den Weinkellern und Schlössern.

Le Mans ▲ — D 751 — N 147 — D 10
St Hilaire St Florent — Bourgueil ●
Saumur — N 152 — Tours ►
Angers ◄ — D 960 — D 947
N 147 — Chinon
Doué-la-Fontaine — Fontevraud- ● l'Abbaye ►
D 761 — Montreuil-Bellay
D 938 — D 147
Thouars ▼ — N 147 — Loudun ▼

🛬 Nantes 150 km
🚉 Saumur 2 km
🚗 A Saumur, dir. St-Hilaire St-Florent, puis Ecole Nationale Equitation

Located on a hill overlooking the Loire and Saumur in a region where life is easy. Discover a refined cuisine, along with the unique panoramic view, as your guarantee of enjoying a most pleasant time. Close to Cadre Noir, wine cellars, châteaux.

L'Ermitage ★★★

France

F
120

Le Bourg
53340 SAULGES
Annette et Daniel JANVIER
36 Chambres - Relais du Silence depuis 1993

Tél. 02 43 90 52 28
Fax 02 43 90 56 61

 Février
Dimanche soir et Lundi sauf du 15/04 au 30/09

 320 - 400

 350 - 560

53

✕ 100 - 300

 340 - 460
1/2

420 - 560

 ☐ AV TO

Etape gourmande, hôtel de charme, l'Ermitage offre confort et détente. Idéal pour vos week-ends ou séjours, parc fleuri, piscine, mini-golf,
remise en forme, cuisine et cave de qualité. A visiter : grottes préhistoriques, église mérovingienne, château de Ste Suzanne, abbaye de
Solesmes, golf de Sablé. Forfait golf hôtel sur demande.

Gastronomisches Restaurant, charmantes Hotel. Blumenreicher Park,
Schwimmbad, Minigolf, Fitnessraum, köstliche Küche und großer
Weinkeller. Zu besichtigen : merowingiche Kirche, Schloß von St.
Suzanne, Kloster von Solesmes, Golf in Sablé.

Gourmet restaurant, charming
hotel, the Ermitage offers comfort
and relaxation. Ideal for weekend breaks or holidays, with its
flowered park, swimming pool,
mini-golf, fitness room, excellent
food and wine cellar. Sights to
visit : prehistoric caves, meroving-
gian church, St Suzanne castle,
golf at Sablé.

Rennes 100 km

Sablé S/Sarthe 20 km

A81 sortie N°2 Vaiges - D24
dir. Sablé puis D554 (7km)

93

Les Prateaux ★★★

 8, allée du Tambourin - Le Bois de la Chaize
85330 NOIRMOUTIER EN L'ILE
Jean Paul BLOUARD
22 Chambres - Relais du Silence depuis 1973

Tél. 02 51 39 12 52
Fax 02 51 39 46 28

De mi Novembre à mi Février
Ouvert tous les jours

👤	320 - 380
👥	360 - 800
☕	55 - 70
🍴	145 - 310
🍽 1/2	355 - 640
🍽	430 - 730

CC △ AV TO

Au cœur du Bois de la Chaize, accès direct aux plages par le Bois (100 m). Séjour calme et reposant dans un jardin fleuri. Chambres récentes, spacieuses et de grand confort. Cuisine fine de produits frais de la mer : vivier à homards. Hors saison, lieu propice à l'organisation de séminaires.

Im Herzen des Waldes "Bois de la Chaize" mit Zugang zum Strand (etwa 100 m). Ruhige und erholsame Lage in einem bluehenden Park. Neue, geräumige Zimmer mit grossem Komfort. Feine Küche mit frischen Meeresfrüchten und lebenden Hummern. Ausserhalb der Saison sehr günstig zum Abhalten von Seminaren.

In the heart of the Bois de la Chaize with direct access to the beaches (100 m) by the wood. Very calm surroundings with a floral garden. Recently built rooms, spacious and very great comfort. Fine cuisine specialising in seafoods : live lobsters. Seminars, conferences in low season.

Océan Atlantique

▲ PORNIC
Nantes
Bois de la Chaize
Noirmoutier-en-l'Ile
Bourgneuf-en-Retz
Beauvoir-s-Mer
St Gilles
Sables d'Olonne
Challans

🚄 Nantes 80 km

✈ Nantes 85 km

🚗 De NANTES, dir. Noirmoutier. Du Sud, La Roche s/Yon - Challans - Beauvoir

Chèque Cadeau
Gift voucher
Geschenkgutschein...

... pour offrir des moments de bonheur
To offer moments of happiness
So schenken Sie Momente des Glücks

Nous sommes à votre disposition
We are at your service
Wir stehen gerne zu Ihrer Verfügung

Tél. : (33) (o)1 44 49 79 00

Fax : (33) (o)1 44 49 79 01

http://www.relais-du-silence.com/

Hôtel

Relais du Silence
Silencehotel

Quel relais pour votre passion ?
Choose your relais hotel according to your activities.
Das passende Relais für Ihre Hobbies.

Les hôtels par région
et pays avec leurs
équipements de loisirs.

List of relais hotel by
regions and countries
with their leasure
facilities.

Die Relais, geordnet
nach Regionen und
Ländern, mit ihren
jeweiligen
Freizeitangeboten.

pages 450 ⟶ 463

DEMEURES & CHATEAUX vous invite à découvrir les plus belles propriétés de France, son patrimoine architectural, historique ou moderne.
Revue de référence en matière de bon goût à la française, il vous présente un véritable art de vivre alliant élégance et raffinement.

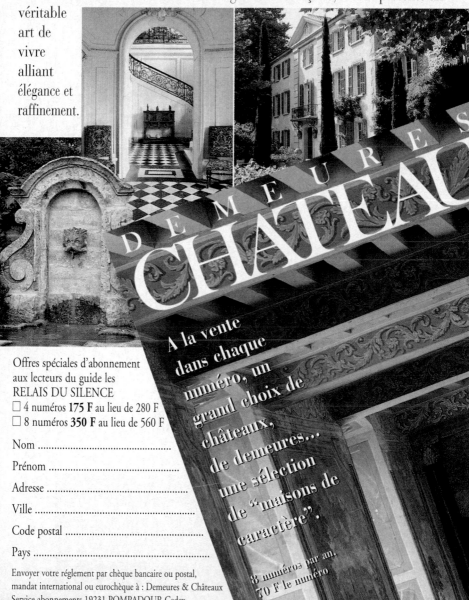

A la vente dans chaque numéro, un grand choix de châteaux, de demeures... une sélection de "maisons de caractère".

8 numéros par an, 70 F le numéro

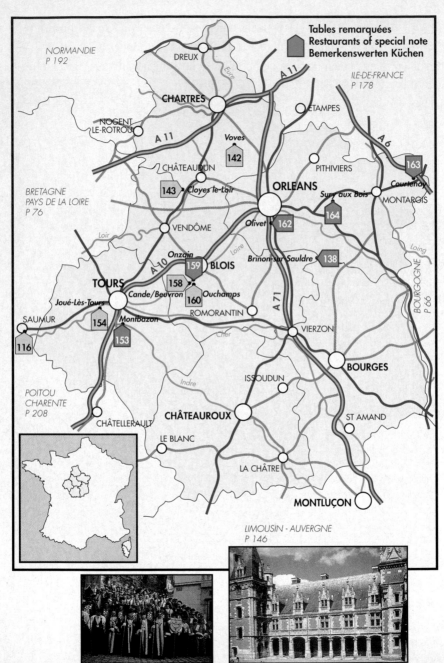

Tables remarquées
Restaurants of special note
Bemerkenswerten Küchen

NORMANDIE
P 192

ILE-DE-FRANCE
P 178

DREUX

A 11

CHARTRES

NOGENT
LE-ROTROU

A 11

Voves

142

CHÂTEAUDUN

ÉTAMPES

PITHIVIERS

A 6

163

Courtenay

MONTARGIS

ORLEANS

BRETAGNE
PAYS DE LA LOIRE
P 76

143 Cloyes le-Loir

Sury aux Bois

VENDÔME

Olivet **162**

164

Loir

Loire

Onzain

Brinon-sur-Sauldre **138**

Loing

159 BLOIS

A 10

158

Cande/Beuvron **160** Ouchamps

BOURGOGNE
P 66

TOURS

Joué-Lès-Tours

ROMORANTIN

A 71

154 Montbazon

Cher

VIERZON

SAUMUR

153

116

Indre

ISSOUDUN

BOURGES

POITOU
CHARENTE
P 208

CHÂTELLERAULT

CHÂTEAUROUX

ST AMAND

LE BLANC

LA CHÂTRE

MONTLUÇON

LIMOUSIN - AUVERGNE
P 146

Centre

A une heure de Paris vit une terre qui ne peut laisser indifférent : sous-bois, grands espaces, rivières, plans d'eau, passé chargé d'histoire et merveilles architecturales.

An hour away from Paris is a land which cannot leave you indifferent: undergrowth, large open spaces, rivers, lakes, a historically-charged past and architectural wonders.

A NE PAS MANQUER.

- Châteaux de la Loire et leurs sons et lumières,
- Fêtes johanniques à Orléans (mai) Tél.02 38 79 26 47,
- Fêtes musicales en Touraine à Tours (le week-end en juin) Tél.02 47 21 65 08,
- Festival de Sully à Sully-sur-Loire (fin juin à mi juillet) Tél.02 38 36 29 46,
- Rencontres intern. de luthiers et mâitres sonneurs à St Chartier (mi juillet) Tél.02 54 06 09 96,
- Eté musical de Noirlac à Noirlac (mi/07 à mi/08) Tél.02 48 67 00 18,
- Marchés de Chinon (médiéval et mode 1900) (août) Tél.02 47 93 17 85,
- Balades nocturnes au Moyen-Age à Ferrières en Gâtinais, (entre 15 et 30/08) Tél.02 38 96 58 86,
- Fêtes romantiques à Nohant (juin) Tél.02 54 48 22 64,
- Journées gastronomiques de Sologne à Romorantin (dernier week-end d'oct.) Tél.02 54 96 59 19.

Eine Stunde von Paris entfernt erwartet Sie ein Landstrich, der Sie nicht unberührt lassen wird : bewaldet, weite Horizonte, Flüsse, Wasserflächen, historisch bedeutsam und voller architektonischer Schönheiten.

La Solognote ★★

France

F
138

18410 BRINON/SAULDRE
Andrée et Dominique GIRARD
13 Chambres - Relais du Silence depuis 1980

Tél. 02 48 58 50 29
Fax 02 48 58 56 00

De mi Février à mi Mars + 1 sem. en Mai et 1 en Sept.
Mar. soir et Mer. du 01/10 au 30/06 et mardi midi et mercredi
midi en Juillet, Août et Septembre

 350 - 500

 350 - 500

 60 - 65

 170 - 350

 450 - 500

CC ☐

Le caractère de la Sologne s'exprime ici avec goût et simplicité. Briques et tomettes colorent joliment le décor et ajoutent à la chaleur de l'accueil et du coin cheminée. Tout pour vous mettre en condition d'apprécier l'excellente cuisine de Dominique Girard dans une ambiance faite de charme et de convivialité.

Hier zeigt sich der Charakter der Sologne mit Geschmack und Einfachheit. Ziegelsteine und warme Farben gesellen sich zu unserem Willkommen und am Kamin. Dabei genießen Sie Dominique Girard's hervorragende Küche in einem Rahmen voller Charm und Geselligkeit.

Here, Sologne's character shows with taste and simplicity. Pretty colours and the brickwork add to the warmth of our welcome and the fireplace. Everything to make you appresiate Dominique Girard's excellente cuisine in a setting of charm and companionship.

🛬 Orly 150 km

🚆 Lamotte-Beuvron 18km

🚗 N20 ou A71 sortie Lamotte-Beuvron

100

Le Quai Fleuri ★★★

France

F 142

15, rue Texier Gallas
28150 VOVES
Elise et François CHADORGE
17 Chambres - Relais du Silence depuis 1993

Tél. 02 37 99 15 15
Fax 02 37 99 11 20

Du 22/12 au 11/01
D. soir et jours fériés + Ven. soir du 01/11 au 30/04

295 - 390

295 - 590

45

79 - 250

280 - 350

340 - 445

 CC ○ AV TO

Entre Chartres et Orléans, une hostellerie de campagne romantique où vous serez reçu avec une grande gentillesse. Cuisine soignée de François Chadorge servie au coin du feu ou en bordure du parc boisé, selon la saison. Installations de remise en forme, salon de jeu avec billard, bibliothèque. Promenades en calèche.

Zwischen Chartres und Orléans, ein romantisches Landhotel. Genießen Sie die feine Küche von François Chadorge je nach Saison draußen oder am Kamin serviert. Fitness Center, Spielesalon mit Billiard, Bibliothek. Kutschen- Fahrten.

Between Chartres and Orléans, a romantic country hotel. François Chadorge serves refined meals by the open fireplace or outside - according to the season. Fitness centre, billiards and other games, library. Rides in horse-drawn coaches.

✈ Orly 90 km

🚊 Voves 500 m

🚗 A10 ou A11 et N154

Le Saint-Jacques ★★★

France

F
143

Place du Marché aux Œufs
28220 CLOYES SUR LE LOIR
Valérie et Eric THUREAU-DIONNET
22 Chambres - Relais du Silence depuis 1991

Tél. 02 37 98 40 08
Fax 02 37 98 32 63

De Novembre à mi-Mars
Ouvert tous les jours d'Avril à Octobre

360 - 590
360 - 590
55
98 - 170
375 - 470
525 - 630

CC ☐ AV TO

Ancien relais de poste du XVIè siècle, dans un parc ombragé bordé par le Loir. Un havre de paix entre Châteaudun et Vendôme, à proximité des châteaux de la Loire. Son restaurant "Le P'tit Bistrot" offre un excellent rapport qualité/prix et vous propose un service en terrasse à la belle saison. Bar en bord de rivière. Barques, canoës, VTT, etc.

Ehemalige Postkutschen-Station aus dem 16. Jahrhundert, in einem schattigen Park am Ufer des Loir, zwischen Châteaudun und Vendôme, in unmittelbarer Nähe der Loire-Schlösser. Service auf der Terrasse und Bar am Flußufer. Boote und Bikes und mehr.

Old 16th century coaching inn, set in a beautiful shady park, on the riverside of the Loir. A haven near Châteaudun and Vendôme and close to the Loire Château. The restaurant "Le P'tit Bistrot" offers excellent value for money. Service on the terrace, bar on the riverside. Boats and bikes etc.

[Carte : Chartres, A 11 Océane, Sortie Luigny, Sortie Thivars, A 10 Aquitaine, N 10, Châteaudun, Cloyes, N 10, A 10, Orléans, Vendôme Gare TGV Atlantique, A 71, Blois]

Orly 130 km

Vendôme 25 km

De Paris : A11 sortie Thivars puis N10 dir. Tours (entre Châteaudun et Vendôme)

Domaine de la Tortinière ★★★

F 153

Route de Ballan-Miré - "Les Gués de Veigné"
37250 MONTBAZON
Denise OLIVEREAU-CAPRON et Xavier OLIVEREAU
21 Chambres - Relais du Silence depuis 1981

Tél. 02 47 34 35 00
Fax 02 47 65 95 70

 **Du 21/12 au 28/02**
Ouvert tous les jours

 480 - 750
 480 - 1280
75
220 - 360
585 - 985
sur demande

CC △ AV TO

A 10 km au sud de Tours, au cœur des châteaux de la Loire, gracieuse demeure Second Empire située dans un parc de 15 ha descendant jusqu'à l'Indre. Un domaine enchanteur pour goûter le calme de la douceur tourangelle. Une cuisine raffinée. Les chambres du château comme des pavillons rivalisent de charme.

10 km von Tours entfernt, im Kerngebiet der Loire-Schlösser, reizvolle Residenz im Empire-Stil, in einem 15 ha großen Park gelegen, der zum Fluß Indre abfällt. Zimmer im Schloß und in den Pavillons, eines schöner als das andere. Erlesene Küche.

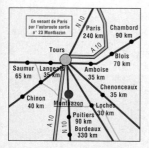

10 km from Tours in the heart of the Loire châteaux country, a gracious Second-Empire residence in a 38 acre park stretching down to the Indre river. An enchanting estate to enjoy the calm of the region. Refined cuisine. The château guestrooms and pavilions all rival in their charm.

Tours-St-Symphorien 25 km

Tours-St-Pierre 9 km

A10 sortie 23 Montbazon -
RN 10 puis dir. Poitiers

Château de Beaulieu ★★★

France

F
154

67, rue de Beaulieu (D207)
37300 TOURS-Joué-les-Tours
Loraine et Jean-Pierre LOZAY
19 Chambres - Relais du Silence depuis 1968

Tél. 02 47 53 20 26
Fax 02 47 53 84 20

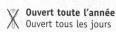
Ouvert toute l'année
Ouvert tous les jours

380 - 550

380 - 750

55

205 - 480

400 - 600

590 - 770

CC △ AV

19

A une lieue de Tours, au pays des Châteaux de la Loire, goûtez le charme du "Jardin de la France", vous y découvrirez le Château de Beaulieu, gentilhommière du XVIIIe siècle dans un grand parc fleuri, pièce d'eau et jardins à la française. Etape gourmande en Touraine où Loraine et Jean-Pierre Lozay, Maître cuisinier de France, vous feront découvrir une cuisine traditionnelle et authentique. Belle carte des vins de Loire.

Herrenshaus aus dem 18. Jahrhundert. Gelegen bei den Loire-Schlössern. Gastronomische Adresse: Jean-Pierre Lozay, Meisterkoch von Frankreich. Erlesene Weine der Loire.

An 18th century manor house in the heart of the Loire valley. A gastronomic halt: Jean-Pierre Lozay, master cook of France. Very good selection of Loire wines.

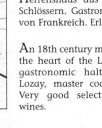
Tours Nord 8 km

Tours 5 km

Situé à 4 km SO de Tours.
Accès par D86 puis D207

Château des Tertres ★★★

F 158

Route de Monteaux
41150 ONZAIN
Bernard VALOIS
14 Chambres - Relais du Silence depuis 1994

Tél. **02 54 20 83 88**
Fax 02 54 20 89 21

Du 11/11/97 à 04/98
Ouvert tous les jours

400 - 520

44

sans restaurant

1/2

CC AV TO

A 3 km du festival international des jardins, une étape de charme dans une élégante demeure Napoléon III. Parc - jardin - nombreux restaurants aux environs. Superbes promenades à vélo, disponibles à l'hôtel. A proximité, Chaumont, Blois, Amboise, Chenonceau.

Nur 3 km von internationalen Gartenfestival, ein idyllishes Schloß aus dem 19 Jahrhundert in einen waldreichen Park. Im Dorf gibt es einige gute Restaurants. Fahrräder vom Hotel. In der Nähe die Schlösser Chaumont, Blois, Amboise, Chenonceau.

Only 3 km from the international garden festival, a charming hotel in a gracious 19th century manor house. Park - garden - numerous restaurants at varying price levels nearby. Bicycles available. Nearby, visit Chaumont, Blois, Amboise, Chenonceau.

Orly 170 km

Onzain 2 km

A10 sortie Blois puis N152 dir. Tours/A10 sortie Amboise puis N152 dir. Blois

105

La Caillère ★★

36, route des Montils
41120 CANDÉ SUR BEUVRON
Françoise et Jacky GUINDON
14 Chambres - Relais du Silence depuis 1995

Tél. 02 54 44 03 08
Fax 02 54 44 00 95

Janvier et Février
R: Mercredi sauf pour résidents (mai-juin-juillet-août-sept.)

310 - 340

340 - 380

50

98 - 298

398 - 428

CC □ AV TO

Dans la verdure, à dix minutes de Blois, La Caillère est une étape de détente et de bien vivre sur le circuit des châteaux de la Loire. Dans cette vieille auberge entièrement rénovée, vous goûterez la cuisine de Jacky Guindon qui associe avec passion la tradition et la recherche. Caves renommées du val de Loire.

Im Tal der Loire, 10 Min. von Blois und nahe der berühmten Schlösser Chambord, Chenonceaux, Cheverny & Chaumont, läßt sich im La Caillère gut leben und entspannen. In dieser alten renovierten Herberge genießen Sie die traditionelle und innovative Küche des Besitzers Jacky Guindon.

On the left bank of the Loire Valley, 10 min from Blois and close to the famous Chateaux : Chambord, Chenonceaux, Cheverny & Chaumont. La Caillère is a lovely cottage where you'll enjoy comfort & quietness. You'll be delighted to try the original cuisine of the chef-owner, Jacky Guindon.

Tours 45 km

Onzain 7 km

A la sortie de Blois D751 et D173 dir. Tours

Le Relais des Landes ★★★

France

Les Montils
41120 OUCHAMPS
Andrée ROUSSELET et Gérard BADENIER
28 Chambres - Relais du Silence depuis 1996

Tél. 02 54 44 40 40
Fax 02 54 44 03 89

 H: du 22/12 au 05/01
R: du 05/01 au 28/02 Réserv. sur demande
Ouvert tous les jours

495 - 765

495 - 745

60

180 - 280

542 - 668

CC △ AV TO

Au centre du circuit des châteaux de la Loire, dans le calme décor de la Sologne, une gentilhommière du XVIIe siècle aménagée en hostellerie de charme. Au gré des saisons, cuisine régionale élaborée exclusivement à partir de produits frais. De la simplicité à la gastronomie. Déjeuners en terrasse. Location de bicyclettes.

In der stillen Sologne, Ausgangspunkt für die Schlösser entlang der Loire, ein Anwesen aus dem 17. Jahrhundert, jetzt ein Hotel voller Charme. Je nach Jahreszeit regionale Küche mit ausschließlich frischen Produkten. Vom Einfachen zur Gastronomie. Speisen am Mittag auf der Terrasse. Fahrradverleih.

In the centre of the Loire castles tours, in quiet Sologne, is this charming 17th century manor house. According to the seasons, regional cuisine exclusively from fresh products. From simplicity to gastronomy. Lunch on the terrace. Bicycle-hire.

Orly 160 km

Blois 15 km

A10 sortie Blois - dir. Montrichard par D751 et D764

Le Rivage ★★★

F 162

635, rue de la Reine Blanche
45160 OLIVET
Jean-Pierre BEREAUD
17 Chambres - Relais du Silence depuis 1977

Tél. 02 38 66 02 93
Fax 02 38 56 31 11

 Du 26/12 au 20/01
Ouvert tous les jours

 370
 450 - 370
 50 - 55
 155 - 300
 900-1000 (2 pers.)
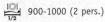 1000-1100 (2 pers.)

 △ AV TO

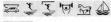

Maison charmeuse, Le Rivage est posé sous les ombrages, juste au bord du Loiret. Son paysage merveilleux suggère la douceur de vivre. Chambres coquettes au confort moderne, lumineuse salle à manger, terrasse au bord de l'eau. Cuisine raffinée des quatre saisons. Proximité des Châteaux de la Loire.

An den schattigen Ufern des Flusses Loiret werden Sie unser Haus und die herrliche Landschaft zum süßen Leben verführen. Jeglicher Komfort in hübschen Zimmern, helles Restaurant und Terrasse am Wasser. Feine Küche, je nach Jahreszeit. Nahe den Schlössern der Loire.

On the shady banks of the Loiret river, this beautiful countryside will entice you to some gentle living. All modern comfort in charming rooms, bright restaurant room and terrace by the water. Refined cuisine according to seasons. Near the Loire Châteaux.

✈ Orly 120 km
🚉 Orléans 5 km
🚌 De Paris A10 sortie "Orléans la Source" puis Olivet centre, bord. du Loiret

Auberge La Clé des Champs ★★★

F 163

Route de Joigny
45320 COURTENAY
Brigitte et Marc DELION
7 Chambres - Relais du Silence depuis 1994

Tél. 02 38 97 42 68
Fax 02 38 97 38 10

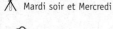 2 dern. sem. d'Oct. et 2 dern. sem. de Janvier
Mardi soir et Mercredi

 395 - 520
395 - 610
28 - 58
120 - 320

A 5 mn de l'autoroute du Soleil, prenez la "Clé des Champs". L'ancienne ferme familiale du XVIIe siècle est devenue une ravissante auberge champêtre à l'esprit gourmand. Elle est accueillante comme le sourire de Brigitte Delion et sincère comme la délicate cuisine de Marc Delion, Maître Cuisinier de France.

Das "Clé des Champs" liegt nur 5 Min. von der Autoroute du Soleil. Ehemals ein Bauernhof aus dem 17. Jahrhundert, jetzt ein Landgasthaus mit Charme und Geist für gutes Essen. Es grüßt Sie wie Brigitte Delion's Lächeln und ist ernsthaft wie die delikate Küche von Marc Delion, Meisterkoch von Frankreich.

The "Clé des Champs" is only 5 min from the Sunshine-Highway. Formerly a 17th century farmhouse, it is now a charming country lodge with a spirit of good eating. It is welcoming like Brigitte Delion's smile and sincere like the delicate cuisine of Marc Delion, Master-Chef of France.

Orly 100 km

Montargis/Sens 25 km

A6 sortie Courtenay - Dir. Joigny

Domaine de Chicamour ★★

F 164

RN 60
45530 SURY AUX BOIS
Aline et Robert MERCKX
12 Chambres - Relais du Silence depuis 1985

Tél. 02 38 55 85 42
Fax 02 38 55 80 43

Du 11/11/97 au 15/03/98
Ouvert tous les jours

 340
 395
 50
 100 - 230
 1/2 425
 525

CC ☐ AV TO

A 120 km de Paris, au cœur de la forêt d'Orléans, une élégante demeure bourgeoise entourée d'un parc de 8 ha planté d'essences rares, sur lequel donnent des chambres calmes et spacieuses. Elégante décoration intérieure, salon avec cheminée, cuisine raffinée et très belle cave des vins du Val de Loire. Situation privilégiée pour la visite des prestigieux châteaux.

120 km von Paris, im Wald von Orléans, in einem 8 ha großen Park. Große und ruhige Zimmer. Elegantes Interieur, Salon mit Kamin, feine Küche und Weinkeller mit guten Weinen des Loire-Tals. Privilegierter Ort für Ausflüge zu den berühmten Loire-Schlössern.

120 km from Paris, in the Orléans forest, in an 18 acre parc. Large and quiet rooms. An elegant place, salon with open fireplace, refined cuisine and cellar with fine wines of the Loire Valley. Privileged location for visits of the prestigious castles.

✈ Orly 95 km
🚇 Orléans 35 km
🚌 N60 à mi-chemin entre Orléans et Montargis

Comment Réserver
How to Book
Vorgehen bei Buchungen

?

- En contactant directement l'hôtel de votre choix
  By contacting the hotel of your choice directly
  Sie nehmen direkt mit dem Hotel Ihrer Wahl Kontakt auf

- Gratuitement d'un relais à un autre
  Free of charge from one Relais to another
  Sie buchen Kostenlos von einem Relais zum anderen

- Notre **centrale de réservation** à votre service
  du lundi au vendredi de 9h à 18h
  Central Booking Service • Reservationszentrale

  Tél. : (33) (o)1 44 49 90 00

  Fax : (33) (o)1 44 49 79 01

  Via Internet
  http://www.relais-du-silence.com/

  Un n° de réservation vous sera donné pour confirmation
  A booking number will be given to you to confirm
  Zur bestätigung erhalten Sie eine Buchungsnummer

- U.S.A.: notre représentant
  : our representative
  : unser Vertreter

  (1) 800 927 47 65
  (1) 800 OK FRANCE

Pour répondre aux
besoins des **Entreprises**

3 Services étudiés...

Hôtel

Relais du Silence
Silencehotel

• **Le livret Séminaire**
référence les établissements qui accueillent vos
manifestations, et détaille toutes les informations
nécessaires à leur organisation.

• **Le chèque cadeau**
Un moyen original du "Plaisir d'offrir" à sa famille,
ses amis, ses collaborateurs, ses clients, un séjour
dans les 318 Relais du Silence européens.

• **La Carte Soirée Etape Affaires**
Réservée aux commerciaux titulaires de cette carte,
elle offre les prestations *dîner, chambre et petit déjeuner*
à des tarifs unifiés dans les hôtels participants
à l'opération.

Pour tout renseignement supplémentaire,
afin de bénéficier de ces avantages :

Tél. : ③③ **(0)1 44 49 79 00**

Fax : ③③ (0)1 44 49 79 01

http://www.relais-du-silence.com/

MARIE MARIE

MEUBLES PEINTS
DECORATION

La décoratrice spécialisée dans
la décoration et la rénovation hôtelière,
vous propose une décoration adaptée à
votre demande et à votre environnement.

Sur demande :
Catalogue couleur
Possibilités
de déplacement

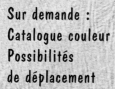

Marie COCHARD ARDIN d'ELTEIL
624B, Avenue Mazargues - 13008 MARSEILLE
Tél. : 04 91 77 81 52 - Fax : 04 91 22 63 54

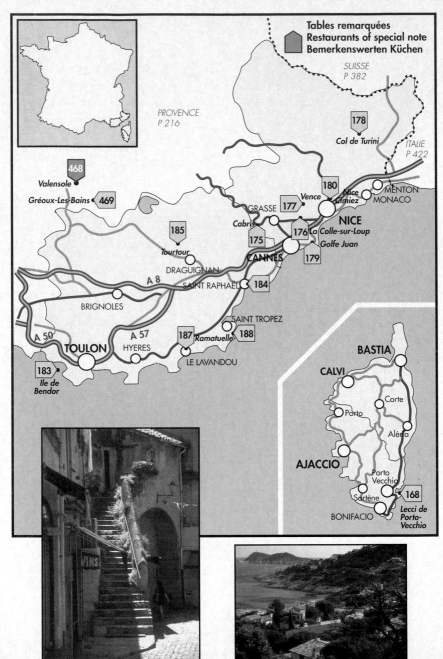

Tables remarquées
Restaurants of special note
Bemerkenswerten Küchen

SUISSE
P 382

PROVENCE
P 216

178
Col de Turini

ITALIE
P 422

468
Valensole

Gréoux-Les-Bains ◄ 469

180
Nice
Cimiez

MENTON
MONACO

185
Tourtour

GRASSE

Vence 177

Cabris

175

176 *La*
Colle-sur-Loup
Golfe Juan

NICE

DRAGUIGNAN

CANNES

179

A 8

SAINT RAPHAËL 184

BRIGNOLES

SAINT TROPEZ

A 50

A 57

187 *Ramatuelle* 188

TOULON

HYÈRES

LE LAVANDOU

183
Ile de
Bendor

BASTIA

CALVI

Corte

Porto

Aléria

AJACCIO

Porto
Vecchio

Sartène

168

BONIFACIO

Lecci de
Porto-
Vecchio

114

Corse
Côte d'Azur

On y vient des quatre coins
du monde : Côte d'Azur et Ile
de Beauté sont irrésistibles...
Soleil, couleurs, saveurs, parfums,
fleurs, faste... composent
un cocktail enivrant à déguster
en écoutant le chant des cigales.

People come here from all
over the world: Côte d'Azur
and Corsica are irresistible...
sun, colours, flavours, fragances, flowers, splendour...
make up a heady cocktail to
be tasted while listening to
the song of the cicadas.

Aus allen Ecken der Welt
kommt man hierher:
Die Côte d'Azur und die
Insel der Schönheit sind
unwiderstehlich... Sonne,
Farben, Köstlichkeiten,
Düfte, Blumen, Pracht...
ergeben einen berau-
schenden Cocktail, den
man beim Grillengesang
kostet.

A NE PAS MANQUER.

CORSE
- Cérémonies de la semaine sainte
  dans toute l'île,
- Fêtes Napoléonniennes Ajaccio
  (Week-end du 15 août),
- Rencontres polyphoniques de
  Calvi Tél.04 95 65 23 57.

CÔTE D'AZUR
- Carnaval de Nice (mi à fin 02),
- Printemps des Arts à Monte-Carlo
  (mi 04 à mi 05)
  Tél.04 93 15 83 03,

- Festival International du film
  à Cannes (mai)
  Tél.01 45 61 66 00,
- "Jazz à Juan" à Antibes-Juan les
  Pins. (juillet) Tél.04 92 90 53 00,
- Festival mondial de folklore
  à Nice (mi-juillet à mi-août),
- Les Temps musicaux et Jazz à
  Ramatuelle (juillet)
  Tél.04 94 79 26 04,
- La Nioulargue à St Tropez
  (sept. oct.) Tél.04 94 54 83 25.

U Benedettu ★★★

France

F 168

Presqu'île du Benedettu
20137 LECCI DE PORTO VECCHIO
Marie-Anne COGEZ
29 Chambres - Relais du Silence depuis 1994

Tél. 04 95 71 62 81
Fax 04 95 71 66 37

Ouvert toute l'année
R: du 15/10 au 15/04

🚶	300 - 660
🚶🚶	450 - 1060
🛏	55
🍴	180 - 230
🍽 1/2	455 - 770
🛏🍽	635 - 950

CC △ AV TO

❄ 6

Les pieds dans l'eau en bord de plage de sable, au sud de la Corse sur le golfe de Porto Vecchio. Benedettu ou lieu béni, oasis de calme, de détente nautique, à une demie heure de la montagne, est l'étape sportive et gastronomique de charme pour votre découverte de l'île de beauté.

Direkt am Meer, am Rand eines herrlichen Sandstrandes, südlich von Korsika im Golf von Porto Vecchio, befindet sich "Benedettu", der "gebenedeite Ort" - eine Oase der Ruhe, Entspannung am Meer, eine halbe Stunde von den Bergen entfernt und zugleich eine gastronomische Etappe bei der Entdeckungsreise durch die île de beauté.

Directly on the sea, along a wonderful sandy beach south of Corsica in the Porto Veccio gulf, lies "Benedettu" meaning holy place, heaven of peace, sports, relaxation. Half an hour away from the mountains, this is the gastronomic halt to discover the île de beauté.

✈ Figari 30 km

🚂

🚗 A 5 km de Porto Vecchio
D468 ou D668 vers Cala
Rossa

L'Horizon ★★

F 175

100, promenade Saint-Jean
06530 CABRIS-GRASSE
Jean LÉGER-ROUSTAN
22 Chambres - Relais du Silence depuis 1968

Tél. 04 93 60 51 69
Fax 04 93 60 56 29

du 31/10/97 au 01/04/98
Ouvert tous les jours

 550 m

 330 - 510

350 - 620

50

sans restaurant

1/2

CC AV TO

Soleil, fleurs, parfums... entre les plages de Cannes et la moyenne montagne. St-Exupéry, Sartre, Gide y sont venus. Comme eux, vous apprécierez le superbe panorama depuis la terrasse, en prenant votre petit déjeuner. Huit golfs à une demi heure, tennis à 500 m. Tous les musées de la Côte d'Azur à moins d'une heure.

Zwischen den Stränden von Cannes und dem mittleren Gebirge - Sonne, Blumen, Düfte. Wie St. Exupéry, Sartre und Gide genießen Sie beim Frühstück das herrliche Panorama von der Terrasse aus. 8 Golfplätze in 30 Min., Tennis 500 m. Alle Museen der Côte d'Azur innerhalb 1 Std. erreichbar.

Between the Cannes beaches and the middle mountains - sun, flowers and scent. Like St. Exupéry, Sartre and Gide you'll appreciate the superb panorama from the terrace, enjoying your breakfast. 8 golfs 30 min. away, tennis 500 m. All the Côte d'Azur museums within 1 hour.

Nice 40 km

Cannes 20 km

A6 sor. Cannes-Grasse, voie rapide jusqu'à Grasse. Centre ville Grasse puis dir. Cabris

Hôtel Marc Hély ★★★

France

F 176

535, route de Cagnes D6
06480 LA COLLE SUR LOUP
Hervé SEIGLE
13 Chambres - Relais du Silence depuis 1981

Tél. 04 93 22 64 10
Fax 04 93 22 93 84

Ouvert toute l'année
Ouvert tous les jours

 290 - 410

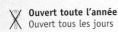 320 - 460

 39

 sans restaurant

 1/2

CC AV TO

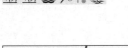

Hôtel style mas provençal à l'intérieur d'un magnifique jardin. Situation remarquable au centre de la côte d'azur et désservi par l'autoroute A8 sur l'axe Monaco-Aix en Provence. Chambres de grand confort. Terrasse avec vue imprenable sur St-Paul de Vence pour vos petits déjeuners.

Hotel im provenzalischen Bauernhausstil inmitten eines herrlich blühenden Gardens, ruhig und äußerst günstig gelegen, 5 Min. bis zu den Stränden der Bucht des Anges; 10 Min. bis zum internationalen Flughafen Nizza Côte d'Azur; 5 Min. bis zur Autobahn Aix-Monaco. Frühstücksterrasse mit Blick auf St. Paul de Vence.

Hotel in provençal farmhouse style in a splendidly calm flower garden, remarkably well situated just 5 minutes from the beaches in the Bay des Anges; 10 minutes from the international airport; 5 minutes from the motorway Aix-Monaco. Breakfast on the terrace overlooking St. Paul de Vence.

✈ Nice 12 km

🚋 Cagnes sur mer 4 km

🚌 Suivre la direction Vence et St-Paul

Relais Cantemerle ★★★★

France

F
177

258, chemin Cantemerle
06140 VENCE
Christine IGOU
20 Chambres - Relais du Silence depuis 1986

Tél. 04 93 58 08 18
Fax 04 93 58 32 89

H: du 15/10 au 01/04   R: du 30/09 au 01/05
R: Lundi sauf en Juillet et Août

🛏	600 - 1030
🛏🛏	950 - 1030
☕	70
🍴	140 - 210
🍽 1/2	560 - 775
🍽	700 915

CC AV TO

🚗 🚈 🏊 ❄ 15

🐎 🐐 🦌 ⛵ 🔍 📷

A mi-chemin entre Nice et Cannes, au cœur des collines Vençoises, l'hôtel se situe à 2 km de St-Paul et ses galeries. Chaque duplex possède une terrasse privée donnant sur le jardin et la piscine. Un service, des conseils, qui feront de votre séjour, un merveilleux souvenir.

In einer vorzüglichen Lage, mitten in der Hügellandschaft von Vence, zwischen Nizza und Cannes gelegen, 3 km von St. Paul und der berühmten Kunstgalerie, liegt das Relais Cantemerle mit ruhigen und stilvollen Zimmern, Blick auf Park und Schwimmbad, nur gestört vom Gesang der Grillen und Gelächter der Amseln !

In the heart of the genuine natural landscape of Vence rises the Relais Cantemerle. Halfway between Nice and Cannes, 2 km from St. Paul and its galleries, near the Matisse Chapel. Provence pride, city of arts and lights. Nothing could break the pleasure and peace except cicadas and the blackbirds' laugh !

✈ Nice 12 km

🚆 Cagnes/mer 6 km

🚗 A8 sortie Cagnes/mer - D36
dir. Vence

Les Trois Vallées ★★

France

F 178

Col de Turini
06440 TURINI
Xavier LHOMMEDE
20 Chambres - Relais du Silence depuis 1977

Tél. 04 93 91 57 21
Fax 04 93 79 53 62

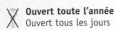 **Ouvert toute l'année**
Ouvert tous les jours

 1607 m

 250 - 600

 270 - 600

48 - 58

125 - 320

 295 - 500

 395 - 600

CC ☐ AV TO

En pleine forêt et à l'orée du Parc National du Mercantour, admirez la faune et la flore de nos massifs. Découvrez la Vallée des Merveilles et ses gravures préhistoriques. Visitez les villages perchés. Ramassez fruits et champignons dans les forêts colorées. Profitez des activités de neige.

Geniessen Sie mitten im Wald am Rande des Nationalparks Mercantour sowohl die Vergnügen der Küche als auch die der Natur. Bewundern Sie Flora und Fauna unseres Gebirges. Entdecken Sie das Tal der Merveilles und seine prähistorischen Felsmalereien. Besuchen Sie hochgelegene Dörfer. Erfreuen Sie sich der Wintersportmöglichkeiten.

In the middle of a forest and at the edge of the Mercantour National Park admire the fauna and flora of the massifs. Discover the Vallée des Merveilles with its prehistoric engravings. Visit the hill villages. Gather fruits and mushrooms in the colourful forest. Enjoy winter sports.

Nice 50 km

Nice 47 km

A8 sortie Nice Est - Dir. Sospel D2204 puis D2566

Le Delos ★★★

F
183

Ile de Bendor
83150 BANDOL
Eric THEBAULT
55 Chambres - Relais du Silence depuis 1996

Tél. 04 94 32 22 23
Fax 04 94 32 41 44

Ouvert toute l'année
R: du 01/01 au 31/03

- 440 - 740
- 500 - 990
- 45 - 65
- 140 - 195
- 440 - 640 (1/2)
- 685 - 785

CC △ AV TO

Une courte traversée et la côte vous semble pourtant si lointaine. Vous succombez aux charmes d'une île enchantée, jardins multicolores, maisonnettes colorées disposées à la manière d'un décor d'opérette, échoppes artisanales, Musée, Galerie d'art... et le plaisir infini de découvrir une vraie nature.

Nach kurzer Überfahrt sind Sie weit von der Küste entfernt... Der Charme dieser traumhaften Insel bezaubert Sie mit ihren farbenfrohen Häusern und Gärten, welche wie im Operettendekor angeordnet sind. Kunsthandwerkläden, Museum, Kunstgalerie... und der unbegrenzte Genuß ursprünglicher Natur.

After a short crossing, the coast will seem so far away... You will be spellbound by the charm of this island wonderland with its colourful houses and gardens offering art & craft shops, museum, art gallery - and the limitless enjoyment of pure nature.

- Toulon Hyères 15 km
- Bandol 3 km
- A50 sortie Bandol, navette maritime sur le Port toutes les demi-heures.

La Potinière ★★★

France

F 184

169, avenue de Boulouris - B.P. 5
83700 SAINT-RAPHAEL
Famille Teddy HOTTE
29 Chambres - Relais du Silence depuis 1972

Tél. 04 94 19 81 71
Fax 04 94 19 81 72

 H: ouvert toute l'année
R: le midi de début Oct. à début Déc. et de début Janv. à fin Mars

290 - 494
350 - 861
50 - 70
98 - 250
315 - 651
415 - 704

CC ☐ AV TO

A égale distance de Cannes et de St-Tropez. Un pays de fleurs, de vignes et de rocailles adossé au massif de l'Estérel, qui plonge sa corniche d'or dans une mer toujours bleue. A 300 m de la mer, loin du bruit dans son parc ombragé, La Potinière vous assure un repos aux senteurs de Provence, au goût d'une cuisine raffinée, pour une remise en forme qui commence.

Vor dem offenen Kamin im Winter, auf netten Terrassen mit sehr vielen Blumen im Sommer, in einem schönen Park, 300 Meter vom Meer, Sport, Feinschmeckeressen und Ruhe garantiert.

Before a log fire in winter, on a flowery terrace in summer, in a quiet park 300 m from the sea, between Cannes and St.tropez. Sport, gastronomy and relaxation in true Provençal style.

Nice 67 km
St-Raphael 3 km
Autoroute A8

La Petite Auberge ★★★

F
185

83690 TOURTOUR
Pierre JUGY
11 Chambres - Relais du Silence depuis 1976

Tél. 04 94 70 57 16
Fax 04 94 70 54 52

Du 15/11 au 15/12
Jeudi

 600 m

380 - 900

380 - 900

50

180

390 - 650
1/2

 **CC** △ AV TO

La famille Jugy vous attend dans sa Petite Auberge, charmante maison provençale nichée dans l'un des plus jolis et des plus réputé villages de Haute Provence. Soleil, chant des cigales, vue magnifique sur le massif des Maures, calme, confort. A 20 km du Golf de Saint-Endréol (l'un des plus beaux de France). Visite des Gorges du Verdon en hélicoptère au départ de l'hôtel.

Schönes Haus im provenzalischen Stil, herrlicher Ausblick auf das Massiv der Maures. Komfort und Entspannung. Hubschrauberflüge über die Verdon-Schluchten vom Hotel.

Very pretty Provencal house, sun and cicadas. Magnificent view of the Maures Mountains. Peace and comfort. Visit the Verdon canyons by helicopter directly from the hotel.

Nice 80 km

Les Arcs 30 km

A8 sortie Le Luc - dir. Salernes

125

Hôtel Belle-Vue ★★★

France

F
187

Saint-Clair
83980 LE LAVANDOU
Famille CLARE
19 Chambres - Relais du Silence depuis 1968

Tél. 04 94 71 01 06
Fax 04 94 71 64 72

De Novembre à Mars
Ouvert tous les jours

350
750
55
170 - 270
400 - 650

CC △ AV TO

Entre Hyères et St-Tropez, face aux îles d'Or, le Belle-Vue bénéficie d'un superbe panorama sur la baie de St-Clair en surplomb des magnifiques plages de sable fin et dans un cadre verdoyant. Quiétude, confort et ciel bleu pour des vacances sur fond de Méditerranée.

Zwischen Hyères und St.Tropez, den "Goldenen Inseln" gegenüber gelegen, bietet das Relais du Silence Belle-Vue eine einzigartige Aussicht auf die Bucht von St.Clair. Von grüner Natur umgeben, in der Nähe der herrlichen Sandstrände erwarten Sie Komfort, Küche, Sommer und blauer Himmel, um wundervolle Ferien zu verbringen.

The Relais du Silence Belle-Vue is situated between Hyères and St.Tropez facing the "Golden Islands". It enjoys a marvellous view onto the bay of St.Clair surrounded by a green setting. Wonderful sandy beaches very close. You will find all comfort, tranquillity, sunshine and blue skies for a relaxing holiday.

Toulon Hyères 20 km

Hyères 20 km

A8 jusqu'à Aix en Provence - A52 Aix Toulon - N98 Toulon Le Lavandou

La Ferme d'Augustin ★★★

France

F
188

Plage de Tahiti - Saint-Tropez
83350 RAMATUELLE
Jacqueline VALLET
46 Chambres - Relais du Silence depuis 1980

Tél. 04 94 55 97 00
Fax 04 94 97 40 30

 H: du 20/10 au 20/03 chaque année
Ouvert tous les jours

 580 - 1100

 620 - 1600

 75

 room/terrasse

 service 24/24 h

CC AV TO

34

Dans la quiétude d'un jardin fleuri, à 100 m de la plage de "Tahiti" et à 5 mn de St-Tropez, la Ferme d'Augustin allie charme et grand confort. Accueil chaleureux et service 24h sur 24. Plaisir des petits déjeuners paresseux jusqu'à 14 h dans votre chambre ou sur la terrasse. Piscine chauffée avec hydromassage. Les plus belles promenades à proximité. Parking fermé, surveillé, éclairé

In einem ruhigen Blumengarten, 100 m vom "Tahiti" - Strand und 5 Min. von St. Tropez. Service rund um die Uhr. Faulenzerfrühstück im Zimmer oder auf der Terrasse bis 14.00 Uhr. Beheiztes Schwimmbad mit Hydromassage. Gesicherter Parkplatz, schönste Promenaden in der Nähe.

In a quiet flowry garden, 100 m from "Tahiti" beach and 5 min. from St. Tropez. Service around the clock. Lazy breakfast in rooms or on the terrace until 2 p.m. Heated swimming pool, hydro massage, Secure parking. Beautiful walks.

 Toulon 40 km

St-Raphael 34 km

St-Tropez centre ville, dir. Plage de Tahiti

127

LA PROVENCE

SPORT • CULTURE •

Forfait basse saison 7 jours
et 6 nuits en demi-pension :

2300 FF *

2750 FF**

Forfait haute saison 7 jours
et 6 nuits en demi-pension :

EN BALADE

GASTRONOMIE

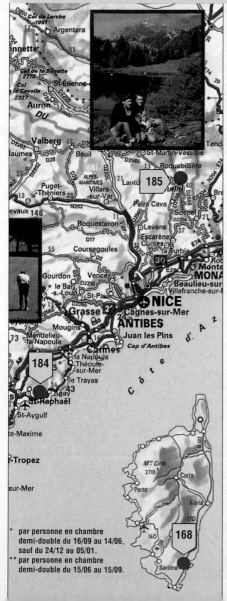

* par personne en chambre
demi-double du 16/09 au 14/06,
sauf du 24/12 au 05/01.
** par personne en chambre
demi-double du 15/06 au 15/09.

LES 5 BONNES RAISONS POUR CHOISIR
«LA PROVENCE EN BALADE»

1ère raison : Accueil privilégié avec cocktail de
bienvenue

2ème raison : Un tarif attractif commun aux hôteliers
avec en plus une sixième nuit offerte pour l'achat d'un
carnet de 5 coupons

3ème raison : Programme de détente à la carte
* Choix de votre Hôtel
* Choix du nombre de nuits dans chaque Hôtel
* Choix des dates
* Choix des activités culturelles ou sportives pour
  votre séjour

4ème raison :
Une table dans la tradition culinaire française et
régionale

5ème raison :
Une réservation simplifiée

Un seul numéro : Tél. : 01 44 49 90 00
Fax : 01 44 49 79 01
OFFREZ-VOUS, OFFREZ LEUR
Une ou plusieurs nuits avec
«LA PROVENCE EN BALADE»

....

5 GOOD REASONS FOR CHOOSING
«LA PROVENCE EN BALADE»

1st reason: Special welcome with cocktail

2nd reason: An attractive price which is the same in all
hotels and a sixth night offered when a book of 5 vouchers
is purchased

3rd reason: A program of relaxation full of choices
* Choice of your hotel
* Choice of the number of nights spent in each hotel
* Choice of cultural or sporting activities during your stay

4th reason: Meals offering traditional French and
regional cuisine

5th reason: Simpler booking

One number: Tel. : 01 44 49 90 00
Fax : 01 44 49 79 01
TREAT YOURSELF OR SOME ONE ELSE TO
One or more nights with
«LA PROVENCE EN BALADE»

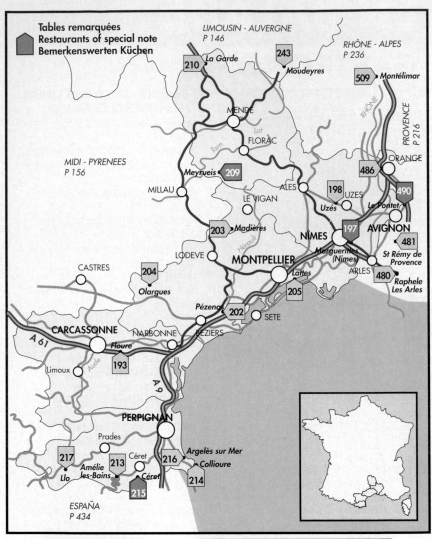

Tables remarquées
Restaurants of special note
Bemerkenswerten Küchen

LIMOUSIN - AUVERGNE
P 146

RHÔNE - ALPES
P 236

243 ▸ Moudeyres

210 ▸ La Garde

509 ▸ Montélimar

MENDE

RHÔNE

PROVENCE
P 216

Lot

FLORAC

Tarn

MIDI - PYRENEES
P 156

209 ▸ Meyrueis

MILLAU

LE VIGAN

ALES

ORANGE

486

198 UZES

490

Uzés

Le Pontet

203 ▸ Madières

Hérault

NÎMES

197

AVIGNON

LODEVE

MONTPELLIER

Marguerittes
(Nîmes)

481

St Rémy de
Provence

CASTRES

204

Lattes

ARLES

480 ▸ Raphele
Les Arles

Olargues

205

Pézenas

202

SETE

CARCASSONNE

NARBONNE

BEZIERS

A 61

Floure

Limoux

193

Aude

A 9

PERPIGNAN

Prades

217

Céret

213

216 ▸ Argelès sur Mer
▸ Collioure

Amélie
les-Bains

Llo

Céret

214

215

ESPAÑA
P 434

Languedoc Roussillon

Rencontre insolite de la Méditerranée et des Pyrénées, lumière fascinante et magique, terre d'art et de culture célébrée par les plus grands noms de l'art moderne.

A surprising meeting between the Mediterranean and the Pyrenees, a fascinating and warm light, a land of art and culture, celebrated by the great names of modern art.

Ungewöhnliches Zusammentreffen des Mittelmeers und der Pyrenäen, faszinierendes und magisches Licht, Heimat der Kunst und Kultur, die von den Bekanntesten der modernen Kunst gefeiert wird.

A NE PAS MANQUER.

- Carnaval traditionnel à Limoux (dim. de janv. à mars) Tél.04 68 31 11 82,
- Festival Féria de musique de rue à Nîmes (février et week-end Pentecôte),
- Festival de Carcassonne (juillet) Tél.04 68 25 33 13,
- Danses et musiques traditionnelles à Montpellier (fin 07 début 08),
- Nuits musicales d'Uzes (15 au 31 juillet) Tél.04 66 22 68 88,
- Féria de Céret (week-end avant le 14/07) Tél.04 68 87 00 53,
- Festival Pablo Casals à Prades (fin 07 au déb. 08),
- Festival de Jazz à la Grande Motte (week-end du 15/08),
- Concerts sous roche à l'aven Armand (fin 07 début 08) Tél.04 66 49 17 47,
- Féria des Vendanges à Nîmes (sept.) Tél.04 66 67 29 11,
- Salon des santons à Garons (2ème quinz. de nov.).

Château de Floure ★★★

 France

 F 193

1, allée Gaston Bonheur
11800 FLOURE
Dominique et Jerry ASSOUS
12 Chambres - Relais du Silence depuis 1993

Tél. 04 68 79 11 29
Fax 04 68 79 04 61

 Fin Octobre→fin Mars
R: Mercredi midi

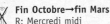 400 - 500
500 - 1490 (app.)
65 - 95
160 - 210
450 - 595
1/2

 CC △ AV TO

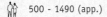

A 12 km de Carcassonne, ancienne abbaye romane dressée au pied du Mont Alaric. Elle a été la demeure de l'écrivain Gaston Bonheur. Vous y apprécierez le confort de ses chambres et l'atmosphère conviviale de son restaurant le "Poète Disparu". Magnifiques tapisseries du 17e siècle, piscine avec solarium et parc à la Française pour dîners champêtres.

12 km von Carcassonne, eine ehemalige romanishe Abtei am Fuße des Berges Alaric. Hier lebte der Schrifsteller Gaston Bonheur. Eine Insel des Friedens mit komfortablen Zimmern, unaufdringliche Gesellichkeit im Restaurant "Poète Disparu". Im französischen Park prachtvolle abendliche Tafelfreuden.

12 km from Carcassonne, a former Roman abbay at the foot of Mont Alaric. The writer Gaston Bonheur lived here. A peaceful haven with comfortable rooms, the friendly atmosphere of the restaurant "Poète Disparu". French gardens for marvellous rustic dinners.

⊥ Salvaza 10 km
🚂 Carcassonne 12 km
🚗 A61 sortie Carcassonne Est
puis RN113 dir. Narbonne

L'Hacienda ★★★

F
197

Mas de Brignon
30320 NIMES MARGUERITTES
Mme et M. Jean-Jacques CHAUVIN
10 Chambres - Relais du Silence depuis 1990

Tél. 04 66 75 02 25
Fax 04 66 75 45 58

Ouvert toute l'année (il est prudent de réserver)
Ouvert tous les jours

350 - 600

350 - 600

65 - 85

140 - 340

420 - 620
1/2

CC △ AV TO

5

Nîmes, la Rome Française, région la plus ensoleillée de France. Niché loin du bruit, un grand mas provençal ou élégance, raffinement, chaleur de l'accueil et plaisirs gourmands de sa table gastronomique réputée vous invitent à la douceur des heures qui coulent... L'Hacienda a ce charme là...

Nîmes, das französische Rom. Die sonnigste Gegend Frankreichs. Hier versteckt sich weitab vom Lärm, ein provenzalisches Mas, in dem Eleganz, Raffinesse, Herzlichkeit und die Gaumenfreuden des bekannten Restaurants Sie einladen, in Ruhe die Zeit zu genießen... L'Hacienda erwartet Sie...

Nîmes, the French Rome. The sunniest region in France. Well away from the bustle lies a large provençal farm-house where elegance, refinery and a warm welcome combine with the gourmet pleasures of famous gastronomic cooking. An invitation to stop the clock and enjoy the gentleness of life... All the charm of L'Hacienda...

✈ Nîmes-Garons 10 km

🚇 Nîmes 7 km

🚗 A9 sor. Nîmes Est-RN 86 dir.
Avignon-Dans Marguerittes
suivre fléchage rouge

133

Château d'Arpaillargues ★★★

France

F
198

Hôtel Marie d'Agoult
30700 UZES
Isabelle et Gérard SAVRY
28 Chambres - Relais du Silence depuis 1976

Tél. 04 66 22 14 48
Fax 04 66 22 56 10

 De la Toussaint aux Rameaux
Ouvert tous les jours

 400 - 800

 400 - 1150

 55

 145 - 230

 460 - 760
1/2

 650 - 810

CC △ AV TO

※ 22

Vous marcherez sur les pas de Marie de Flavigny entre les murs de cette noble demeure des 17e et 18e siècles, ancienne résidence de la famille d'Agoult. Dans le calme absolu de la campagne uzégeoise, vous goûterez le charme de ce lieu authentique. Aux beaux jours, vous serez servis sous les ombrages aux senteurs de Provence et dès les premiers frimas, dans un décor majestueusement historique.

In absoluter ländlicher Ruhe können Sie den Charm dieses authentischen Schlosses aus dem 17. und 18. Jahrhundert genießen, in dem Geschichte allgegenwärtig ist. Lassen Sie sich draußen im Schatten verwöhnen oder drinnen im majestätischen Ambiente.

Enjoy the charm of this authentic 17th and and 18th century noble place where history is ever present. Be served in the shade outside or in a royal decor within.

 Nîmes Garons 30 km

Nîmes 25 km

Sortie autoroute : Remoulins
où Nîmes Ouest dir. Uzes -
Arpaillargues D982

Hostellerie de Saint Alban ★★★

France

31, route d'Agde - Nézignan-l'Evêque
34120 PEZENAS
Yvonne et Bernard LESCURE
14 Chambres - Relais du Silence depuis 1991

Tél. 04 67 98 11 38
Fax 04 67 98 91 63

Ouvert toute l'année
Ouvert tous les jours

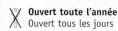

🧍	350 - 350
👫	390 - 530
☕	60
🍴	110 - 300
🍽 1/2	400 - 520
🍽	

CC AV TO

Raffinement d'une demeure 19e entourée de vignes. Quiétude d'un petit village proche de la mer et de Pezenas. Situation géographique idéale pour la découverte du Languedoc-Roussillon. Profitez des prix basse saison en 1/2 pension ; du soleil d'avril à octobre ; du clame toute l'année.

Eine vornehme residenz aus dem 19. Jh, von rebhügeln umgeben, in einem stillen dorf in der nähe des meeres, unweit von Pezenas. Ideale lage für ausflüge in das gebiet Languedoc-Roussillon. Profitteren sie von unseren tarifen der toten saison. Sonne von april/oktober. Ruhe und erholung das ganze Jahr über.

A refined 19th century residence, surrounded by vines, in a truly peaceful village, not far from the sea and Pezenas. The perfect location for touring the Languedoc-Roussillon region. Make the most of our special low-season rates ; as well as sunshine from april/october and guaranteed tranquillity year round.

✈ Montpellier 50 km
🚆 Agde/Beziers 20 km
🚗 Par le CD13 entre PEZENAS et l'autoroute A9 - sortie AGDE-PEZENAS

Château de Madières ★★★★

France

F 203

34190 MADIERES-GANGES
Françoise et Bernard BRUCY
10 Chambres - Relais du Silence depuis 1988

Tél. 04 67 73 84 03
Fax 04 67 73 55 71
madières@mnet.fr.

Début Novembre à fin Mars
Ouvert tous les jours

 600 - 1300

600 - 1300

 80 - 120

195 - 395

 615 - 995

Situé dans un site grandiose et surplombant les gorges de la Vis, cette place forte du XIVe siècle offre le confort le plus raffiné. Des oiseaux pour seuls bruits, la chaleur du décor et de l'accueil...C'est magique ! Pour la détente un parc amenagé avec fabuleuse piscine, ping-pong, salle de gym, sous-bois pour la lecture, aire de jeu pour les juniors. Côté gastronomie, une cuisine recherchée à base de produits frais dans de belles salles à manger voûtées.

Hinter der großartigen Strenge der Mauern verbirgt sich der ungeheure Charme einer Burg aus dem 14. Jahrhundert. Innenhof, Gästezimmer, Frühstück auf der Terrasse, Freizeitmöglichkeiten im Park genießen: Freibad, Fitnessraum, Spielplatz, Ruhe, Sonne... Zauberhaft.

Set in wonderful landscape, overlooking the Vis Gorge, finest comfort, tranquility and warm welcome, all within the walls of a 14th century fortress...Magical.

Montpellier 65 km

Montpellier 65 km

30 km de Le Caylar (A75 par D9) - 18 km de Ganges par D25

Domaine de Rieumégé ★★★

France

F
204

Parc Naturel du Ht Languedoc - Rte de St Pons
34390 OLARGUES
Familles SYLVA et CORNEC
14 Chambres - Relais du Silence depuis 1982

Tél. 04 67 97 73 99
Fax 04 67 97 78 52

De Novembre à Pâques
Ouvert tous les jours

 395 - 490

490 - 545

Buffet - 65

135 - 240

445 - 520
1/2

545 - 620

CC ☐ AV TO

Belle demeure du 17e siècle dans un domaine de 14 ha, au cœur du Parc Naturel du Haut Languedoc. Pour amoureux d'authenticité et de promenades dans une nature enchanteresse. Accueil chaleureux et cuisine gourmande inspirée par la mer et le soleil. 2 piscines dont une réservée aux 2 chambres qui l'entourent. Supplément piscine privée : 160 F par personne.

Im Herzen des Naturparks Haut Languedoc, schönes Landgut aus dem 17 Jahrh. Ideal für sonnige Spaziergänge in unverfälschter Natur. Warmherzige Gastfreundschaft. Gourmet-Küche, geprägt von Sonne und Meer. 2 Pools, einer davon reserviert für 2 umliegende Zimmer.

In quiet and delightful surroundings, a large 17th century estate set in the sunny midi mountains. For lovers of tradition and unspoilt countryside. Warm welcome, relaxed lifestyle and "cuisine gourmande" inspired by sea and sun. 2 swimming pools one of which is reserved for 2 rooms overlooking it.

✈ Montpellier 90 km

🚆 Bedarieux 25 km

🚗 A9 sortie Béziers Est - dir. Bedarieux/Olargues

Mas de Couran ★★

F 205

Route de Fréjorgues
34970 LATTES
Famille COHUAU
18 Chambres - Relais du Silence depuis 1985

Tél. 04 67 65 57 57
Fax 04 67 65 37 56

Ouvert toute l'année
R: Dimanche soir hors saison

330 - 440	
385 - 525	
45 - 50	
110 - 255	
420 - 600	
520 - 700	

CC AV

Au détour du chemin, quittez l'activité trépidante de Montpellier pour l'atmosphère paisible d'un château du XIXe siècle entre vignobles et vergers. Dans un superbe parc, activités nautiques et détente. Cuisine traditionnelle et spécialités gastronomiques. A 10 mn du centre ville, pour vos réunions privées ou professionnelles.

Auf dem Weg nach "Le Mas de Couran" lassen Sie den schnellen Stadtrhythmus von Montpellier hinter sich, um inmitten von Weinbergen und Obstgärten, das in einem herrlichen Park gelegene Schloß mit seiner Atmosphäre aus dem 19. Jahrhundert kennenzulernen. Traditionelle Küche und gastronomische Spezialitäten.

Coming to "Mas de Couran" you are on the right path to leave the hectic activities of Montpellier City and to find the true atmosphere of a castle of the 19th century in a marvellous park and in the middle of vineyards. Traditional and gastronomic French cuisine.

Fréjorgues 2,5 km

Montpellier 6 km

Château d'Ayres ★★★

F 209

48150 MEYRUEIS
Chantal et Jean-François de MONTJOU
25 Chambres - Relais du Silence depuis 1985

Tél. 04 66 45 60 10
Fax 04 66 45 62 26

 Du 15/11 au 27/03
Ouvert tous les jours

 750 m -

 420
 420 - 780
 65
 155 - 260
 380 - 565
 500 - 685

CC AV TO

Monastère bénédictin puis résidence seigneuriale. Parc de 6 ha. Parmi ses hôtes illustres : La Reine Blanche de Castille et le Général de Gaulle. Meyrueis est un centre privilégié pour la visite des gorges du Tarn et du parc national des Cévennes. Restaurant Gastronomique.

Ehemaliges Benediktinerkloster als Herrensitz umgebaut, gut erhaltene mittelalterliche Atmosphäre. 6 ha große Parkanlage. Idealer Ausgangspunkt zu den Tarn Schluchten und dem Cevennen-Nationalpark.

Benedictine monastery, then manorial residence, the Château d'Ayres has kept its medieval look in a 15 acre park. Gastronomic restaurant. Meyrueis is ideally placed for visiting the Tarn canyons and the Cevennes national park.

Rodez 90 km

Millau 40 km

Autoroute A75 - Sortie le Monastier - Direction Chanac, Ste Enimie et Meyrueis

Chèque Cadeau
Gift voucher
Geschenkgutschein...

... pour offrir des moments de bonheur
To offer moments of happiness
So schenken Sie Momente des Glücks

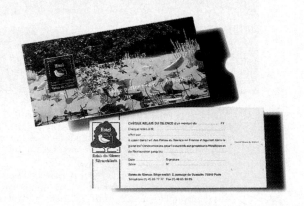

Nous sommes à votre disposition
We are at your service
Wir stehen gerne zu Ihrer Verfügung

Tél. : (33) (0)1 44 49 79 00

Fax : (33) (0)1 44 49 79 01

http://www.relais-du-silence.com/

Castel Emeraude ★★

F 213

Route de la Corniche - B.P. 10
66112 AMELIE-LES-BAINS Cedex
Jean-Pierre LIGNON
59 Chambres - Relais du Silence depuis 1976

Tél. 04 68 39 02 83
Fax 04 68 39 03 09

 De Décembre à Janvier
Ouvert tous les jours

 240 - 380

 240 - 380

 40

 95 - 290

290 - 350

305 - 375

CC ○ AV TO

Manoir dans la verdure en bordure de rivière. Cadre calme et raffiné. Climat exceptionnel du Roussillon. Remise en Santé Thermale, tourisme aux portes de l'Espagne. Art roman, route des vins, étape gourmande : terrine de foie gras de canard, mitonnée de St-Jacques aux ravioles, farci de selle d'agneau à la broche.

Kleines verstecktes Schloß im Grünen an einem Fluß, im Klima des Roussillon. Tourismus am Tor zu Spanien. Römische Kunst, Wein-Route. Spezialitäten: Pastete von Entenleber, Jakobsmuscheln, gefüllter Lamm-Spießbraten.

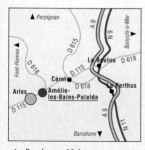

In a green setting by the river. Peaceful and refined surrounding with Roussillon climate. Shaping-up with thermal baths. Tourism, near Spain. Roman art, wines-route. Gastronomic stop : paté of duck liver, scallops, kebap of stuffed saddle of lamb.

✈ Perpignan 35 km

🚆 Perpignan 35 km

🚗 A9 sortie Le Boulou - D115
Céret/Amélie 15 km

141

Hôtel Casa Pairal ★★★

France

F
214

Impasse des Palmiers
66190 COLLIOURE
Mmes J. LORMAND et C. de BON
28 Chambres - Relais du Silence depuis 1971

Tél. 04 68 82 05 81
Fax 04 68 82 52 10

Du 31/10/97 au 01/04/98
Ouvert tous les jours

 350 - 950

 55 - 60

✕ sans restaurant

CC

28

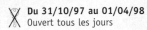

Hôtel luxueux dans une vieille demeure de famille catalane : une oasis de verdure et de calme au cœur de Collioure. Un "bain" de détente dans le parc centenaire ou autour de la piscine ! Un site unique à 150 m du port et des plages.

Luxuriöse Haus im alten katalanischen Stil : eine grüne Oase der Ruhe mitten im Zentrum von Collioure. Genießen Sie die Zeit im Park mit altem Baumbestand oder am Swimmingpoll. Einmalige Lage 150m von Hafen und Strand entfernt.

Luxury hotel in an old catalan building: a genuine oasis of peace and comfort in the picturesque center of Collioure. Have a rest in the old park or around the swimming-pool. A unique site at 150m of the port and beach.

✈ Perpignan 20 km

🚆 Collioure 300 m

🚗 A9 sortie Perpignan Sud -
RN114 dir. Collioure - Hôtel
au Centre Ville

La Terrasse au Soleil ★★★★

F 215

Route de Fontfrède
66400 CERET
Brigitte et Pascal LEVEILLE-NIZEROLLE
26 Chambres - Relais du Silence depuis 1979

Tél. 04 68 87 01 94
Fax 04 68 87 39 24

Du 01/11/97 au 29/02/98
Ouvert tous les jours

👤	595 - 695
👥	595 - 1200 (Appt)
☕	80
🍴	160 - 240
🍽 1/2	578 - 678
🍽	678 - 778

CC △ AV TO

 26

Douceur et charme d'un vieux mas Catalan niché dans la verdure au dessus de Céret. Entre mer et montagne, le Mont Canigou en toile de fond, vous y trouverez le luxe dans la simplicité. "La poésie de Charles Trenet rôde dans ces murs qu'il choisit un temps comme source de repos". Véritable havre de paix et de verdure. Déjeuner servi en terrasse sous les oliviers et dans le jardin. Dîner aux chandelles dans une ambiance romantique.

Die sanfte Anmut eines alten katalanischen Landhauses. "Die Poesie von Charles Trenet durchdringt diese Mauern, die er seinerzeit als Quelle der Ruhe wählte".

Gentleness and charm of an old catalan farmhouse "The poetry of Charles Trenet pervades these walls which were chosen at one time as a source of his peace of mind". Lunch in the garden and on the terrace in the shade of olive trees.

✈ Perpignan 30 km
🚂 Perpignan 30 km
🚗

Le Cottage ★★★

France

F 216

21, rue A. Rimbaud - B.P. 6
66703 ARGELES SUR MER Cedex
Florence CLAUDEL-PARET
32 Chambres - Relais du Silence depuis 1988

Tél. 04 68 81 07 33
Fax 04 68 81 59 69

 De mi Octobre à début Avril
Ouvert tous les jours

260 - 500
300 - 600
55
95 - 260
330 - 490
415 - 575

CC ☐ AV TO

 ... 10

Entre mer et montagne, confort et détente dans une oasis de verdure à 1500 m de la mer. Parc ombragé. Repas raffinés aux saveurs méditerranéennes servis dans le jardin à la belle saison. Mini golf, practice de golf, ping-pong. Coffres forts individuels. TV. Parking privé fermé la nuit. Garages individuels.

Komfort und Entspannung in einem raffinierten Hotel 1500 m vom Meer. Großer schattenspendender Park, exotische Vegetation. Mediterrane Küche, im Sommer im Garten serviert. Golf und Minigolf, Einzelgaragen und bewachter Parkplatz.

At 1500 m from the sea comfort and relaxation in a refined hotel. Exotic vegetation and shady park. Fine cuisine with flavours of Southern France, served in the garden in summer. Mini golf, golf practice, ping-pong. Private car park closed during the night. Garages.

✈ Perpignan 22 km

🚉 Argelès/mer 500 m

🚗 A9 sortie Le Boulou - dir. Argelès/mer. Entre Argelès ville et centre plage

L'Atalaya ★★★

France

F 217

66800 LLO
Ghislaine et Hubert TOUSSAINT
13 Chambres - Relais du Silence depuis 1978

Tél. 04 68 04 70 04
Fax 04 68 04 01 29

De mi Octobre à mi Décembre et mi Janvier à Pâques
Lundi et Mardi midi hors saison

 1450 m

 495 - 620

 620 - 768

 65

 165 - 220 - 280

 490 - 630
1/2

 △ AV TO

Au cœur des cimes, Cerdagne de France et d'Espagne, soudée par sa réalité catalane, Llo en est le village le plus typique et l'Atalaya une demeure poétique. Espagne 10 mn, Andorre 60 mn, 3 golfs, ski 15 mn. Eaux chaudes sulfureuses, art roman et charme du bien recevoir "L'Atalaya per encantar".

Im Kerngebiet der Cerdagne, halb Frankriech und halb Spanien, ist Llo ein typisches Hirtendorf, von Schloß- und Turmruinen beschützt. Das "Atalaya" ist eine poetische Bleibe - diskret, romantisch, die den Charme der gemütlichen Zimmer mit erlesener Küche verbindet. "L'Atalaya per encantar".

▲ Castelnaudary
D 118
Perpignan ▶
◀ Andorra la Vella
Font-Romeu
N 116
D 618
Mont-Louis
N 116
D 33
Saillagouse
Ur
N 116
Llo
N 20
Bourg-Madame
D 70
Barcelone ▼

Half in France and half in Spain, in the heart of the Cerdagne region, Llo is a most typical pastoral village dominated by the ruins of the Château and its tower. The "Atalaya" is a poetic, discrete and romantic residence that combines the charm of the welcoming guestrooms with tasty cuisine.

✈ Perpignan 90 km

🚉 Saillagouse 3 km

🚌 N116 jusqu'à Saillagouse puis D33 jusqu'à Llo

145

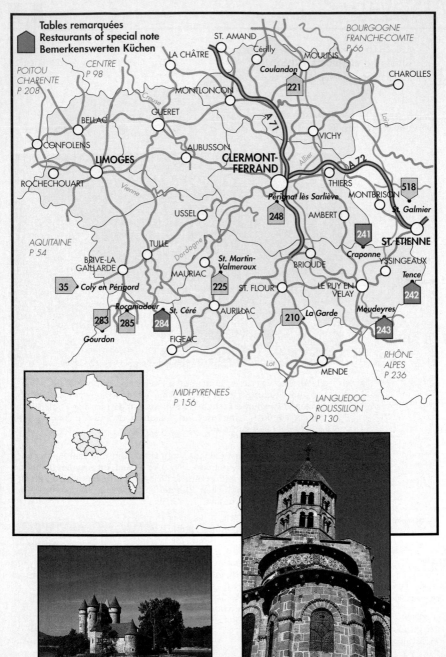

Tables remarquées
Restaurants of special note
Bemerkenswerten Küchen

BOURGOGNE
FRANCHE-COMTE
P.66

POITOU
CHARENTE
P.208

CENTRE
P.98

ST. AMAND
Cérilly
MOULINS
Coulandon
LA CHÂTRE
CHAROLLES
MONTLONCON
221
GUÉRET
A71
BELLAC
VICHY
CONFOLENS
AUBUSSON
LIMOGES
CLERMONT-
FERRAND
THIERS
A72
MONTBRISON
518
ROCHECHOUART
Pérignat lès Sarliève
St. Galmier
USSEL
248
AMBERT
ST-ETIENNE
241
TULLE
Craponne
YSSINGEAUX
AQUITAINE
P.54
St. Martin-
Valmeroux
BRIOUDE
Tence
BRIVE-LA-
GAILLARDE
MAURIAC
242
35
Coly en Périgord
225
ST. FLOUR
LE PUY EN
VELAY
Moudeyres
Rocamadour
St. Céré
210
La Garde
283
285
284
AURILLAC
243
Gourdon
FIGEAC
RHÔNE
ALPES
P.236
MENDE
Lot
MIDI-PYRENEES
P.156
LANGUEDOC
ROUSSILLON
P.130

146

Limousin
Auvergne

Espaces de liberté, horizons immenses, harmonie d'une nature et d'un passé envoûtants, riches d'émotion et de culture.

Free spaces, immense horizons, the harmony of enchanting nature and history, full of emotion and culture.

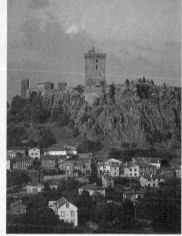

Freiheit, weite Horizonte, harmonie zwischen der Natur und einer bezaubernden, gefühlsgeladenen und kulturellen Vergangenheit.

A NE PAS MANQUER.

- Concours national des coqs de pêche à Pontarion (fin avril) Tél.05 55 64 51 41,
- Son et lumière aux tours de Merle à St Gueniez-ô-Merle (juin à sept.),
- Féérie nocturne dans le vieux Chénerailles (juillet),
- Festival inter. de folklore à Brive (début juillet) Tél.05 55 24 45 76,
- Fest. de la Vezère Vallée de la Vezère (mi 07 à mi 08) Tél.05 55 23 25 09,

- Festival international de la dentelle à Tulle (15/07 au 15/08),
- Marché d'antan à Collonges (1er dim. d'août),
- Attelages du haras national à Pompadour (15 août),
- Musiques sacrées à Aubazine Tél.05 55 25 79 93,
- Festival international des Francophonies en Limousin à Limoges (fin sept. à début oct.) Tél.05 55 10 90 10.

147

Le Chalet ★★★

France

F
221

03000 COULANDON
Famille SCHWEIZER
28 Chambres - Relais du Silence depuis 1978

Tél. 04 70 44 50 08
Fax 04 70 44 07 09

Du 16/12 au 31/01
Ouvert tous les jours

👤	310 - 350
👥	370 - 480
🛏	48
🍴	120 - 250
🍽 1/2	355 - 420
🍽	480 - 520

CC ○ AV TO

Etape de détente en Bourbonnais. Grand parc. Etang. Pêche. Salon de lecture. Les repas (cuisine régionale et gastronomique) sont servis dans l'élégante salle à manger ou sur la terrasse panoramique du restaurant "Le Montegut". Vins de Saint-Pourçain et Sancerre.

Ruhe und Entspannung in der Region Bourbonnais. Große Parkanlage mit Teich. Angeln, Leseraum. Mahlzeiten werden im eleganten Speiseraum oder auf der Terrasse mit Panoramablick eingenommen.

A place to stop and relax in Bourbonnais. Large park. Lake. Fishing. Reading room. Meals served in a very elegant dining room or on the restaurant's terrace with panoramic views.

Clermont-Ferrand 100 km

Moulins 8 km

Sur D945 à 6 km de Moulins

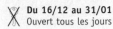

148

Hostellerie de la Maronne ★★★

France

F
225

Le Theil - Salers
15140 ST-MARTIN VALMEROUX
Lalasoa et Alain DE COCK
20 Chambres - Relais du Silence depuis 1982

Tél. 04 71 69 20 33
Fax 04 71 69 28 22
hotel.de.la.maronne@wanadoo.fr

Du 05/11/97 au 20/03/98
Ouvert tous les jours

700 m

 460 - 500

 460 - 700

 60

 150 - 250

 440 - 520

Au cœur du Parc Régional des Volcans d'Auvergne, dans une très belle vallée, une maison de maître du 19e siècle. Quatre bâtiments reliés, créant des espaces intérieurs variés et confortables. Cuisine légère de Mme De Cock. Nombreuses randonnées sur les Puys et les planèzes. Visite de villages médiévaux, châteaux et chapelles.

Vulkanlandschaft Auvergne, in einem sehr schönen Tal, Ruhe und Entspannung. Herrenhaus des 19. Jhds, Park mit altem Baumbestand. Anspruchsvolle. Kochkunst. Wandermöglichkeiten auf die nahegelegenen höchsten Gipfel der Auvergne, Hochebenen und die vielen Täler. Mittelalterliche Dörfer, Schlösser und Kirchen.

At the heart of the Regional Park of the Auvergne mountains, in a very beautiful valley. An ideal place for rest. Delicate cuisine of Madame De Cock. Many walks around the Puys, the plateau and the valleys. Visits to mediaeval villages, castles and churches.

Aurillac 33 km

Aurillac 33 km

D922 St-Martin Valmeroux
CD37

149

Moulin de Mistou ★★★

France

F 241

Pontempeyrat
43500 CRAPONNE SUR ARZON
Jacqueline et Bernard ROUX
14 Chambres - Relais du Silence depuis 1984

Tél. 04 77 50 62 46
Fax 04 77 50 66 70

Du 1er Novembre à Pâques
R: le midi en semaine hors saison d'été

 750 m

 360 - 505
450 - 630
50
125 - 310
405 - 570
1/2

CC △ AV TO

"Un pays de songe aux horizons bleus". C'est l'Auvergne côté soleil levant et dans cet ancien moulin blotti au creux de la vallée de l'Ance, nous vous invitons à partager notre havre de paix et de verdure.

"Eine Traumlandschaft mit blauen Horizont" - das ist die Sonnenseite der Auvergne. Eine ehemalige Mühle, versteckt im grünen Tal der Ance. Wir laden Sie ein, die Ruhe und Natur mit uns zu genießen.

"A dreamy country of blue horizons" on the sunny side of the Auvergne in a converted mill snuggled at the bottom of the Ance valley, we invite you to share our haven of peace and greenery.

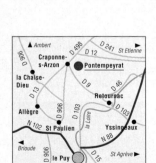

Lepuy/Loudes 35 km
Retournac 22 km
Sur D498

Hostellerie Placide ★★★

France

F
242

Route d'Annonay - B.P. 19
43190 TENCE
Véronique et Pierre-Marie PLACIDE
13 Chambres - Relais du Silence depuis 1968

Tél. 04 71 59 82 76
Fax 04 71 65 44 46

De fin Novembre à début Mars
Dimanche soir et Lundi hors saison

 860 m

- 320
- 390 - 430
- 55
- 85 - 280
- 370 - 510
- 470

CC O AV TO

Dans le calme d'un village du Velay, un ancien relais de diligences à l'atmosphère cossue. Nuits paisibles dans des chambres spacieuses. Etape idéale pour une cuisine de goûts qui privilégie le terroir, la qualité et la créativité. Service soigné dans une jolie salle face au jardin fleuri. Randonnées, putting-golf. Forêt de Crouzilac, Puy-en-Velay à découvrir.

In Velay, einem ruhigen Dorf mit viel Grün. Werden Sie in diesem Hotel von der Familie Placide mit souveräner Gastlichkeit empfangen! Geräumige gemütliche Zimmer, reichhaltiges Frühstück im Garten. Küche vom Feinsten aus der Hand des Chefkochs, Restaurant mit Blick auf den Garten.

Nestling in the tranquil greenery of a village in Velay, an old stop for stagecoaches. Spacious and cosy rooms. Refined and tasty cuisine created with regional products. Walks in the wood of Crousihac, golf, great village of Le Puy to discover.

- St-Etienne Bouthéon 50 km
- St-Etienne 45 km
- A7 sor. Channas D121 dir. Annonay et St Bonnet ou A47 sort Firminy D503 dir Dunières

151

Le Pré Bossu ★★

France

F 243

43150 MOUDEYRES
Marleen MOREELS et Carlos GROOTAERT
10 Chambres - Relais du Silence depuis 1984

Tél. 04 71 05 10 70
Fax 04 71 05 10 21

De 02/11/97 à Pâques
Ouvert tous les jours

1200 m

365
495
65
185 - 295
480 - 590

CC AV TO

Chaumière de caractère et de grand confort, aux abords d'un village classé. En altitude, entourée de forêts : calme, repos et air pur. Art roman, chemin de St Jacques de Compostelle, table de cœur, inventive et saisonnière. Week-end mycologique et botanique. Restaurant non fumeur.

Einladendes altes Landhaus am Waldesrand. Gemütliche Atmosphäre. Schöner Speiseraum reetgedecktes mit behauenem Stein. Einfache, leichte, doch erfinderische Küche mit frischem Produkten vom Markt und aus eigenem Garten. Rustikal eingerichtete Komfortzimmer. Picknick für Ihre Ausflüge. Nichtraucher-Restaurant.

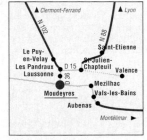

Old thatched cottage on the edge of the forest. Cosy and welcoming atmosphere. Beautiful diningroom where you can savour simple, light, inventive cuisine with regional produce and from own kitchen-garden. Very comfortable rooms. Picnic provided for your walks. Non-smoker restaurant.

 Le Puy en Velay 32 km
 Le Puy en Velay 24 km

Hostellerie Saint-Martin ★★★

France

F 248

Allée de Bonneval
63170 PERIGNAT-LES-SARLIEVE
Jacques BRUGERE
30 Chambres - Relais du Silence depuis 1996

Tél. 04 73 79 81 00
Fax 04 73 79 81 01

 Ouvert toute l'année
R: Dimanche soir du 01/11/97 au 30/03/98

370 - 670

370 - 670

45

110 - 265

340 - 490
1/2

CC △ AV TO

Au pied du site historique de Gergovie, l'Hostellerie Saint-Martin, entourée d'un parc de 6 ha, allie fraîcheur, sérénité et confort des lieux pour un agréable séjour. Chambres tout confort. Cuisine fine de tradition et de créativité. Equipements sportifs et de détente.

Die Hostellerie Saint-Martin liegt am Fuße der historischen Stätte Gergovie in einem 6 ha großen Park. Frische, Komfort und eine entspannende Atmosphäre erwarten Sie für einen angenehmen Aufenthalt. Gelegenheit für sportliche Aktivitäten.

The Hostellerie Saint-Martin is situated near the historic site of Gergovie. Set in 15 acre ground it provides a fresh and relaxing atmosphere for an enjoyable stay. Leisure and sports activities.

 Aulnat 10 km
 Clermont-Ferrand 8km
 A75 Sortie N°3

153

Hôtel

Relais du Silence
Silencehotel

Quel relais pour votre passion ?
Choose your relais hotel according to your activities.
Das passende Relais für Ihre Hobbies.

Les hôtels par région
et pays avec leurs
équipements de loisirs.

*List of relais hotel by
regions and countries
with their leasure
facilities.*

Die Relais, geordnet
nach Regionen und
Ländern, mit ihren
jeweiligen
Freizeitangeboten.

pages 450 ➡ 463

*L*orsqu'il voyage,
l'homme ne s'entoure
que de l'essentiel.

Diners Club International®

3613 012345 b
MR PIERRE BERTRAND
00 DE UF "00/00-   00/00

Quelle que soit votre destination,
le Diners Club vous conseille d'utiliser
ces deux objets matin, midi et soir.
Pour connaître les nombreux avantages
qu'ils vous procurent, **téléphonez-nous
au 01 49 06 17 90.**
(Nos conseillers sont, à priori, mieux
formés aux conditions d'utilisation
de la carte Diners Club.)

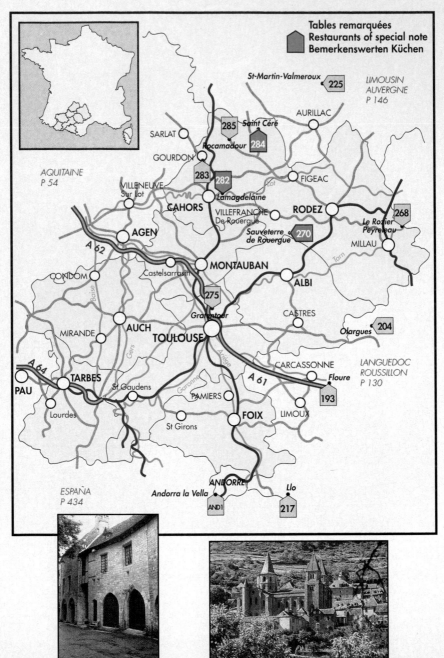

Tables remarquées
Restaurants of special note
Bemerkenswerten Küchen

St-Martin-Valmeroux 225

LIMOUSIN
AUVERGNE
P 146

AURILLAC

285 Saint Céré

SARLAT

Rocamadour 284

GOURDON

AQUITAINE
P 54

283 282

FIGEAC

VILLENEUVE
Sur Lot

Lot

CAHORS Lamagdelaine

VILLEFRANCHE
De Rouergue

RODEZ

268 Le Rozier
Peyreleau

AGEN

Sauveterre
de Rouergue 270

MILLAU

A 62

Baise

CONDOM

Castelsarrasin

MONTAUBAN

Tarn

ALBI

AUCH

MIRANDE

275

Gers

Grafentour

CASTRES

TOULOUSE

Olargues 204

Ariège

LANGUEDOC
ROUSSILLON
P 130

A 64

TARBES

St Gaudens

Garonne

CARCASSONNE

A 61

Floure

PAU

Lourdes

PAMIERS

LIMOUX

193

St Girons

FOIX

ESPAÑA
P 434

ANDORRE
Andorra la Vella

Llo

AND1

217

156

Midi-Pyrénées

Villages escarpés, étendues sauvages, rivières opulentes aux pieds de falaises impressionnantes, Midi-Pyrénées vous invite au fond de ses grottes pour un voyage retour aux premiers matins du monde.

Steep villages, wild stretches of landscape, opulent rivers at the foot of impressive cliffs, Midi Pyrénées invites you to the bottom of its caves for a journey back to the dawn of time.

Zwischen schroffen Bergen gelegene Dörfer, wilde Landstriche, mächtige Flüsse am Fuße beeindruckender Felswände: Südfrankreich und die Pyrenäen laden Sie zu einer Reise zurück zu den Anfängen der Erde in die Tiefe ihrer Grotten ein.

A NE PAS MANQUER.

- Festival intern. de musique sacrée à Lourdes (week-end Pâques),
- Fête de la Cocagne St Felix de Lauragais (week-end Pâques),
- Fête de la Transhumance à Aubrac (fin mai),
- Printemps de Cahors - photographie - juin Tél.01 41 12 80 50,
- Fête du Grand Feretra à Toulouse (fin juin),
- Il était un fois...les médiévales à Foix (juillet-aôut),
- Festival de Gavarnie (théâtre) (juillet),
- Soirées musicales à Conques (juillet-aôut),
- Fête du Grand Fauconnier à Cordes (14 au 20/07),
- Festival de la Marionnette à Mirepoix (1er week-end d'août),
- Festival de St Céré - fin juillet mi août Tél.05 65 38 28 08,
- Festival de Comminges (14/07 au 31/08),
- Jazz in Marciac (8 au 15 aôut),
- Grand prix automobile de Nogaro (2ème week-end de sept.),
- Rassemb. européen de montgolfières à Rocamadour (dernier week-end de septembre).

Gd H. de la Muse et du Rozier ★★★

France

F
268

La Muse
12720 PEYRELEAU/GORGES DU TARN
Mme et M. RIGAIL
38 Chambres - Relais du Silence depuis 1996

Tél. 05 65 62 60 01
Fax 05 65 62 63 88

Du 06/11/98 au 15/03/99
Ouvert tous les jours

350 - 430	
410 - 650	
65	
95 - 220	
415 - 540	
580 - 700	

CC ☐ AV TO

Le privilège d'une architecture de rêve dans un site extraordinaire. Une nature intacte au cœur d'un pays qui regorge de merveilles naturelles. A l'entrée des gorges du Tarn, un lieu d'accueil chaleureux et raffiné, oasis de calme et d'harmonie. Grande terrasse pour les dîners de la belle saison, chambres et appartements de grand confort, restaurant gastronomique.

Inmitten der wildromantischen Landschaft der Tarnschlucht direck am Fluß liegt dieses elegante 3-Sterne-Hotel, wo Vergnügen, Kultur und Abendteuer aufs Beste verbunden werben können. Gastronomie-Restaurant und große Terrasse für sommerliche Abendessen.

This beautiful architect-designed hotel stands right in the heart of a countryside full of natural miracles. At the entrance to the Tarn Canyons, an oasis of calm and harmony and the perfect spot for a romantic getaway. Gastronomic restaurant and large terrace for fine-weather dinners.

Rodez 70 km

Millau 20 km

CD907, route des Gorges du Tarn

158

Le Sénéchal ★★★

F
270

12800 SAUVETERRE DE ROUERGUE
Chantal et Michel TRUCHON
11 Chambres - Relais du Silence depuis 1995

Tél. 05 65 71 29 00
Fax 05 65 71 29 09

 Du 01/01/98 à début mars 98
Lundi et mardi midi

 430 m

 550
550 - 750
80
150 - 450
 510 - 560
 580 - 740

CC △ AV

 11

Hôtel de charme au coeur d'une bastide royale du XIIIe siècle. Un des plus beaux villages de France. Séjours heureux et promenades gourmandes à la table de Michel Truchon qui marie les produits de l'Aveyron dans des alliances très personnelles. Patio, terrasse bistrot, réceptions, expositions.

Charmantes Hotel im Herzen der königlichen Festung aus dem 13. Jahrhundert, eines der schönsten Dörfer Frankreichs. Es erwartet Sie ein angenehmer Aufenthalt und eine kulinarische Entdeckungreise mit Michel Truchon. Terrassen, Empfänge und Ausstellungen.

Charming hotel in the heart of the 13th century royal fortress, one of the most beautiful villages in France. Pleasant stay, especially for gourmets and Michel Truchon's cuisine offering local products with his personal touch. Terraces. Receptions and exhibitions.

 Rodez 40 km
Naucelle 9 km

Le Barry ★★

F
275

Rue du Barry
31150 GRATENTOUR
Marie-Claire et Rolland DUPIN
22 Chambres - Relais du Silence depuis 1994

Tél. 05 61 82 22 10
Fax 05 61 82 22 38

Ouvert toute l'année
R: Vendredi soir et Samedi

300 - 380
340 - 380
43 - 45
100 - 130
335 - 365
450 - 485

Au cœur d'un petit village de la banlieue toulousaine, dans la campagne frontonnaise, l'Hôtel Le Barry vous attend pour une halte de repos. Mairie-Claire et Rolland Dupin seront heureux de vous accueillir et feront de votre séjour une étape de charme et de détente. Vous pourrez apprécier l'élégante atmosphère de leur restaurant, la qualité de leur cuisine régionale et, selon la saison, la douceur des soirées sur la terrasse ou la chaleur douillette du coin cheminée.

In nächster Nähe von Toulouse, im Grünen gelegen, privilegierte Lage im Land Fronton. Freundlicher und persönlicher Empfang. Regionale Küche von Qualität, elegantes Restaurant, gemütliche Abende auf der Terrasse.

Near Toulouse, in a very nice place of the Fronton country, with a lovely green parkland. Family-like atmosphere and quality regional cuisine, elegant restaurant, soft evenings on the terrace.

Toulouse 12 km
Toulouse 15 km

Claude Marco

F
282

46090 LAMAGDELAINE
Line et Claude MARCO
4 Chambres - Relais du Silence depuis 1996

Tél. 05 65 35 30 64
Fax 05 65 30 31 40

 Du 05/01 au 05/03 et du 19 au 29/10
Dim. soir et Lundi - Ouvert tous les jours du 15/06 au 15/09.

 480 - 680

480 - 680

50

130 - 295

1/2

CC

Partez à la rencontre du Quercy en suivant le Lot et arrêtez-vous dans la belle maison de caractère de Line et Claude Marco pour ses chambres gaies, installées au bord de la piscine devant les jardins en terrasse, et pour l'excellence de la cuisine qui fleure bon le terroir, servie dans une superbe salle voûtée. A 5 mn de Cahors (route de Figeac) dans la vallée du Lot et du Célé.

Vier Gästezimmer direkt am Pool und an den Terrassengärten gelegen. Jedes Zimmer verfügt über ein luxuriöses Badezimmer, ausgestattet mit Unterwassermassage. Exzellente Küche der Region serviert in einem herrlichen Gewölberaum. 5 Min. von Cahors im Lot- und Célé-Tal.

Miralasse
Laroque- Mels
des-Arcs   Bassaler
D 659   Lamagdelaine
Le Lot
Le Peyrat   Savanac
D 911
Begoux   Galessie
Cahors   Arcambal   D 8
D 49
D 911
Les Parrots

Four guest rooms by the pool and the terraced gardens, each with a delightful bathroom and its own water therapy facilities. Excellent local dishes served in a superb arched hall. 5 min. from Cahors in the Lot and Célé valley.

Lalbenque 20 km

Cahors 7 km

A 7 km de Cahors, route de Figeac (D653)

Domaine du Berthiol ★★★

F 283

Route Dép. 704
46300 GOURDON EN QUERCY
Christine et Serge CASSAGNE
29 Chambres - Relais du Silence depuis 1991

Tél. 05 65 41 33 33
Fax 05 65 41 14 52

Du 01/11 au 30/03
Ouvert tous les jours

👤	180 - 300
👫	360 - 450
🛏	57
✕	100 - 270
1/2	360 - 410

CC ○ AV TO

Entre Sarlat et Rocamadour dans son écrin de verdure le Domaine du Berthiol vous accueille en pays de Bouriane. Sa gastronomie : truffes sous la cendre tournedos Rossini, Chabrol de pêches rôties aux épices et un excellent vin de Cahors vous laisseront un souvenir inoubliable du Quercy Perigord. 1/2 Pension en saison.

Zwischen Sarlat und Rocamadour im Herzen von Quercy-Perigord in seinem grünen Schmuck. Empfang in familiärer Atmosphäre in einem quersischen Haus. Höchste Gastronomie und exzellente Weine hinterlassen unvergeßliche Erinnerungen an diese Region. Halbpension während der Saison.

In the countryside, between Sarlat and Rocamadour, in the middle of the green Quercy-Perigord region. A familly-like atmosphere in a typical Quercy residence. Highest gastronomy and excellent wines will leave an unforgettable memory of this region.

✈ Brive 55 km
🚆 Gourdon 1 km
🚗

Hôtel Ric ★★★

France

F
284

Route de Leyme par la D. 48
46400 SAINT CÉRÉ
Jean-Pierre RIC
5 Chambres - Relais du Silence depuis 1993

Tél. 05 65 38 04 08
Fax 05 65 38 00 14

Janvier et Février
Ouvert tous les jours

300 - 400	
300 - 400	
45	
110 - 250	
320 - 400	

CC ○ AV TO

A deux pas de Padirac et Rocamadour, blottie dans son écrin de verdure, cette accueillante maison s'offre à vous au sein d'un reposant décor. Devant un exceptionnel panorama, vous pourrez goûter une cuisine de terroir, jeune, inventive au ton très personnel. Sous-bois aux abords de la piscine.

Im nächster Nähe von Padirac und Rocamadour liegt unser gastfreundliches Haus, mitten in einem grünen Schmuckkästchen. In ruhiger Umgebung, mit herrlichem Panoramablick können Sie unsere hervorragende, regionale Küche genießen. Lassen Sie sich von unserem jungen, fachmännischem Team verwöhnen.

A few minutes from Padirac and Rocamadour, a warm welcome awaits you in this comfortable home, nestled among trees in the midst of a quiet scenery. Enjoy the panoramic view while dining - local flavoured specialities and young and innovative cuisine with a personal touch. Woodland by the swimming-pool.

Brive 50 km

Biars sur Céré 10 km

Le Troubadour ★★

France

F
285

Belveyre
46500 ROCAMADOUR
Marie-Josée et Thierry MENOT
10 Chambres - Relais du Silence depuis 1992

Tél. 05 65 33 70 27
Fax 05 65 33 71 99

15 Novembre - 15 Février
Ouvert tous les jours

 290 - 380

290 - 380

45

110 - 200

290 - 380

 CC AV TO

Ancienne ferme restaurée dans un parc de 2 hectares aux portes de la cité, le Troubadour offre 10 chambres rustiques de tout confort et bénéficie d'un emplacement idéal pour toutes randonnées. On vous y proposera une cuisine quercynoise et périgourdine de qualité. Golf à 30 km.

"Der Troubadour" liegt in einem 2 ha grossen Park. Das Hotel mit 10 Zimmern entstand aus einem alten Gutshof. Eine Minute von Rocamadour entfernt. Ausgangspunkt für herrliche Wanderungen. Golf 30 km.

The Troubadour is situated in a park in a beautiful country. This lovely hotel has 10 rooms. It is one minute from Rocamadour, it is an exceptional location for peace and quiet. Golf 30 km.

Brive 40 km

2 km

Entrée de Rocamadour dir.
Gouffre de Padirac

164

Comment Réserver
How to Book
Vorgehen bei Buchungen
?

- En contactant directement l'hôtel de votre choix
  By contacting the hotel of your choice directly
  Sie nehmen direkt mit dem Hotel Ihrer Wahl Kontakt auf

- Gratuitement d'un relais à un autre
  Free of charge from one Relais to another
  Sie buchen Kostenlos von einem Relais zum anderen

- Notre **centrale de réservation** à votre service
  du lundi au vendredi de 9h à 18h
  Central Booking Service • Reservationszentrale

  Tél. : (33) (o)1 44 49 90 00

  Fax : (33) (o)1 44 49 79 01

  Via Internet
  http://www.relais-du-silence.com/

  Un n° de réservation vous sera donné pour confirmation
  A booking number will be given to you to confirm
  Zur bestätigung erhalten Sie eine Buchungsnummer

- U.S.A.: notre représentant
  : our representative
  : unser Vertreter

  (1) **800 927 47 65**
  (1) **800 OK FRANCE**

Chèque Cadeau
Gift voucher
Geschenkgutschein...

... pour offrir des moments de bonheur
To offer moments of happiness
So schenken Sie Momente des Glücks

Nous sommes à votre disposition
We are at your service
Wir stehen gerne zu Ihrer Verfügung

Tél. : (33) (0)1 44 49 79 00

Fax : (33) (0)1 44 49 79 01

http://www.relais-du-silence.com/

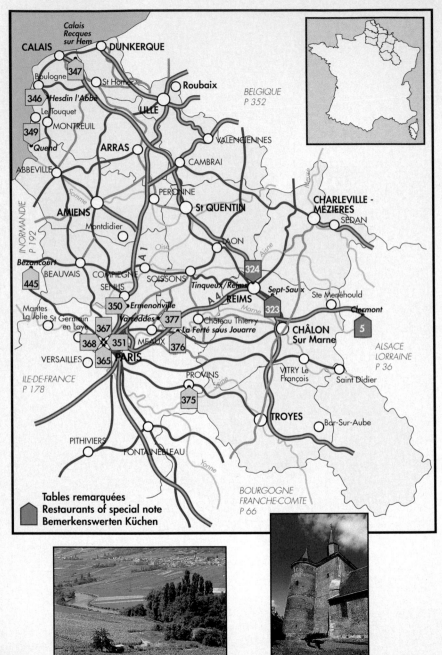

CALAIS
Calais
Recques
sur Hem
DUNKERQUE
347
Boulogne
St Homer
Roubaix
346 Hesdin l'Abbe
Le Touquet
LILLE
349 MONTREUIL
Quend
VALENCIENNES
ARRAS
CAMBRAI
ABBEVILLE
PERONNE
AMIENS
St QUENTIN
Montdidier
LAON
Bézancourt
BEAUVAIS
COMPIEGNE
SENLIS
SOISSONS
445
324
350 Ermenonville
Tinqueux/Reims
REIMS
Sept-Saulx
Ste Menéhould
Mantes
La Jolie St Germain
en Laye
367
Varreddes
377
Château Thierry
323
Clermont
5
La Ferté sous Jouarre
CHÂLON
Sur Marne
368 351
MEAUX
376
365 PARIS
VERSAILLES
PROVINS
VITRY Le
François
Saint Didier
ILE-DE-FRANCE
P 178
375
PITHIVIERS
FONTAINEBLEAU
TROYES
Bar-Sur-Aube

BELGIQUE
P 352

CHARLEVILLE -
MÉZIÈRES
SEDAN

ALSACE
LORRAINE
P 36

NORMANDIE
P 192

BOURGOGNE
FRANCHE-COMTE
P 66

Tables remarquées
Restaurants of special note
Bemerkenswerten Küchen

168

Nord - Pas-de-Calais - Picardie Champagne - Ardennes

De Clovis à Charles de Gaulle, une promenade au cœur de l'Histoire. De la frontière belge aux sources de la Seine, un voyage aux mille et un contrastes : "chemins et mémoire" du Nord Pas-de-Calais, panoramas grandioses de la vallée de la Meuse, grands lacs, enivrante Champagne, qui vous livrera les secrets et les délices du vin effervescent le plus prestigieux du monde !

A NE PAS MANQUER.

- Enduro des sables Le Touquet (fév.) Tél.03 21 05 21 65
- Rencontres internationales de cerfs-volants à Berck-sur-Mer (1er week-end d'avril),
- Festival du film de l'Oiseau à Abbeville (début avril),
- Musique et remparts à Boulogne-sur-Mer (1ère quinz. juin),
- Festival international de musique Le Touquet 1ère quinz. d'août
- Les flâneries musicales d'été de Reims (juillet-août),
- La ronde des Hallebardiers à Langres (vendredis et samedis août),
- Fêtes Jean de la Fontaine à Château-Thierry (juin),
- Festival estival de musique classique de St Riquier (juillet),
- Compétition nationale de ski nautique au Lac du Der-Chantecoq (août),
- Promenades nautiques sur le Mau et le Nau à Châlons-sur-Marne (tout l'été).

From Clovis to Charles de Gaulle, a trip through history. From the Belgian frontier to the sources of the Seine, a journey through a thousand and one contrasts : "the paths and the memory" of Nord Pas-de-Calais, impressive views of the valley of the Meuse, the great lakes, intoxicating Champagne which will reveal the secrets and delights of the most prestigious sparkling wine in the world !

Von Clovis zu Charles de Gaulle spaziert man hier im Herzen der Geschichte. Es ist eine Reise von tausendundeinen Kontrasten von der belgischen Grenze bis zu den Seinequellen: "Spuren und Erinnerungen" des Nord Pas-de-Calais, grandioses Panorama im Meuse-Tals, große seen, berauschende Champagne, welche Ihnen die Geheimnisse und Genüsse des herrlichsten Schaumweins der Welt verraten wird !

Le Cheval Blanc ★★★★

France

F
323

Rue du Moulin
51400 SEPT-SAULX
Familles ROBERT et ABDALALIM
25 Chambres - Relais du Silence depuis 1979

Tél. 03 26 03 90 27
Fax 03 26 03 97 09

 Du 23/01 au 20/02/98
Ouvert tous les jours

	350 - 800
	390 - 980
	50
✕	180 - 360
1/2	525 - 820
	755 - 1050

CC △ AV TO

Reims 25 km

Sept-Saulx

A4 ou A26 sortie La Veuve ou
Cormontreuil puis RN44

Étape de charme au cœur de la Champagne. Jolies chambres et appartements de grand confort. Vaste parc bordé d'une rivière offrant tennis et pêche. Cuisine gastronomique, raffinée, inventive dans un cadre chaleureux. Foie gras au ratafia, bar en croute de sel. Visites de caves, musées et route du champagne.

Im Herzen der Champagne, Zimmer und Apartments über einem blumenreichen Hof, und Sie gernießen die Ruhe des Parks, durch den die Vesle fließt. Freizeitangebote. Die Küche ist gastronomisch erlesen und kreativ (Gänseleber mariniert in Ratafia).

In the heart of the Champagne, pretty rooms and newly desingned apartments overlooking a flowery courtyard. Large park with a river. Gastronomic cuisine with an original touch and the flavour of tradition in a welcoming atmosphere. Goose liver with ratafia, sea bass in salt crust. Visits of cellars and museums.

L'Assiette Champenoise ★★★★

France

F
324

40, avenue Paul Vaillant Couturier - B.P. 48
51430 TINQUEUX
Colette et Jean-Pierre LALLEMENT
62 Chambres - Relais du Silence depuis 1991

Tél. 03 26 84 64 64
Fax 03 26 04 15 69

Ouvert toute l'année
Ouvert tous les jours

 505 - 770

 545 - 1100

70

 295 - 490

 735 - 1110
1/2

CC AV

A 5 mn de Reims, une belle maison à colombages, alliant charme et caractère dans la quiétude d'un parc de 1,5 ha. Vous y trouverez un intérieur de grand confort, luxueux et raffiné. La cuisine de J.-P. Lallement s'inspire avec talent des plus beaux produits et la carte des vins vous invite à célébrer le champagne.

Fünf Min. von Reims, l'Assiette Champenoise, ein Haus von Charme und Charakter in einem privaten Park von 1,5 ha. Luxuriöse, raffinierte Innenausstattung und Feinschmeckereien. Die Weinliste bedeutet hier Champagner.

 Prunay 15 km

Reims 3 km

Only 5 minutes from Reims, l'Assiette Champenoise is a charming house of character set in 1,5 hectares of peaceful parkland. The interior is refined and luxurious. For the gourmet. The wine list invites you to celebrate champagne.

171

Hôtel Cléry Chât. d'Hesdin-l'Abbé ★★★

F
346

Rue du Château
62360 HESDIN-L'ABBE
Catherine et Didier LEGROS
22 Chambres - Relais du Silence depuis 1987

Tél. 03 21 83 19 83
Fax 03 21 87 52 59

Environ du 15/12 au 29/01
R: Samedi et Dimanche

330 - 795

330 - 795

55

135 - 225

1/2

CC △ AV

Au cœur des vertes collines du Boulonnais, sur la côte d'opale, cet élégant château du 18e est niché dans un parc fleuri de 5 hect. Se promener dans ses allées agrémentées d'arbres séculaires est un ravissement. Atmosphère chaleureuse et intime. Un salon bar et un salon cheminée vous invitent à converser, lire ou rêver. 22 chambres entièrement rénovées en 1997. A 30 mn du tunnel sous la manche.

Auf en grünen Hügeln des Boulonnais, an der Côte d'Opale, ein elegantes schloß aus dem 18. Jahrh., in einem 5 ha großen Park gelegen. Angenehm stimmungsvolles Ambiente. 30 Min. vom Shuttle.

In the green hills of Boulonnais, on the opal coast, an elegant 18th century chateau, nestling in a 12 acre park. Walking along the paths ornamented with flowers and 100 year old trees is a delight. Lounge-bar and lounge with fireplace to chat, read, dream. 22 rooms fully renovated in 1997. 30 mn from the Shuttle.

Le Touquet 21 km

Boulogne/mer 9 km

Sur la RN1 dir. Montreuil -
Sur A16 à 1 km de la sortie
Isques

Château de Cocove ★★★

F
347

62890 CALAIS/RECQUES SUR HEM
Cyril MAUPIN
22 Chambres - Relais du Silence depuis 1991

Tél. 03 21 82 68 29
Fax 03 21 82 72 59

24 et 25/12
Ouvert tous les jours

 455 - 745

455 - 745

 50

135

CC AV TO

Une invitation à la détente dans le cadre verdoyant et chaleureux d'un Château du XVIIIe siècle environné d'un parc magnifique de 11 ha. Chambres nouvellement rénovées. Restaurant gastronomique et cuisine régionale. Dégustation et vente de vins dans les caves du château. Forfaits gastronomiques. Swin golf.

Ein Schloss aus dem 18. Jh., gelegen inmitten eines 11 Hektar grossen Park. Gastronomisches Restaurant mit regionaler Spezialitätenküche. Jüngst renovierte Zimmer. Weinproben und Verkauf in den Schlosskellereien. Sauna. Swing golf.

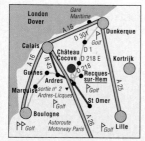

18th century castle placed in the heart of a 27 acres park. Gastronomic restaurant offering regional specialities. Recently refurnished rooms. Wine tasting and selling in the cellars of the castle. Sauna. Swin Golf.

Lille Lesquin 90 km

Audruicq 6 km

Auberge Le Fiacre ★★★

France

F
349

Routhiauville
80120 QUEND
Jean-Pierre MASMONTEIL
11 Chambres - Relais du Silence depuis 1996

Tél. 03 22 23 47 30
Fax 03 22 27 19 80

De fin Novembre à mi Décembre et du 12/01 au 12/02/98
R: Mercredi midi uniquement

360 - 400

45

100 - 220

370 - 410
1/2

CC △

A 2 km des plages de Quend et Fort-Mahon, l'Auberge du Fiacre vous accueille dans une ambiance chaleureuse et vous propose de venir déguster toute la gastronomie locale : poissons côtiers, agneau de pré-salé, etc. Dès l'automne, vous pourrez également apprécier ses menus gibier.

Nur 2 km vom Strand von Quend-les-Pins und Fort-Mahon entfernt bietet Ihnen die Auberge du Fiacre eine gemütliche Atmosphäre. Hier genießen Sie die regionale Küche: Fisch, Lamm und im Herbst köstliche Wildgerichte.

Only 2 km from the beaches of Quend-les-Pins and Fort-Mahon the Auberge du Fiacre greets you in a warm atmosphere and offers you all the local gastronomy : fish, lamb, and game from automn onwards.

Rue 11 km

Château d'Ermenonville ★★★

France

F
350

Rue René Girardin
60950 ERMENONVILLE
Christophe CLAIREAU
49 Chambres - Relais du Silence depuis 1997

Tél. 03 44 54 00 26/04 32
Fax 03 44 54 01 00

Ouvert toute l'année
Ouvert tous les jours

 390 - 1850

 430 - 1850

 80

 145 - 490

 500 - 960

 700 - 1160

CC △ AV TO

A 40 mn de Paris, cet authentique Château XVIIIe dans lequel Jean-Jacques Rousseau vécut ses derniers jours vous offre calme, repos et nature. Le restaurant "La Table du Poète" propose une cuisine de qualité, alliant tradition et modernité. Revivons le temps d'un soir ou d'un week-end le Siècle des Lumières dans les pas de l'illustre promeneur solitaire. Forfaits week-end et détente.

40 Min. von Paris entfernt, ein Schloß des 18. Jahrhunderts, in dem Jean-Jacques Rousseau die letzten Tage seines Lebens verbrachte. Gelegen in einem Park mit Teich. Ideal für Ruhe und Rast. Traditionalle wie auch moderne Küche.

40 min. from Paris, an 18th century castle where Jean-Jacques Rousseau had lived. The moat, park, woods and forests provide calm and rest. The restaurant "La Table du Poète" invites you to enjoy high quality cooking, traditional as well as modern.

✈ Roissy 25 km

🚆 Plessis-Belleville 5km

🚗 A1 Paris-Lille sor. Survilliers
ou Senlis/N2 Paris-Soissons
sor. Plessis-Belleville

175

Comment Réserver
How to Book
Vorgehen bei Buchungen

?

- En contactant directement l'hôtel de votre choix
  By contacting the hotel of your choice directly
  Sie nehmen direkt mit dem Hotel Ihrer Wahl Kontakt auf

- Gratuitement d'un relais à un autre
  Free of charge from one Relais to another
  Sie buchen Kostenlos von einem Relais zum anderen

- Notre **centrale de réservation** à votre service
  du lundi au vendredi de 9h à 18h
  Central Booking Service • Reservationszentrale

  Tél. : �33 (0)1 44 49 90 00

  Fax : �33 (0)1 44 49 79 01

  Via Internet
  http://www.relais-du-silence.com/

  Un n° de réservation vous sera donné pour confirmation
  A booking number will be given to you to confirm
  Zur bestätigung erhalten Sie eine Buchungsnummer

- U.S.A. : notre représentant
  : our representative
  : unser Vertreter

  ① **800 927 47 65**
  ① **800 OK FRANCE**

ESCAPADE

entre Brie, Champagne et Picardie

SENLIS

REIMS

323

Château d'Ermenonville ★★★

350

Le Cheval Blanc ★★★★
Sept-Saulx

PARIS

PROVINS

Au Vieux Remparts ★★★

375

TROYES

Votre circuit à la découverte de ces trois régions vous permet d'allier la visite de sites exceptionnels, tels que la route du champagne, les châteaux de Vaux-le-Vicomte et de Chantilly ou la cité médiévale de Provins, aux plaisirs de trois bonnes tables "Relais du Silence".

Réservation au :

01 44 49 90 00

fax : 01 44 49 79 01

Dès votre réservation enregistrée, nous vous transmettrons une brochure détaillée des différents sites à visiter pour que vous puissiez organiser votre séjour à la carte.

Forfait 4 jours
et 3 nuits en demi-pension

1650 FF *

3180 FF **

Forfait 7 jours
et 6 nuits en demi-pension

* par personne en chambre double (une nuit par hôtel)
** par personne en chambre double (deux nuits par hôtel)
   Supplément chambre individuelle : 18o FF par nuit

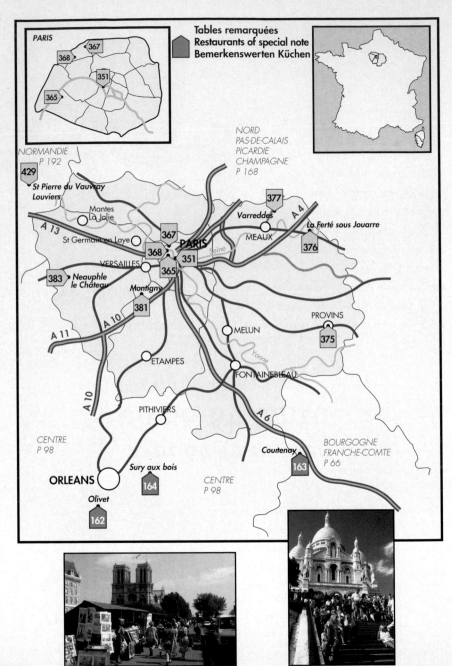

PARIS

367
368
351
365

Tables remarquées
Restaurants of special note
Bemerkenswerten Küchen

NORD
PAS-DE-CALAIS
PICARDIE
CHAMPAGNE
P 168

NORMANDIE
P 192

429
St Pierre du Vauvray
Louviers

377
Varreddes

La Ferté sous Jouarre

Mantes
La Jolie

MEAUX

376

A 13

St Germain en Laye

367

A 4

368
PARIS
351

Seine

VERSAILLES
365

383
Neauphle
le Château

Montigny

381

A 10

PROVINS

375

A 11

MELUN

Yonne

ETAMPES

FONTAINEBLEAU

A 6

PITHIVIERS

CENTRE
P 98

BOURGOGNE
FRANCHE-COMTE
P 66

Courtenay

163

ORLEANS

Sury aux bois

164

CENTRE
P 98

Olivet

162

178

Paris
Ile-de-France

Deux mille ans d'histoire ont ciselé Paris et donné à la France une capitale d'une beauté, d'une élégance et d'un charme exceptionnels. Ville lumière étincelante enchassée comme un joyau dans l'opulente Ile-de-France.

Ancien domaine de la couronne, cette province s'est vue dotée d'une rare profusion d'édifices magnifiques et de somptueuses demeures : Saint-Denis, Versailles, Fontainebleau… Paris Ile-de-France vous offre toutes les fascinations d'un passé vibrant au cœur de l'histoire et tous les vertiges d'un monde ouvert sur la fiction de demain.

A NE PAS MANQUER.

- Exposition de roses au parc floral de Bagatelle (juin à octobre Paris),
- Fête des vendanges à Montmartre (1ᵉʳ samedi d'octobre - Paris),
- Nuit de la Saint Jean (feux d'artifices - Jardin du Sacré Cœur de Montmartre, Paris),
- Nuits de feu - Concours international de pyrotechnie (juin à septembre - Chantilly),
- Fêtes médiévales (mi-juin - Provins),
- Grandes eaux musicales du château (les dimanches de mai à octobre - Versailles),
- Grande fête de nuit à Versailles (2 en juil. / 2 en sept.) Tél.01 39 50 36 22,
- Saison musicale (1 par mois 05 et 06- Thoiry) Tél.01 39 75 91 65,
- Visite aux chandelles du château et des jardins (mai à octobre - Vaux-le-Vicomte),
- Fête des Loges Tél.01 30 87 21 70 (fin juin à mi-août - St Germain en Laye),
- Foire aux vins et aux fromages (week-end de Pâques - Coulommiers).

Two thousand years of history have shaped Paris and given France a capital city of exceptional beauty, elegance and charm. A radiant city of light, set like a jewel in the opulent Greater Paris area known as the "Ile-de-France". A former royal domain, this province offers a rare profusion of magnificent buildings and sumptuous châteaux: Saint-Denis, Versailles, Fontainebleau… Paris Ile-de-France offers all the fascination of a vibrant past in the heart of history and all the dizziness of a world open to the fiction of the future.

Zweitausend Jahre Geschichte haben Paris gemeißelt und Frankreich eine Hauptstadt voller Schönheit, Eleganz und außergewöhnlichem Charm gegeben. Eine Stadt im gleißenden Lichterschein, die wie ein Juwel in die wohlhabende Ile-de-France eingefügt wurde. Früher zur Krone gehörend, wurde diese Provinz mit einer seltenen Fülle an herrlichen Gebäuden und prunkvollen Wohnsitzen ausgestattet: Saint-Denis, Versailles, Fontainebleau… Paris Ile-de-France, bietet Ihnen alle Faszinationen einer vibrierenden Vergangenheit im Herzen der Geschichte sowie der Schwindel einer, der Fiktion von morgen offenstehenden Welt.

179

Hôtel des Tuileries ★★★

France

F
351

10 rue St-Hyacinthe (angle pl. du Marché St Honoré)
75001 PARIS
Jean-Jacques Vidal
26 Chambres - Relais du Silence depuis 1987

Tél. 01 42 61 04 17
Fax 01 49 27 91 56

Ouvert toute l'année
Ouvert tous les jours

590 - 990
690 - 1200
60

CC AV TO

25

Situation exceptionnelle et calme entre les Tuileries, le Louvre, Orsay et la place Vendôme. Authentique demeure du 18e siècle restaurée autour d'un patio contemporain. Salon, bar, chambres au décor raffiné, tableaux, meubles anciens et tapis. Un lieu attachant qui a une âme et séduira les amateurs d'art autant que les hommes d'affaires. Le rêve y est permis. Tarif W.E. sur demande (hors salons).

Residenz aus dem 18. Jahrh. in unmittelbarer Nähe der Tuileries Gärten, Louvre, Orsay Museen und Platz Vendôme. Einzigartige Lage in einer stillen kleinen Gasse, traummahft schönes Hotel. Klimaanlage, Kabel-TV, antikes Mobiliar.

Between the Tuileries gardens, Louvre and Orsay Museums, near Place Vendôme, an original 18th century residence. Former property of Marie-Antoinette's First Lady. A haven of tranquility in a peaceful street. Beautiful rooms, antique furniture. A dream-hotel come true. Ask for special price for W.E. (except meetings).

Orly/Roissy

Lyon ou St Lazare

Métro Tuileries

Hôtel Arès ★★★

France

F
365

7, rue du Général de Larminat
75015 PARIS
Mirka et Jean-Pierre SEROIN
42 Chambres - Relais du Silence depuis 1994

Tél. 01 47 34 74 04
Fax 01 47 34 48 56
aresotel@easymet.fr

Ouvert toute l'année
Ouvert tous les jours

550 - 650

650 - 800

45

sans restaurant

CC AV TO

⇔

Véritable tiroir à surprises, ce quartier ponctué de sites prestigieux (Tour Eiffel et ses jardins, Unesco) recèle également des charmes parisiens : village des antiquaires, marché pittoresque, tables d'habitués. Chambres claires et spacieuses, décoration subtile, miroirs et dessins anciens dans les salons.

Dieses abwechslungsreiche und von prächtigen Sehenswürdigkeiten umgebene Viertel - u.a. Eiffelturm mit seinen Gärten, Sitz der Unesco - zeigt alle Nuancen des begehrten Pariser Charme: Antiquitätenhändler, malerische Märkte, typische Bistros und Stammtische. Helle und geräumige Zimmer, gemütliche Salons.

Orly 15 km

Montparnasse 2 km

A thrilling neighbourhood... While gently strolling around, discover the Eiffel Tower with the gardens and the Unesco. Enjoy also a picturesque food market, an antiques area, and typical cafés, terraces and restaurants. Spacious bright rooms, pleasant lounges decorated in subtle colours with old style mirrors and drawings.

Hôtel Eber Monceau ★★★

France

F
367

18, rue Léon Jost (Métro Courcelles)
75017 PARIS
Jean-Marc EBER
18 Chambres - Relais du Silence depuis 1988

Tél. 01 46 22 60 70
Fax 01 47 63 01 01

Ouvert toute l'année
Ouvert tous les jours

525 - 690

640 - 690

55

sans restaurant

CC AV TO

Le calme et le charme de ce petit hôtel à deux pas du Parc Monceau et des Champs Elysées ont conquis depuis 10 ans le milieu de la mode et du cinéma. Retrouvez seul ou en famille cette demeure très bien située au cœur du quartier résidentiel le plus étoilé de Paris. Métro et parking payant à 200 m. Room service - bar - patio.

Kleines reizvolles Hotel unweit der Champs-Elysées am Rand des Park Monceau im schönsten Residenz-Viertel von Paris. 13 Doppelzimmer. 3 Appts mit 2 Betten und Sofa für Familie, und 2 Duplex mit grossem Bett. In 200 m gebührenpflichtiger Parplatz und Metro.

A small and very pleasant hotel next to the Parc Monceau and within walking distance to the Champs-Elysées well known by the "Gens de la Mode". Very good location in a residential area with a large choice of good restaurants in the nearby. Room service. Metro and carpak with charge at 200 m.

Orly 20 km

Gares Nord/Est

Sortie Porte d'Asnières ou Champerret, rue de Courcelles puis rue Cardinet

Hôtel Etoile Péreire ★★★

France

F 368

146, boulevard Péreire
75017 PARIS
Laure DUQUESNOY - Ferruccio PARDI
26 Chambres - Relais du Silence depuis 1987

Tél. 01 42 67 60 00
Fax 01 42 67 02 90

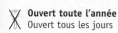
Ouvert toute l'année
Ouvert tous les jours

 590 - 690

 790 - 1090

 54

 sans restaurant

AV TO

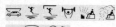

A 10 mn à pied de l'Etoile et des Champs Elysées, un hôtel de charme, situé en plein quartier résidentiel permettant d'allier calme et affaires. Immeuble ancien rénové en 95. Bar, room service, pressing et journaux à votre disposition. Sèche-cheveux, minibar et coffre fort dans les chambres Canal+ satellite.

Zu Fuß zu erreichen: Triumphbogen, Champs Elysées, das Zentrum von Paris und Geschäftsviertel sind auch nicht weit. Ein Hotel mit ruhiger und entspannender Atmosphäre. Bar, Zimmerservice, Bügeln, Zeitungen. Fön, Minibar, Safe in allen Zimmern. TV mit Kabel und Satellit.

17° arrond.

✈ Orly 20 km

🚆 Gare du Nord 20 mn

🚗 Porte de Champerret

Located within walking distance of the Arc de Triomphe and the Champs Elysées, a charming hotel providing a calm and relaxing atmosphere as well as easy access to the center of Paris and to business districts. Bar, room service, pressing and newspapers available. Hairdryer, minibar, individual safe in all rooms.

183

Hostellerie "Aux Vieux Remparts" ★★★

France

F 375

3, rue Couverte - Ville Haute
77160 PROVINS
Xavier ROY

25 Chambres - Relais du Silence depuis 1990

Tél. 01 64 08 94 00
Fax 01 60 67 77 22

Ouvert toute l'année
Ouvert tous les jours

340 - 490
390 - 650
50 - 70
160 - 365
1/2 450 - 520
610 - 680

CC □ AV TO

Entre Brie et Champagne, la ville médiévale de Provins est une étape de charme par sa richesse historique et culturelle. Au cœur de la cité, l'Hostellerie "Aux Vieux Remparts" offre un cadre unique par son authenticité. Restaurant gastronomique. Terrasse.

Zwischen Brie und Champagne liegt die reizende mittelalterliche Stadt Provins, die für ihren Reichtum an Geschichte und Kultur eine Stippvisite wert ist. Mitten in der Altstadt bietet das Gasthaus "Aux Vieux Remparts" eine einzigartige Kulisse mit einem guten Ambiente. Gastronomisches Restaurant, Terrasse.

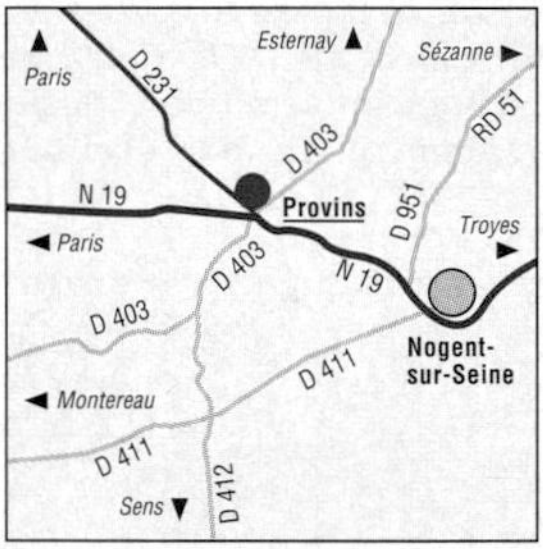

Orly ou Roissy 80 km

Provins 1 km

A4 sortie Provins (D231)

Between the Brie and Champagne areas, the medieval city of Provins is a charming place with its historical and cultural treasures. In the heart of the town, the "Aux Vieux Remparts" hostellery offers an authentic setting. A gastronomic restaurant and terrace.

Château des Bondons ★★★

F
376

47/49, rue des Bondons
77260 La Ferté sous Jouarre
M. et Mme BUSCONI
11 Chambres - Relais du Silence depuis 1993

Tél. 01 60 22 00 98
Fax 01 60 22 97 01

Ouvert toute l'année
Ouvert tous les jours

  450 - 550

  450 - 1000

  60

  sans restaurant

CC AV TO

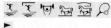

Dans un parc de 5 ha, vous découvrirez un château du 18e siècle entièrement rénové. Jadis propriété de Georges Ohnet, auteur du "Maître de Forge", cette demeure historique au confort raffiné sera votre étape de calme et de charme à 1 heure de Paris et à 20 mn d'Euro Disneyland. 2 suites - 2 appartements.

Entdecken Sie in einem 5 ha großen Park ein vollkommen renoviertes Schloß aus dem 18. Jahrhundert. Diese historische ehemalige Residenz des Autors Georges Ohnet ist mit ihrem eleganten Komfort, ihrer Ruhe und ihrem Charme nur 1 Stunde von Paris und 20 Minuten von Euro Disney entfernt. 2 Suiten, 2 Apartments.

In a 12 acre park a totally renovated château of the 18th century. This historic residence, formerly owned by author Georges Ohnet, with is refined comfort and only 1 hour from Paris and 20 minutes from Disney Europe, offers you a quiet and charming stay. 2 suites, 2 apartments.

Roissy/Orly 60 km

Ferté s/Jouarre 1 km

A4 sortie N°18 La Ferté sous Jouarre - N3 dir. Chalons

Auberge du Cheval Blanc ★★★

France

F
377

55, rue Victor Clairet
77910 VARREDDES
Régine COUSIN
8 Chambres - Relais du Silence depuis 1990

Tél. 01 64 33 18 03
Fax 01 60 23 29 68

 Du 02/08 au 24/08
H: Dimanche et lundi   R: Dimanche soir et lundi

328

380 - 480

49

198 - 298

1/2

CC △ AV

Entre Paris, Roissy et Disneyland, à deux pas de Meaux, ville d'art et d'histoire, une belle demeure familiale dans un grand jardin fleuri. Dans cette maison chaleureuse et confortable vous goûterez les spécialités du terroir, les crustacés du vivier. La cave offre un choix prestigieux de 8000 bouteilles de grands crus

Im Goldenen Dreieck Paris-Roissy-Disneyland, im Herzen eines Dorfes. Ein Gourmetort nahe der historischen und Künstler-Stadt Meaux. 8 Zimmer, umgeben von einem großen Blumengarten. Der Weinkeller bietet 8000 Flaschen hervorragender Jahrgänge, zu genießen in der Kaminecke oder am Aquarium.

In the Golden Triangle Paris-Roissy-Disneyland, in the center of a village, a gourmet stop, 8 rooms. Surrounded by a big flowery garden, near the historic and cultural town of Meaux. The wine cellar offers more than 8000 bottles of prestigious vintages. Enjoy by open fire and aquarium.

Roissy 25 km

Meaux 5 km

Paris à Meaux par A4. Sortie Meaux direction Soisson 5 km

Auberge du Manet ★★★

France

F 381

61, avenue du Manet
78180 MONTIGNY-LE-BRETONNEUX
Gérard BIANCHI
35 Chambres - Relais du Silence depuis 1993

Tél. 01 30 64 89 00
Fax 01 30 64 55 10

Ouvert toute l'année
Ouvert tous les jours

390 - 500	
390 - 580	
56	
130 - 205	
405 - 450	
565 - 610	

CC △ AV TO

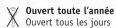

En bordure de la magnifique Vallée de Chevreuse, cette demeure de charme est empreinte de sérénité. Le vent du sud est aux portes de Paris dans notre maison au décor et à la cuisine provençale. VTT gratuit à disposition pour une balade inoubliable en forêt de Rambouillet.

Dieses ehemalige Herrenhaus mit Charme und Charakter am Rande des herrlichen Naturparks im Tal der Chevreuse ist ein idealer Ausgangspunkt für Ausflüge. Nur 30 km von Paris, 10 km von Versailles, 120 km von den Loire Schlössern. Aussergewöhnlich gute Küche mit Spezialitäten aus der Provence.

Located in the beautiful Nature Park of Vallée de Chevreuse, this elegant manor house offers serenity, charm and superb gastronomy featuring specialities from Provence. Ideally located 30 km from Paris, 10 km from Versailles, 120 km from the Loire Castles.

Orly 20 km

St Quentin 3 km

Autoroutes A86 ou A12/A13
sortie St Quentin en Yvelines

Domaine du Verbois ★★★

F
383

38, av. de la République
78640 NEAUPHLE-LE-CHATEAU
Eva-Maria et Kenneth BOONE
20 Chambres - Relais du Silence depuis 1994

Tél. 01 34 89 11 78
Fax 01 34 89 57 33

Du 09/08 au 25/08/98
R: Dimanche soir

490 - 590

490 - 860

68

155

468 - 518

623 - 673

CC AV TO

Dans cette demeure du XIXe siècle, chaque instant est privilégié. Le cadre intime de son intérieur, la décoration raffinée de ses salons et de ses chambres contribuent à lui donner cette agréable atmosphère des maisons de campagne d'antan. A 29 km de Paris dans un charmant village francilien.

Jeder Augenblick in diesem Landhaus des 19. Jahrhunderts ist privilegiert. Der traute Rahmen der Einrichtung, die ausgesuchte Dekoration der Räume und Salons verleihen ihm jene angenehme Atmosphäre früherer Zeiten. 29 km von Paris entfernt in einem hübschen Dorf.

Each moment in this manor house of the 19th century is a privilege. The intimacy of its interior, the refined decoration of its salons and rooms contribute to add that pleasant atmosphere of old-fashioned country houses. In a charming village, 29 km from Paris.

Orly 29 km

Plaisir-Grignon 5 km

De Paris A13 puis A12 dir.
Dreux - N12 sortie Neauphle

Promenade à travers les siècles de Paris
Journey through the centuries of Paris

Grand Prix
de
l'innovation

OFFICE
DE TOURISME
DE PARIS

**Séances tous les jours, à chaque heure
de 9h00 à 18h00 ou 21h00**

*Shows every day, on every hour
from 9am to 6pm or 9pm*

11 bis, rue Scribe - 75009 PARIS - **Métro : Opéra**
A deux pas des grands magasins / *Steps away from the department stores*
Tél. : 01 42 66 62 06 - Fax : 01 42 66 62 16

Chèque Cadeau
Gift voucher
Geschenkgutschein...

... pour offrir des moments de bonheur
To offer moments of happiness
So schenken Sie Momente des Glücks

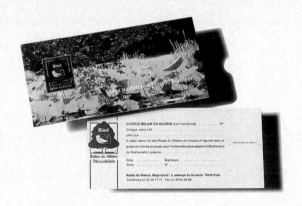

Nous sommes à votre disposition
We are at your service
Wir stehen gerne zu Ihrer Verfügung

Tél. : (33) (0)1 44 49 79 00

Fax : (33) (0)1 44 49 79 01

http://www.relais-du-silence.com/

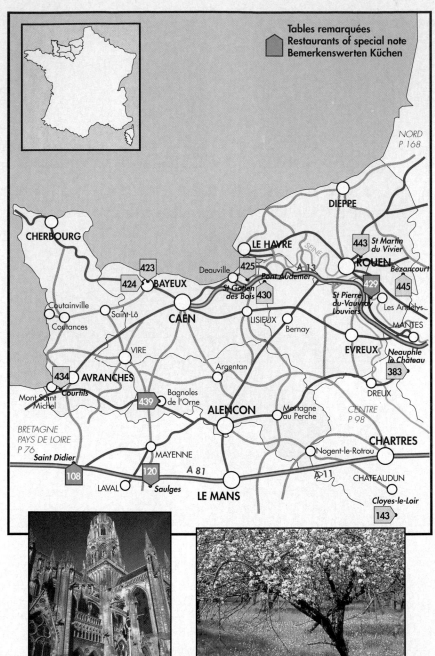

Tables remarquées
Restaurants of special note
Bemerkenswerten Küchen

NORD
P. 168

CHERBOURG

DIEPPE

LE HAVRE

443 St Martin
du Vivier

423

Deauville
425
A 13
ROUEN

424 BAYEUX
St Gatien
des Bois
430
Pont Audemer
Bezancourt

429
445

Coutainville
Saint-Lô
CAEN
LISIEUX
St Pierre
du-Vauvray
Louviers
Les Andelys

Coutances
Bernay
MANTES

VIRE
EVREUX
Neauphle
le Château

Argentan
383

434 AVRANCHES
DREUX

Mont Saint
Michel
Courtils
439
Bagnoles
de l'Orne
ALENCON
Mortagne
au Perche
CENTRE
P. 98

BRETAGNE
PAYS DE LOIRE
P. 76
Saint Didier
MAYENNE
Nogent-le-Rotrou
CHARTRES

108
120
A 81
CHATEAUDUN

LAVAL
Saulges
LE MANS
Cloyes-le-Loir

143

192

Normandie

Sans aucun doute, vous succomberez au charme de la Normandie.
Du Mont Saint-Michel à Eu, pommiers en fleurs et blanches falaises,
chaumes et colombages, camembert et Calvados, stations mondaines et verte campagne
où la Seine paresseuse méandre doucement à fleur de prés.

You will no doubt be enchanted by the charm
of Normandy. From the Mont-Saint-Michel to
Eu, apple blossoms and white cliffs, thatched
and half-timbered cottages, camembert and
calvados, fashionable resorts and green
countryside where the lazy Seine meanders
gently through the meadows.

Sie werden ohne Zweifel dem Charme der
Normandie erliegen. Vom Mont-Saint-Michel
bis zu Eu, Apfelbäume in voller Blüte und
weiße Klippen, Reetdächer und Fachwerkhäuser,
Camembert und Calvados, weltliche Städte
und grünes Land, wo die Seine sich träge
windet.

A NE PAS MANQUER.

- Giverny maison de Claude Monet,
- Route historique des maisons d'écrivains,
- Parc naturel régional de Brotonne,
- Les solfèges de Deauville (avril) Tél.02 31 14 14 14,
- Festival des métiers d'art à Reviers (mi-juillet - mi-août),
- Festival au pays de Lancelot du Lac
  Bagnoles de l'Orne (1ère semaine de juillet),
- Octobre en Normandie Rouen, Dieppe, Le Havre,
  musique, danse (du 1er au 31 octobre),
- Les imaginaires du Mont St Michel (juin-septembre),
- Grande fête de la Vénerie à Beaumesnil (dernier
  week-end de juillet) Tél.02 32 44 40 09,
- Foire millénaire de la Ste Croix à Lessay (2ème dim. de sept.),
- Salon national des antiquaires à Rouen
  (du 2ème au 3ème dim. d'oct.) Tél.02 35 71 41 77.

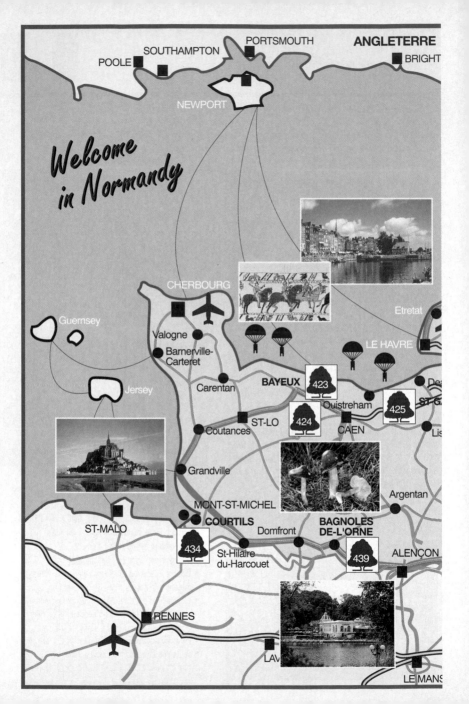

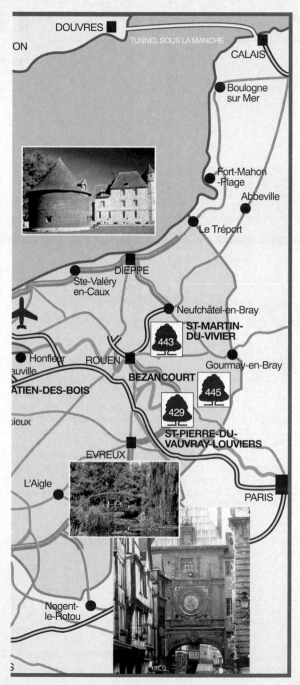

Séjour en NORMANDIE

Le charme de notre région

580ᶠ

1/2 pension en chambre double par jour par personne conprenant la chambre, le diner, le petit dejeuner + 1 activité offerte

CENTRALE DE RESERVATION 01 44 49 90 00

423 LE LION D'OR

424 HÔTEL D'ARGOUGES

425 LE CLOS SAINT-GATIEN

429 HOSTELLERIE ST-PIERRE

434 MANOIR DE LA ROCHE TORIN

439 MANOIR DU LYS

443 LA BERTELIÈRE

445 CHÂTEAU DU LANDEL

Le Lion d'Or ★★★

F
423

71, rue Saint-Jean
14400 BAYEUX
Mme Danielle JOUVIN BESSIERE
25 Chambres - Relais du Silence depuis 1968

Tél. 02 31 92 06 90
Fax 02 31 22 15 64

 Du 20/12/97 au 20/01/98
Ouvert tous les jours

	350 - 430
	400 - 490
	50 - 60
	100 - 230
1/2	345 - 450
	445 - 550

 CC ☐ AV TO

Ancien relais de poste situé en plein cœur de la vieille ville à deux pas de la célèbre tapisserie de la Reine Mathilde. TV et mini bar dans toutes les chambres. Saveurs, charme et confort à 3 h de Paris. Vous trouverez au Lion d'Or un accueil chaleureux et une cuisine de qualité dans une maison de tradition.

Eine ehemalige Postkutschen-Station im Herzen von Bayeux, nur wenige Schritte entfernt vom Haus der Königin Mathilde und den berühmten Wandteppichen. TV und Minibar in allen Zimmern. Traditionsreiches Haus 3 Stunden von Paris entfernt.

A former coaching-inn located in the town centre two minutes from the famous Queen Mathilde tapestry. TV and mini bar in all rooms. 3 hours from Paris. The Lion d'Or will offer you a warm welcome, high-class service and good cuisine in an establishment steeped in tradition.

Carpiquet 25 km

Bayeux 1 km

A13 sor. Caen dir. Cherbourg. A Bayeux dir. SNCF à droite puis tout droit centre ville

Hôtel d'Argouges ★★

France

F
424

21, rue Saint Patrice
14400 BAYEUX
Marie-Claire et Daniel AUREGAN
25 Chambres - Relais du Silence depuis 1987

Tél. 02 31 92 88 86
Fax 02 31 92 69 16
argouges@mail.cpod.fr

du 20 au 25/12
Ouvert tous les jours

 280 - 440

 280 - 440

 39

 Rest. Lion d'Or

1/2

CC ○ AV TO

Au cœur de Bayeux, un hôtel particulier du 18e siècle entièrement restauré vous propose ses chambres personnalisées, au calme. Les chambres s'étagent autour d'une cour intérieure en retrait de la rue d'environ 40 mètres, agrémentées d'un petit parc et de jardins fleuris. Un accueil chaleureux vous y est réservé.

Im Zentrum von Bayeux, bietet ein ehemaliger Stadtpalast aus dem 18.Jh., als modernes Hotel ausgebaut, geschmackvoll eingerichtete Zimmer in ruhiger Lage, um einen Innenhof angelegt, mit Blick auf einen kleinen Park und Blumengarten. Hier erwartet Sie herzliche Gastlichkeit.

In the heart of the historical and artistic city of Bayeux (world-famous 11th century tapestry, museums, cathedral). A mansion of the 18th century. Each room is quiet and decorated with a personal touch, overlooking courtyard, small park and flowered garden. A warm welcome awaits you.

 Caen-Carpiquet 25 km

 Bayeux 1 km

De Paris A13/N13-Ctre Bayeux. Du Mt St-Michel St Lô-D972-Ctre Bayeux. De Cherbourg N13-Ctre Bayeux.

Le Clos Saint Gatien ★★★

France

F
425

4, rue des Brioleurs
14130 SAINT GATIEN DES BOIS
Famille RUFIN et Philippe LEFEVRE
53 Chambres - Relais du Silence depuis 1990

Tél. 02 31 65 16 08
Fax 02 31 65 10 27

Ouvert toute l'année
Ouvert tous les jours

♀	360 - 660
♀♀	360 - 860
☕	60
✕	140 - 350
◎ 1/2	375 - 625
◎	515 - 765

CC ☐ AV TO

Idéalement situé entre Deauville, Trouville et Honfleur dans le cadre reposant d'une ancienne ferme normande à proximité immédiate de la forêt. Bien être, détente, plaisirs de la table et atmosphère conviviale vous séduiront.

Gut gelegen zwischen Deauville, Trouville und Honfleur, Le Clos Saint Gatien bietet Ihnen eine privilegierte Landschaft voller Ruhe und Grün mit einem Leben im Freien.

Ideally situated between Deauville, Trouville and Honfleur Le Clos Saint Gatien offers you a privileged place of tranquillity and green spaces with the advantages of outdoor life.

✈ Deauville 2 km

🚆 Deauville 9 km

🚗 Paris : A13 Sortie A932
Honfleur/Deauville/St Gatien
Caen : A13 Sortie A932
Deauville/St Gatien

Hostellerie St-Pierre ★★★

France

F
429

2, chemin des Amoureux
27430 S-PIERRE-DU-VAUVRAY - LOUVIERS
Jeanine et Jean POTIER
14 Chambres - Relais du Silence depuis 1978

Tél. 02 32 59 93 29
Fax 02 32 59 41 93

Du 02/01 au 14/03/98 et du 16/11 au 18/12/98
R: mardi midi du 15/05 au 30/09/98. Mardi et mercredi midi du
01/10/98 au 14/05/99

👤	500 - 800
👥	550 - 890
☕	65
🍴	125 - 195
🍽 1/2	500 - 650
🍽	650 - 800

CC AV TO

A 1h de Paris et quelques lieues du Musée de Monet, une hostellerie de charme sur les bords de Seine. Comme un parfum de vieille France dans ce joli manoir et une belle cuisine inventive et délicate dans la pure tradition normande. En 1/2 pension, choix libre dans le menu-carte.

Hotel voller Anmut am Seine-Ufer, in unmittelbarer Nähe des Claude Monet-Museum. 1 Std. von Paris. Getreu reiner Normandie-Tradition - inventive und delikate Küche.

Charming country house on the banks of the Seine. Beguiling halt, which is proud to be a few miles from the Monet museum. 1 hour from Paris. In pure Normandy tradition, inventive and delicate cuisine in this pretty manor.

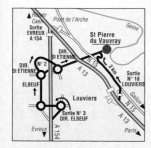

Boos 25 km

Val de Reuil 15 km

A13 vers Rouen sor.18 dir. Pt Arche, N15 à 3km à droite/ A13 vers Paris sort. A154 dir. Evreux sor.2 dir. St Etienne V.

Belle Isle sur Risle ★★★★

F
430

112, route de Rouen
27500 PONT-AUDEMER
Marcelle YAZBECK
19 Chambres - Relais du Silence depuis 1993

Tél. 02 32 56 96 22
Fax 02 32 42 88 96

Ouvert toute l'année
Ouvert tous les jours

585 - 690

600 - 1200

78

189 - 230/380

690 - 1200

CC AV TO

Le charme d'un site exceptionnel, le grand confort et le calme d'une demeure raffinée dans un parc fleuri de 2 ha aux arbres centenaires. Véritable île fluviale baignant dans la Risle. Restaurant gastronomique. Nombreux loisirs sur place et belles excursions aux alentours. Deauville à 39 km. Honfleur à 23 km.

Der Charme eines außergewöhnlichen Ortes, eine wahre Insel im Fluß Risle. Komfort und Ruhe eines stilvollen Hauses in einem 2 ha großen Park mit Blumen und Jahrhundertealtem Baumbestand. Gastronomie-Restaurant. Muße hier - Ausflüge nach Deauville (39 km) und Honfleur (23 km).

The charm of an exceptional location, comfort and calm of a stylish place in a 5 acre parc full of flowers and century-old trees. A true island in the river Risle. Gastronomic restaurant. Leisure here and beautiful excursions there. Deauville 39 km, Honfleur 23 km.

St-Gatien 30 km

Bernay 32 km

A13 sortie N°26 dir. Pont-Audemer Nord

200

Manoir de la Roche Torin ★★★

France

F
434

34, route de Roche Torin
50220 COURTILS-BAIE DU MONT ST-MICHEL
Danielle et Guy BARRAUX
13 Chambres - Relais du Silence depuis 1983

Tél. 02 33 70 96 55
Fax 02 33 48 35 20

 Mi Novembre/mi Décembre - début Janvier/mi Février
R: Lundi et mardi midi

 450 - 500

500 - 850

59 - buffet

110 - 290

 450 - 690

CC △ AV TO

Entre Normandie et Bretagne, dans un cadre de verdure au bord des grèves du Mont St-Michel. Le restaurant offre une vue panoramique sur la baie. Vous y goûterez une cuisine savoureuse faite à partir de beaux produits régionaux : huîtres et homards de la côte, agneau de pré salé, omelette Montoise. De mai à octobre, traversées guidées pour découverte de la baie. A 300 m, muséographie de la Baie. Taxe de séjour : 2 FF.

Zwischen Normandie und Bretagne in erholsamer Landschaft, am Ufer des Mont St-Michel. Panoramablick vom Restaurant über die Bucht. Regionale Küche heißt hier Austern, Hummer und Lamm. Geführte Touren der Bucht von Mai bis Oktober.

Between Normandy and Brittany, in a setting on the edge of the shores of Mont St-Michel. Panoramic view from the restaurant over the bay. Tasty regional dishes meaning oysters, lobster and lamb. Guided tours of the bay from May to October.

✈ Dinard 55 km
🚆 Pontorson 12 km
🚗 D43 et D275 à Courtils dir. "La Roche Torin"

Le Manoir du Lys ★★★

France

F
439

Route de Juvigny
61140 BAGNOLES DE L'ORNE
Marie-France et Paul QUINTON
25 Chambres - Relais du Silence depuis 1985

Tél. 02 33 37 80 69
Fax 02 33 30 05 80

 Début janvier - mi février
Dimanche soir et Lundi de la Toussaint à Pâques

320 - 700
320 - 900
60
140 - 320
395 - 685
575 - 865

 △ AV TO

Au cœur de la Normandie verdoyante, en lisière de forêt, la famille Quinton vous accueille dans son chaleureux manoir. Possibilité de manger à l'ombre des pommiers en terrasse. A seulement 3 heures de Paris, 1 heure du Mont Saint-Michel et des plages du débarquement. Week-end à thèmes : champignons. Pêche.

Im Herzen der reizvollen Normandie, am waldesrand, die verschwiegene Vertrautheit eines normannischen Hauses. Park, Schwimmbad. Sie können auf der Terrasse im Schatten von Apfelbäumen speisen. Nur 3 Stunden von Paris, 1 Stunde vom Mont St.Michel.

Le Manoir du Lys
Route de
Juvigny-sous-Andaine
à environ 2 km du casino
de Bagnoles-de-l'Orne

In the heart of green Normandy on the edge of the forest, the discreet charm of a Norman house. Family-like atmosphere. Park, swimming-pool. You can eat on the terrace in the shade of apple trees. Only 3 hours from Paris, 1 hour from Mount St.Michel and the debarkation beaches.

Caen 80 km

Briouze 18 km

A11 sortie Mayenne ou A13 sortie Caen

La Bertelière ★★★

France

F
443

76160 SAINT MARTIN DU VIVIER
Christine LENIR et Jean-Pierre BERTEL
44 Chambres - Relais du Silence depuis 1995

Tél. 02 35 60 44 00
Fax 02 35 61 56 63

Ouvert toute l'année
Samedi midi - Dimanche soir et fêtes (sauf pour groupes)

410 - 480
460 - 580
55 - 60
162 - 300
480
640

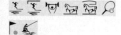

CC △ AV TO

A 5 minutes de Rouen, dans la campagne normande, La Bertelière vous réserve un accueil chaleureux. Lors de vos séjours ou réunions de travail vous y apprécierez son très bon confort, sa terrasse, sa cuisine sincère élaborée à base de produits frais, et toute une équipe concernée par votre satisfaction. Possibilité d'activités originales. Piano bar.

5 Minuten vom Zentrum der Stadt Rouen in typischer Normandie-Landschaft. Das Hotel empfängt Sie mit einer Mannschaft bestrebt, Sie zufriedenzustellen, und einer ernsthaften Küche mit frischen Produkten. Räume für Arbeitstreffen, Restaurants, Pianobar, Terrasse.

In Normandy countryside, 5 minutes from Rouen, a warm and comfortable welcome. Rooms for meetings, restaurants, piano bar, terrace. Sincere cuisine with fresh products.

Boos 7 km

Rouen 5 km

A13 sort. 22 dir. Boulogne - A29 sort. E402-D43 - N31 dir. Amiens-Boulogne

Château du Landel ★★★

France

F
445

76220 BEZANCOURT
Yves CARDON
17 Chambres - Nouveau Relais du Silence

Tél. 02 35 90 16 01
Fax 02 35 90 62 47

 De mi Novembre à mi Mars
R: Dimanche soir et lundi midi

 470 - 780

 55

 160 - 260

 470 - 625

 650 - 805

 CC △ AV TO

Ancien relais de St-Jacques de Compostelle, au cœur de la forêt de Lyons, le Château du Landel est une ancienne demeure de Maîtres Verriers. Le décor est raffiné et l'accueil chaleureux. Vous pourrez vous reposer au calme, parcourir le parc fleuri et apprécier la fine cuisine du Maître des lieux.

Früher Poststation von St.Jacques de Compostelle, im Herzen des Waldes von Lyons, war dieses Schloß einstmals Wohnsitz von Glasmachermeistern. Raffinierte Dekoration und herzlicher Empfang. Entspannung und Spaziergänge im Blumenpark. Feine regionale Küche.

Formerly St.Jacques de Compostelle coach house, in the Lyons forest, was inhabited by master glass makers, and now of refined décor. Relaxation and walks in the flowry parc, a very fine cuisine.

Boss 40 km

Gisors 24 km

A15-N14 dir. Dieppe / Gisors
/ Neuf-Marché / Bezancourt

LA GRANDE CUVÉE NOMINÉE
JACQUART
Hommage à un Grand Millésime

Champagne **JACQUART** *Reims*

Hôtel
Relais du Silence
Silencehotel
®

Pour répondre aux
besoins des **Entreprises**

3 Services étudiés...

● **Le livret Séminaire**
référence les établissements qui accueillent vos
manifestations, et détaille toutes les informations
nécessaires à leur organisation.

● **Le chèque cadeau**
Un moyen original du "Plaisir d'offrir" à sa famille,
ses amis, ses collaborateurs, ses clients, un séjour
dans les 318 Relais du Silence européens.

● **La Carte Soirée Etape Affaires**
Réservée aux commerciaux titulaires de cette carte,
elle offre les prestations *dîner, chambre et petit déjeuner*
à des tarifs unifiés dans les hôtels participants
à l'opération.

Pour tout renseignement supplémentaire,
afin de bénéficier de ces avantages :

Tél. : ③③ (0)1 44 49 79 00
Fax : ③③ (0)1 44 49 79 01

http://www.relais-du-silence.com/

GRANDE EAU POUR GRANDES TABLES.

Eau minérale naturelle gazeuse,
Apollinaris Selection est finement
pétillante, fraîche et bienfaisante.
Très riche en magnésium, elle facilite
les fonctions digestives, aide
l'organisme à combattre la fatigue
et contribue à votre tonus.
Ajoutez l'élégance rare
de sa bouteille et vous obtenez
La Reine des Eaux sur votre Table*.

SELECTION FOR THE BEST.
Exklusiv für die gehobene Gastronomie
und Hotellerie.
Natürliches Mineralwasser mit eigener
Quellkohlensäure, Apollinaris
Selection ist die ideale Verbindung
von feinperlender Frische und
Bekömmlichkeit.

Apollinaris
The Queen of Table Waters*

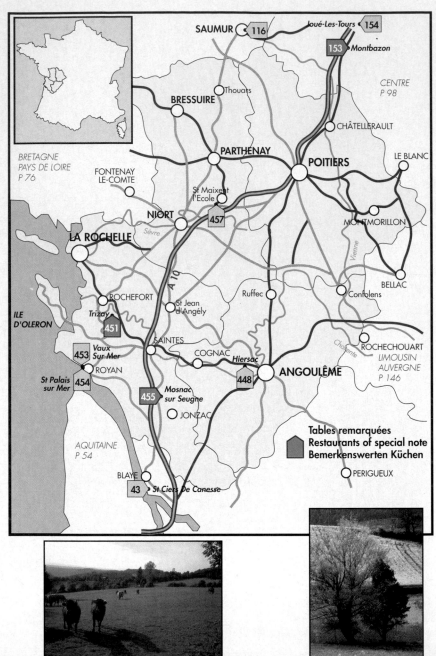

SAUMUR 116
Joué-Les-Tours 154
153 Montbazon

CENTRE
P 98

Thouars

BRESSUIRE

CHÂTELLERAULT

PARTHENAY
POITIERS
LE BLANC

BRETAGNE
PAYS DE LOIRE
P 76

FONTENAY
LE-COMTE

St Maixent
l'École

NIORT 457

MONTMORILLON

LA ROCHELLE
Sèvre

Vienne

ILE
D'OLERON

ROCHEFORT
St Jean
d'Angély
Ruffec
Confolens
BELLAC

Trizay
451

Charente

ROCHECHOUART

SAINTES
COGNAC Hiersac
ANGOULÊME
LIMOUSIN
AUVERGNE
P 146

453 Vaux
Sur Mer
ROYAN
448

St Palais
sur Mer 454

A 10

455 Mosnac
sur Seugne
JONZAC

AQUITAINE
P 54

Tables remarquées
Restaurants of special note
Bemerkenswerten Küchen

BLAYE
43 St Ciers De Canesse
PÉRIGUEUX

Poitou
Charentes

Accrochée au cœur de la façade atlantique, une région au passé tourmenté et passionnant, où vous marcherez sur les pas de Saint-Jacques, une région généreuse et gourmande, pays du beurre et du Cognac, pays magique, aux chemins d'eaux douces et lentes qui glissent dans des cathédrales de verdure.

Located on the Atlantic seaboard, a region with a tormented and exciting past where you will follow the footsteps of Saint James, a generous and gourmet region, the country of butter and Cognac, a magical land where streams and rivers slowly slide through great landscapes of greenery.

Angesiedelt im Herzen der Atlantikküste ist Poitou Charentes, eine Region mit einer turbulenten Vergangenheit und voller Leidenschaft wo Sie den Spuren des Saint Jacques folgen können. Es ist eine freigiebige Region voller Leckereien, ein Land der Butter und des Cognacs, ein magisches Land voller langsam dahinfließenden Flüssen, die im Grün der Landschaft glitzern.

A NE PAS MANQUER.

- Festival international du film policier à Cognac (1er W.E. avril) Tél.05 45 82 10 71,
- Fêtes romanes - environs de Royan (vacances de Pâques),
- Printemps musical à Poitiers (avril),
- Festival d'été dans la cité médiévale à Chauvigny (juillet-août) Tél.05 49 45 99 10,
- Les académies musicales à Saintes (2ème semaine juillet),
- Francofolies de La Rochelle (mi juillet) Tél.01 48 78 77 87,
- Les Palaisannes - Festival de folklore (août) Tél. 05 46 23 22 58

Hostellerie du Maine Brun ★★★

France

F
448

N 141 - Lieudit "La Vigerie" - ASNIESES/NOUERE
16290 HIERSAC
Raymond MENAGER
20 Chambres - Relais du Silence depuis 1994

Tél. 05 45 90 83 00
Fax 05 45 96 91 14

Du 15/10 au 15/04
R: Lundi midi

400 - 450

570 - 750

65

98 - 195

475 - 560

CC AV TO

Maison d'atmosphère située au bord d'une jolie petite rivière, dans le cadre d'un ancien moulin. 20 chambres avec loggia privée luxueusement meublées de mobilier d'époque des XVIIe et XIXe siècles. Table et cave renommées. Salons pour réceptions et séminaires. Au cœur du pays du Cognac à 12 km d'Angoulême.

Am Ufer eines hübschen Baches, in einer alten Wassermühle. Ein Haus voller Atmosphäre mit 20 Zimmern, alle mit Loggia und Möbeln aus dem 17. und 19. Jahrhundert. Bekannte Küche und Weinkeller. Räumlichkeiten für Empfänge und Seminare. Im Herzen der Region Cognac, 12 km von Angoulême.

Attractive house on the banks of a pretty little river, in the settings of an old water mill. 20 luxurious rooms with private loggia and genuine 17th and 19th century furniture. Renowned cuisine and winecellar. Rooms for entertaining and seminars. In the heart of the Cognac country at 12 km from Angoulême.

Bordeaux 120 km

Angoulême 10 km

Les Jardins du Lac ★★★

France

F 451

Lac du Bois Fleuri - Dép.123
17250 TRIZAY
Sabine et Michel SUIRE et Alain ORILLAC
8 Chambres - Relais du Silence depuis 1996

Tél. 05 46 82 03 56
Fax 05 46 82 03 55

 Ouvert toute l'année
Ouvert tous les jours

 400 - 650

🛏 50

✕

🍽 450 - 575
1/2

🍽 650 - 775

CC △ AV TO

A quelques kilomètres de Rochefort et La Rochelle, au pays des maraîchers, tout près de la mer. Surplombant le lac, une maison au charme simple et authentique où pêche et flânerie en barque sont de rigueur. Dans le jardin, au couchant du soleil sur le lac vous dégusterez la cuisine imaginative et originale de Michel Suire et Alain Orillac. Prieuré du 12e siècle à 200 m de l'hôtel.

5 km von Rochefort/Mer entfernt. Am See gelegen, mit einfachem, authentischem Charme. Fischfang, Bootsfahrten, Reitausflüge in den Wald. Kloster aus dem 12. Jahrhundert in 200 m Entfernung. Leichte ländliche Küche im Garten bei Sonnenuntergang über dem See.

5 km from Rochefort/Mer, overlooking a lake. A house of simple and genuine charm. In the garden, watching sunsets over the lake, light meals country-style. Fishing. 12th century priory in 200 m distance.

⤙ St-Agnant 5 km

🚉 Rochefort/mer 12 km

🚗 D123 entre St-Agant et St-Hippolyte

211

Résidence de Rohan ★★★

France

F
453

Parc des Fées - près Royan
17640 VAUX-SUR-MER
M. et Mme SEGUIN
41 Chambres - Relais du Silence depuis 1984

Tél. 05 46 39 00 75
Fax 05 46 38 29 99

De mi Novembre à mi Mars
Ouvert tous les jours

300 - 680

350 - 680

54

sans restaurant

1/2

CC AV TO

Dans un cadre centenaire au milieu des pins, une demeure de charme au bord de la mer avec accès direct à la plage de sable fin de Nauzan. Des meubles de style dans la maison principale, des terrasses privées dans le bâtiment annexe près de la grande piscine chauffée en bord de mer. Repas rapides à midi. Nombreux restaurants à proximité. Forfaits golfhôtel.

Ein Haus mit Charme und hundertjähriger Tradition unmittelbar am Meer inmitten eines Piniengartens mit direktem Zugang zum feinsandigen Strand-Stilvolle Einrichtung im Haupthaus und Zimmer mit Terrasse im neuen Gebaude-Großes beheiztes Schwimmbad mit Snackbar-Restaurants in der Nahe. Golfmöglichkeiten.

Charming and ancient house in the middle of a pinetree forest. Close to the sea with direct acces to the sandy beach. Large heated swimming-pool. Restaurants and golf course nearby.

Bordeaux 120 km

Royan 4 km

A10 sortie Saintes - dir. Royan puis St Palais/mer par la côte

Primavera ★★★

F
454

12, rue du Brick
17420 SAINT-PALAIS sur MER
Jean-Jacques CORMAU
45 Chambres - Relais du Silence depuis 1995

Tél. 05 46 23 20 35
Fax 05 46 23 28 78

 De mi Nov. à mi Déc. et vacances scol. de Fév. Zone B
R: Mardi soir et Mercredi du 01/10 au 31/03

350 - 650	
350 - 650	
48	
120 - 230	
320 - 470	
410 - 550	

CC ☐ AV TO

Les pieds dans l'eau, sur la côte de St-Palais, l'hôtel Primavera est une superbe "folie" début de siècle au milieu d'un parc de 2 ha, bien au calme. Sa piscine chauffée et couverte vous accueille toute l'année. Le chef saura vous séduire avec coquillages, crustacés et poissons grillés. Casino et discothèques proches animeront vos soirées détente.

Inmitten eines prächtigen 2 ha großen Parks gelegen, bietet Ihnen das Hotel Ruhe und Erholung. Beheiztes Hallenbad. Üppige Küche mit Meeresfrüchten und Fisch vom Grill. Spielcasino und Diskotheken für abendliche Zerstreuung.

Lush 5 acre park for calm and relaxation with heated indoor pool open all the year round. Sumptuous cuisine featuring shellfish and grilled fish. Casino and discotheques nearby for evening entertainment.

✈ La Rochelle 80 km

🚂 Royan 7 km

🚗 A10 sortie SAINTES - dir.
ROYAN puis La Palmyre

Le Moulin de Marcouze ★★★★

F 455

Pons
17240 MOSNAC SUR SEUGNE
Mme et Mr Dominique BOUCHET
10 Chambres - Relais du Silence depuis 1997

Tél. 05 46 70 46 16
Fax 05 46 70 48 14

 Février

 530 - 700

530 - 700

75

160 - 250

 CC △ AV TO

※ 10

Un amour de moulin environné d'un parc de 6 hectares et l'excellente cuisine de Dominique Bouchet, chef de la prestigieuse Tour d'Argent pendant 8 ans. Chambres avec balcon sur la rivière ou loggia sur le jardin. Une suite. Cave exceptionnelle de vins de Bordeaux. Visite des châteaux du Bordelais et du littoral atlantique par hélicoptère sur réservation.

In dieser bezaubernden Mühle, umgeben von einem 6 Hektar grossen Park, erwartet Sie die ausgezeichnete Küche von Dominique Bouchet, 8 Jahre lang Küchenchef des angesehenen "Tour d'Argent". Zimmer mit Balkon zum Fluß, Loggia zum Garten. Hervorragender Weinkeller. Hubschrauber-Flüge.

An enchanting mill where you will enjoy the excellent cuisine of Dominique Bouchet who has galvanised the kitchens of the prestigious Tour d'Argent for 8 years. Rooms with balcony riverside, loggia to the garden. Exceptional wines. Helicopter-rides.

Bordeaux 70 km

Pons 11 km

Le Logis Saint-Martin ★★★

France

F
457

Chemin de Pissot
79400 SAINT-MAIXENT L'ECOLE
Ingrid et Bertrand HEINTZ
10 Chambres - Relais du Silence depuis 1988

Tél. 05 49 05 58 68
Fax 05 49 76 19 93

Janvier
Ouvert tous les jours

 410 - 540

 410 - 750

65

 160 - 290

440 - 600

610 - 760

CC ☐ AV TO

Dans un parc boisé sur les berges de la Sèvre, Le Logis Saint-Martin, demeure du 17e siècle vous reçoit pour un séjour de détente où s'allient traditions et qualité. Restaurant réputé pour la finesse et la créativité de sa cuisine, service personnalisé, grande sélection de vins, alcools et cigares.

In einem bewaldeten Park an den Ufern des Sèvre, Le Logis Saint-Martin aus dem 17. Jahrhundert ist ein Ort der Erholung, wo sich Tradition und Qualität miteinander verbinden. Heimische Küche und große Weine. Auf Wunsch private salons.

In a wooded park on the banks of the Sèvre, the 17th century residence Le Logis Saint-Martin is a relaxing stay where traditions and quality are combined. Fine and creative cuisine, great vintage wines and cigars have pride of place for the most appreciative gourmets. Elegant service.

Poitiers 35 km

St-Maixent l'Éc. 2km

A10 sortie 31 ou 32.

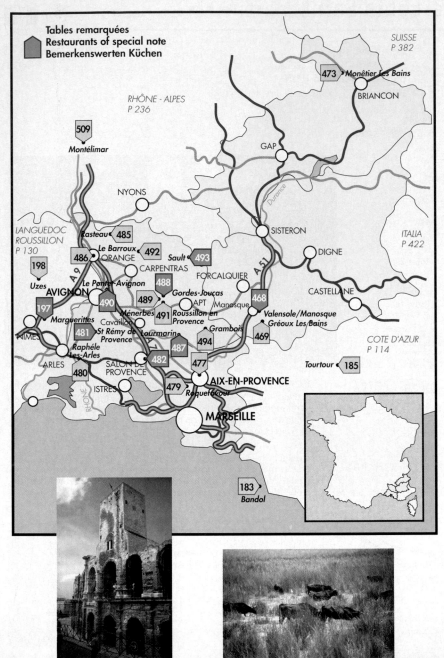

Tables remarquées
Restaurants of special note
Bemerkenswerten Küchen

SUISSE
P 382

473 › Monêtier Les Bains

BRIANCON

RHÔNE - ALPES
P 236

GAP

509
Montélimar

NYONS

Durance

SISTERON

ITALIA
P 422

LANGUEDOC
ROUSSILLON
P 130

Rasteau 485

Le Barroux 492

486 ORANGE

Sault 493

DIGNE

198

Uzes

CARPENTRAS

FORCALQUIER

CASTELLANE

Le Pontet-Avignon 488

AVIGNON

489 *Gordes-Joucas*

APT

Manosque

468

197

490

491 *Roussillon en Provence*

Valensole/Manosque Gréoux Les Bains

Ménerbes

Marguerittes

Cavaillon

St Rémy de Provence 481

Lourmarin

Grambois

469

COTE D'AZUR
P 114

NIMES

494

Raphéle Les-Arles

487

Tourtour ‹ 185

ARLES

482

477

480 SALON DE PROVENCE

479

AIX-EN-PROVENCE

ISTRES

Roquefavour

RHONE

MARSEILLE

183 ›
Bandol

216

Provence

Dans ce pays sec et pierreux, l'eau toujours se manifeste. Sources, ruisseaux et fontaines ont façonné canyons et gorges où nichent d'antiques villages roses et blancs à l'ombre des platanes, dans la châleur et les senteurs de thym et de lavande.

In this dry and stony country, water is neverthe-less omnipresent. Sources, streams and fountains have fashioned canyons and gorges in wich ancient pink and white villages nestle in the shade of the plane trees, in the heat and among the fragances of thyme and lavender.

A NE PAS MANQUER.

- Cathédrale d'Images - Les Baux de Provence (de mars à novembre)
- Féria pascale à Arles (week-end de Pâques),
- Festival des arts baroques à Avignon (avril),
- Pélerinage des gitans à Stes Maries de la Mer (24, 25/05)
- Festival international d'art lyrique et de musique d'Aix-en-Provence (juillet) Tél.04 42 17 34 00,
- Festival d'Avignon (juillet) Tél.04 90 27 66 50
- Festival de quatuor à cordes du Lubéron en Roussilon (fin juin à septembre) Tél.04 90 75 89 60,
- Musique d'été au Château à Lourmarin (juil. et août),
- Festival international du Lubéron - Manosque (août) Tél.04 92 87 37 75
- Les Oralies de Haute-Provence (20 villages du département). Veillées et contes. (octobre) Tél.04 92 74 85 55,

In dieser trockenen und steinigen Gegend treffen Sie trotzdem überall auf Wasser. Quellen, Bäche und Fontänen haben Cañons und Felsschluchten geformt, wo sich rosafar-bene und weiße antike Dörfer im Schatten von Platanen vor der Hitze verstecken, benebelt von Thymian- und Lavendelduft.

Hostellerie La Fuste ★★★★

France

F
468

Lieu-dit La Fuste
04210 VALENSOLE
D. JOURDAN et L. BUCAILLE
12 Chambres - Relais du Silence depuis 1970

Tél. **04 92 72 05 95**
Fax 04 92 72 92 93

 Du 12/01 au 28/02
R: Dim. soir et Lun. du 01/10 au 15/06 sauf fériés

 500 m

 600 - 700

 800 - 1200

 90

 260 - 490

 750 - 1100
1/2

 1100 - 1300

CC AV TO

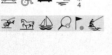

Un pays, une famille, une maison ! Qui rêve, un jour, de vivre en Provence, comprendra tout de suite que c'est ici. Provence des nuits et des jours, minutes bleues, claquements d'ailes ! Dans cette maison amie du soleil et de l'eau, des bruits légers et du repos, le bonheur semble chose éternelle.

Ein Land, eine Familie, ein Heim ! Wer davon träumt, eines Tages in der Provence zu leben, wird verstehen, daß sich das Traumland hier befindet. Provence der Nächte und der Tage, blaue Stunden, Flügelschläge ! In diesem Haus, mit Sonne und Wasser, leisen Geräuschen und Ruhe, scheint das Glück ewig zu sein.

A place, a family, a house ! Anyone who has ever dreamt of living in Provence will immediately understand that this is it ! Provence by day and night, a world of blue, the flapping of wings ! In this house so close to water and sunshine, murmurings and restfulness, happiness seems eternal.

 Marignane 45 km

Manosque 4 km

A51 sortie Manosque - Par D907 sur D4

Villa Borghese ★★★

France

F
469

Avenue des Thermes
04800 GREOUX LES BAINS
Jean-Claude REDOLFI
67 Chambres - Relais du Silence depuis 1982

Tél. 04 92 78 00 91
Fax 04 92 78 09 55

Du 25/11 au 20/03
Ouvert tous les jours

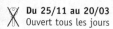

🚶	300 - 680
👫	400 - 680
☕	55
🍴	155 - 250
🍽️ 1/2	380 - 530
🍽️	470 - 620

CC ☐ AV TO

52

Aux portes du Luberon et des Gorges du Verdon, près des champs de lavande et des lacs d'azur du Verdon, la villa Borghese est une maison de charme avec un Espace Phytomer (soins amincissants, balnéothérapie, massages) et un Club de Bridge avec tournois et leçons.

Ein schönes Haus mit Einrichtungen für Schönheit und Fitness (Wassertherapie, Massagen, Schlankheitskuren), Bridge-Club mit Unterricht und Wettbewerben. In der Nähe von Lavendelfeldern und den Seen und Schluchten des Verdon.

A lovely house with a health and beauty center (balneotherapy, massages, slimming programs) and a Bridge-Club with tournaments and lessons. Near lavander fields and the Verdon lakes and canyons.

✈ Marseille 80 km

🚉 Marseille 80 km

🚗 A51 sortie St-Pau les
   Durances ou Manosque

L'Auberge du Choucas ★★★

France

F 473

05220 MONETIER-LES-BAINS
Nicole SANCHEZ-VENTURA
12 Chambres - Relais du Silence depuis 1979

Tél. 04 92 24 42 73
Fax 04 92 24 51 60

Du 04 au 29/05/98 et du 02/11 au 17/12/98
R: Lundi et Mardi midi

▲ 1500 m

400 - 700
500 - 1180
65
95 - 380
440 - 795
580 - 935

CC △ AV

Col du Lautaret
MONÉTIER-LES-BAINS
PARIS
La Salle les Alpes
Chantemerle
Saint-Chaffrey
SERRE-CHEVALIER
BRIANÇON
LYON
GENÈVE
GRENOBLE
OULX
BRIANÇON
TURIN
MARSEILLE

✈ Grenoble/Turin 120 km

🚆 Briançon 14 km

🚌 Traverser le village jusqu'à
l'Eglise : nous sommes derrière, face à la Mairie

Charmante et chaleureuse ferme montagnarde du 17e siècle nichée au cœur d'un vieux village haut-alpin situé en bordure du Parc National des Ecrins, dans le vaste domaine skiable de Serre-Chevalier. Splendeur des Alpes Vraies. Neige et soleil. Nombreux sports été hiver. Cuisine délicate, délicieuse, inventive. A quelques minutes à pied des pistes de ski, tennis, piscine.

Berghof aus dem 17 Jahrh., inmitten eines Hochalpendorfs, am Rande des Park Les Ecrins, in dem riesigen Wintersportarea Serre-Chevalier gelegen. Hier erwartet Sie die ganze Majestät der verschneiten Alpenwelt mit ihren poesievollen Holzschnitzereien. Einfallsreiche Küche vom Feinsten, das Richtige für echte Feinschmecker. Einige Minuten von Schiliften, Tennisplätzen und Schwimmbad.

Charming and warm 17th century farm, nestled in the heart of an old alpine village, along the Ecrins Park, in the vast Serre-Chevalier ski area. Thirsty eaters of poetry, devourers of pure morning air, climbers on the Milky Way, skiers on the Infinite, it's all for you there. Delicate, delicious sparkling cuisine. A few minutes walk from the ski-lifts, tennis, swimming pool.

Le Mas des Ecureuils ★★★

 France

F
477

Chem. de Castel blanc - 1170, Rte des Milles
13090 AIX-EN-PROVENCE
Marie-Claude RAJAUD
23 Chambres - Relais du Silence depuis 1993

Tél. 04 42 24 40 48
Fax 04 42 39 24 57

 H: Ouvert toute l'année
R: Sa. midi et Di. (sauf groupe, 07 et 08)

👤	380 - 660
👥	480 - 760
🛏	50
🍴	128 - 250
🍽 1/2	405 - 545
🍽	495 - 635

 △ AV TO

A 5 mn du centre ville, site boisé classé, restaurant gastronomique, piscine, hammam et ping-pong. Accueil personnalisé, chambres équipées de TV, mini-bar, bureau, téléphone direct, coffre individuel.

In einen Naturpark gelegen Schwimmbad, Hammam und Tischtennis. Zimmer mit fernseher, Minibar und Einzelsafe. Feinschmecker-Restaurant.

Woody scheduled site, swimming pool, hammam, table-tennis. The rooms are equiped with TV, minibar, desk, direct phone and private safe box. Gastronomic restaurant.

🛬 Marignane 22 km
🚉 Aix-en-Provence 4 km
🚗 Sortie les Milles

Arquier Hôtel-Restaurant ★★

France

F 479

2980, rte du Petit Moulin-Roquefavour
Aix en Provence - 13290 LES MILLES
Christiane et Pierre COURTINES
13 Chambres - Relais du Silence depuis 1977

Tél. 04 42 24 20 45
Fax 04 42 24 29 52

Du 15/02 au 15/03/98
H: Dim. soir du 01/05 au 31/10
R: Dim. soir et Lu. du 01/11 au 30/04

250 - 350	
250 - 350	
43	
125 - 295	
285 - 385	1/2
405 - 455	

CC ○ AV TO

A 10 km d'Aix-en-Provence dans un lieu presque magique. A quelques mètres du grandiose aqueduc de Roquefavour, l'hôtel Arquier est une maison chaleureuse et harmonieuse dans un grand parc ombragé en bord de rivière. Cuisine renommée aux parfums de terroir que vous dégusterez sous les arbres de la terrasse en regardant couler les eaux de l'Arc.

Am Fuße des Aquädukts Roquefavour, in einem ruhigen großen Park gelegen und an einem Flußufer, 10 km von Aix-en-Provence. Ein harmonisches Hotel mit berühmter Küche; genießen Sie die Speisen der Region auf der schattigen Terrasse.

6 miles from Aix-en-Provence, in these almost magical surroundings, the "Arquier", a friendly establishment with a harmonious ambience, offers its renowned cuisine of local flavours. You will enjoy the amenities of an attractive terrace under the trees, watching the water of the aqueduct Roquefavour. Quiet guest rooms.

Marseille 25 km
Aix en Provence 10km
A7 sortie Aix Ouest puis CD64 / A51 sortie Les Milles puis CD9 + CD65

Auberge La Fenière ★★★

France

F
480

RN 453 (5 km à l'Est d'Arles)
13280 RAPHELE LES ARLES
Bernard LEGROS et Jeaninne SAUVIAT
25 Chambres - Relais du Silence depuis 1972

Tél. 04 90 98 47 44
Fax 04 90 98 48 39
lafeniere@lac.gulliver.fr

 H: Ouvert toute l'année   R: du 01/11 au 20/12
R: Samedi midi

👤 325 - 400

👥 400 - 700

☕ 50 - 60

✗ 120 - 170

🍽 425 - 550
1/2

 CC △ AV

 ⚡ 🚫 🚗 ❄
7

Nichée au cœur des prairies, une auberge rustique et provençale à l'ambiance familiale. Chambres personnalisées. Vous goûterez les saveurs d'une vraie cuisine de femme dans le restaurant ouvert sur la verdure, le jardin et la terrasse fleurie. Sous les ombrages, il fait bon prendre son petit déjeuner.

Inmitten der Natur bietet Ihnen ein rustikales Gasthaus der Provence mit heimischer Atmosphäre, persönlich gestalteten Zimmern, einer raffinierten Küche nach echter Hausfrauenart, im Restaurant mit Blick ins Grüne, auf Garten und Blumenpracht der Terrasse, auf der es ein Vergnügen ist, das Frühstück einzunehmen.

In the heart of meadows, a typical provençal inn with personalized rooms in a family ambiance. Come and taste the traditional housewife cooking in a lovely dining room facing the grassland. Enjoy a quiet and marvellous breakfast in a flowery and shady garden.

🛬 Nîmes-Arles 30 km

🚄 Arles 5 km

🚗 Venant de Nîmes ou Salon par N113 sortie N°7 Pont le Crau et Raphèle

223

Host. du Vallon de Valrugues ★★★★

France

F
481

Chemin de Canto Cigalo
13210 SAINT REMY DE PROVENCE
M. et Mme GALLON
53 Chambres - Relais du Silence depuis 1994

Tél. 04 90 92 04 40
Fax 04 90 92 44 01

Février
Ouvert tous les jours

680 - 1480

680 - 1480

95

165 - 460

815 - 1215
1/2

1015- 1415

CC AV TO

53

Au cœur des Alpilles, l'un des plus prestigieux établissements du sud de la France, doté de tous les loisirs. Ses luxueuses chambres climatisées sont toutes décorées dans le style provençal. L'une des toutes premières tables de la région.

Inmitten der Alpillen finden Sie eines der berühmtesten Hotels Südfrankreichs, mit allen Aktivitäten und einer der besten Küchen der Gegend.

In the heart of the Alpilles, one of the most prestigious houses in Southern France, endowed with all the leisure activities. One of the finest cuisines of the area.

 Avignon 15 km

Avignon 15 km

Le Mas du Soleil ★★★★

F 482

38, chemin Saint-Come
13300 SALON DE PROVENCE
Christiane et Francis ROBIN
10 Chambres - Relais du Silence depuis 1995

Tél. 04 90 56 06 53
Fax 04 90 56 21 52

Ouvert toute l'année
R: Dimanche soir et Lundi

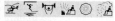

530 - 690
740 - 1300
70
210 - 450
675 - 750 (1/2)
885 - 960

CC AV TO

Au cœur de la Provence traditionnelle, havre de paix à proximité du centre historique de Salon de Provence, cité de Nostradamus dominée par la majestueuse forteresse médiévale de l'Empéri. La délicatesse méditéranéenne offre un confort exceptionnel pour un séjour à la porte du Luberon, des Alpilles et de la Camargue. La cuisine de Francis Robin élève au sublime toutes les saveurs provençales.

Der ideale Platz vor den Toren zum Luberon, den Alpilles und der Camargue.

In the very heart of traditional Provence, a haven of peace near the Salon de Provence historical centre, the city of Nostradamus, with the Emperi medieval fortress towering above. Mediterranean taste and refinement provide high-standard comfort for nearby Alpilles and Camargue. Francis Robin's cooking elevates all the savours of Provence to sublime levels.

Marignane 30 km

Salon de Provence

A côté de l'hôpital, dir. Avignon

Bellerive ★★★

F 485

84110 RASTEAU
Famille PETRIER
20 Chambres - Relais du Silence depuis 1984

Tél. 04 90 46 10 20
Fax 04 90 46 14 96

Du 01/11 à début 04
R: Saison: Lun. Ma. Ven midi - Hors saison: Lun. Ven. midi

430 - 640

60

125 - 200

400 - 540
1/2

CC ○ AV TO

Au cœur du vignoble, une étape agréable sur la route du soleil. Vue panoramique sur le Mont Ventoux et les dentelles de Montmirail. Cuisine inspirée des senteurs de provence.

Mitten im Herzen der Weinberge, ein angenehmer Halt auf der Straße zur Sonne mit atemberaubendem Blick auf den Mont Ventoux und die Dentelles de Montmirail. Unser Restaurant bietet eine Küche inspiriert von den Aromen der Provence.

In the heart of the wine region, a pleasant halt on the route to the sun with a breathtaking view on the Mont Ventoux and the Dentelles de Montmirail. Our restaurant offers wonderful dishes with provençal flavours.

Avignon 40 km

Orange 18 km

Hôtel Arène ★★★

France

F 486

Place de Langes
84100 ORANGE
Danielle et Gérard COUTEL
30 Chambres - Relais du Silence depuis 1981

Tél. 04 90 11 40 40
Fax 04 90 11 40 45

 H: du 08/11 au 01/12
Ouvert tous les jours

 300 - 440
 340 - 540
 44

 CC ☐ AV TO

Sur une place ombragée, dans le centre historique d'Orange. Garage privé et fermé : 20 places (payant). 30 chambres personnalisées avec minibar, climatisation, coffre individuel. Petits déjeuners copieux avec spécialités provençales. Restaurant à l'hôtel (direction indépendante).

Auf einem schattigen Platz mitten im historischen Stadtkern von Orange, geschlossene Privatgarage mit 20 Parkplätzen (nicht im Zimmerpreis inbegriffen). 30 klimatisierte Zimmer mit persönlicher Note, Minibar und individuellem Safe. Reichliches Frühstück mit provenzalischen Spezialitäten. Unabhängiges Restaurant im Hotel.

In a shady square in the historic centre of Orange, private and closed garage with 20 places (parking fees not included). 30 personalized and air-conditioned rooms with minibar and individual safe. Generous breakfast with provençal specialities. Independant restaurant in the hotel.

✈ Avignon 30 km

🚉 Orange 700 m

🚗 Rue de l'hôtel (Victor Hugo) prolongement de l'av. Arc de Triomphe - axe cœur de ville

227

Hôtel de Guilles ★★★

F 487

Route de Vaugines
84160 LOURMARIN
Pierre et Serge BONNET
28 Chambres - Relais du Silence depuis 1993

Tél. 04 90 68 30 55
Fax 04 90 68 37 41

H: du 05/01 au 28/02 et du 02/11 au 19/12/98
R: du 03/11/97 au 27/02/98 et du 02/11 au 28/02/99
R: Mercredi et Jeudi midi

400 - 620

400 - 620

65

185 - 330

1/2

CC AV TO

Au cœur du Luberon en pleine nature et à proximité du village classé de Lourmarin. Un lieu privilégié pour une halte ou un séjour de loisirs, de repos, de silence. "l'Agneau Gourmand" vous accueille sur sa terrasse ombragée ou dans sa salle voûtée et vous propose une cuisine de terroir raffinée.

Im Herzen des Luberon, ein Schloß in der Natur und in unmittelbarer Nähe des unter Denkmalschutz stehenden historischen Dorfes Lourmarin. Ein privilegierter Ort zum Ausruhen.

Located in the heart of the Luberon in a beautiful landscape near the protected village of Lourmarin, a privileged place for a stop-over or a longer stay for you leasure, rest and peace.

Marseille 60 km

Avignon 60 km

A7 sortie Senas, RN7 vers Mallemort puis D973 à Mérindol

Hostellerie Le Phébus ★★★★

France

F 488

Route de Murs
84220 GORDES/JOUCAS
M. MATHIEU
22 Chambres - Relais du Silence depuis 1988

Tél. 04 90 05 78 83
Fax 04 90 05 73 61

 De début Octobre à fin Mars
Ouvert tous les jours

	665
	665 - 1200
	85 - 95
	180 - 300
1/2	680 - 980
	860 - 1160

CC AV TO

 22

Une luxueuse demeure provençale avec vue panoramique sur le Lubéron. Grande et majestueuse bâtisse en pierres sèches de pays qui trône dans un parc immense de 4 ha aux senteurs de thym et romarin. La douceur de vivre dans un site merveilleux. Une table de renommée internationale.

Luxuriöses Haus, abgesondert im zauberischen Herzen des Luberon gelegen. International anerkannte Küche.

A luxurious provençal residence with panoramic view of the Luberon fine, majestic construction of local dry stone, dominating an immense 10 acre thyme and rosemary scented park. A gentle way of life in a wonderful site, opposite the Luberon. Internationally renowned cuisine.

 Avignon 30 km

Avignon 30 km

A7 sortie Cavaillon, dir. Gordes puis Joucas

229

Hostellerie Le Roy Soleil ★★★

France

F
489

Le Fort - D103
84560 MENERBES
Mme Josyane DERINE
19 Chambres - Relais du Silence depuis 1983

Tél. 04 90 72 25 61
Fax 04 90 72 36 55

H: du 15/11 au 15/03   R: du 15/10 au 15/03
Ouvert tous les jours

420 - 680
580 - 980
75
195 - 250
640 - 840
780 - 980

CC △ AV TO

Luxueuse demeure provençale du 17e siècle, dans un parc d'oliviers, face au Luberon et au village fortifié de Ménerbes. La décoration est soignée, l'ambiance élégante et feutrée. Chambres confortables la plupart climatisées avec grande terrasse et jardin. Dans la salle à manger voutée ou à l'ombre des muriers, vous goûterez une cuisine aux accents ensoleillés du terroir.

Das luxuriöse Landhotel ist im historischen Kern ein provenzalisches Bauernanwesen aus dem 17. Jahrhundert. Luxus und Eleganz, in einem Olivenhain gelegen. Draußen und innen genießen Sie eine südliche Küche mit frischen Produkten der Gegend.

17th century provencal residence facing the fortified village of Menerbes. In beautiful surroundings, in a parc with olive trees. Most bedrooms have gardens or a terrace. Luxury and elegance. Enjoy a Southern and exquisite cuisine with fresh local products.

Avignon 20 km
Cavaillon 10 km
A7 sortie Avignon - D103 -
au bas du village de
Menerbes

Auberge de Cassagne ★★★★

 France

 F 490

450, All. de Cassagne
84130 LE PONTET-AVIGNON
J.M. GALLON- P. BOUCHER- A. TRESTOUR
22 Chambres - Relais du Silence depuis 1972

Tél. 04 90 31 04 18
Fax 04 90 32 25 09
cassagne@adi.fr

Ouvert toute l'année
Ouvert tous les jours

420 - 980
490 - 1240
95
230 - 460
720 - 1095
920 - 1295

CC △ AV TO

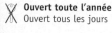

A 5 mn d'Avignon, ancienne demeure provençale dans un magnifique jardin et restaurant gastronomique de renommée internationale (chef P. Boucher, ex. Bocuse, G. Blanc). Terrine provençale au cœur de foie gras. Filets de rougets poêlés au citron vert. Appartements et chambres de grand confort entièrement rénovés. Mini-bar, TV couleur, coffre-fort individuel, sèche-cheveux, tél. direct.

5 Min. von Avignon, in einem prachtvollen Garten, liegt diese altprovenzalische Residence mit international bekannter Küche (P. Boucher, ex. Bocuse, G. Blanc). Apartments und Zimmer mit großem Komfort vollständig renoviert.

5 minutes from Avignon in a magnificent garden an old provençal dwelling and gastronomic restaurant with international prestige (Chef P. Boucher, ex. Bocuse, G. Blanc). Apartments and rooms with great comfort entirely renovated.

- Avignon 5 km
- Avignon 5 km
- A7 sortie Avignon Nord puis petite route à gauche avant les feux à 5 minutes

231

Mas de Garrigon ★★★

F 491

Départementale 2
84220 ROUSSILLON
Christiane DRUART
9 Chambres - Relais du Silence depuis 1981

Tél. 04 90 05 63 22
Fax 04 90 05 70 01

H: ouvert toute l'année   R: Décembre et Janvier
R: Lundi et Mardi midi

590 - 760

650 - 950

85

145 - 345

625 - 700

825 - 1000

CC AV

Le Mas de Garrigon, demeure de caractère face aux collines rouges de Roussillon, est un petit hôtel restaurant de charme. La cuisine raffinée vous offre des spécialités inspirées du terroir : souris d'agneau mijotée au jus de romarin et à la truffe, loup rôti en barigoule d'artichauts, délicieux desserts. Des chambres (avec terrasse privée plein sud), vous découvrirez une vue superbe sur le Luberon. En toutes saisons, le Mas est sans conteste un lieu privilégié de séjour.

Charaktervolles Haus gegenüber den roten Roussillon-Hügeln. Köstliche Küche. Empfang und Service voller Aufmerksamkeit.

A house full of character opposite the red Roussillon hills and the Luberon. The delicious cuisine : alp lamb with Truffles, méditerranean fish, choice of dessert. Ideal place to stay in all seasons. Attentive welcome and service.

 Avignon 35 km

Cavaillon 28 km

D2 à mi-chemin entre Gordes et Saint-Saturnin d'Apt

Hostellerie François Joseph ★★★

France

F 492

Chemin des Rabassières
84330 LE BARROUX
François POCHAT
17 Chambres - Relais du Silence depuis 1993

Tél. 04 90 62 52 78
Fax 04 90 62 33 54

 H: De Décembre à Mars

 300 - 700

 300 - 700

 60

 sans restaurant

1/2

 AV

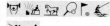

Entre les dentelles de Montmirail et le Mont Ventoux, au cœur d'une nature encore sauvage et préservée, nous vous invitons à découvrir la Provence dans son intimité. Espace et confort des chambres et des suites. Loggia sur les jardins fleuris et parfumés et pour votre sécurité parking fermé et gardé.

Besuchen sie die Dentelles de Montmirail und den Mont-Ventoux im Herzen der unberührten Natur. Wir laden sie ein, die Provence mit ihrem besonderen Reiz zu entdecken. Großzügige und komfortable Zimmer und Suiten, Loggia zum Garten hin mit seiner Vielfalt an blühenden Gewächsen.

Nestled between the Dentelles of Montmirail and Mont Ventoux, in the midst of a protected area of unspoilt natural beauty, we invite you to discover the secret parts of Provence. Spacious, comfortable rooms and suites, balconies and patios overlooking gardens filled with the flowers and parfumes of Provence.

Avignon 35 km

Avignon 35 km

A7 sortie Orange - D950 dir. Carpentras - D938 dir. Vaison-la-Romaine

233

Hostellerie du Val de Sault ★★★

F 493

Ancien chemin d'Aurel - Route de Saint-Trinit
84390 SAULT
Ildikó de HANNY - Yves GATTECHAUT
11 Chambres - Relais du Silence depuis 1994

Tél. 04 90 64 01 41
Fax 04 90 64 12 74

De mi novembre au 27/03
Ouvert tous les jours

 780 m

490 - 640	
490 - 640	
59	
123 - 217	
420 - 560	

CC AV

Au pays de Sault, immense jardin bleu et or cher à Giono se cache cette hostellerie de charme. Dans la verdure face au Mont Ventoux, vous serez nos hôtes. Yves Gattechaut, "Le Compositeur de Saveurs", y élabore une cuisine ensoleillée pour votre plaisir ; beaux vins de Provence et douceur de vivre.

Gegend um Sault herum, umfangreicher, blauer und goldener Garten, dem Ventoux gegenüber werden Sie unsere Gäste sein. In einem Pinienwald oberhalb des Dorfes, provencalische Küche und Weine, Zimmer mit Salon und Terrasse.

Sault country, immense blue lavender and gold garden, you will be our guest, in front of Mont Ventoux. Above the village in a pine wood, gentle living with delicious Southern cuisine and good Provençal wines. Rooms with salon and terrace.

✈ Avignon 70 km

🚆 Avignon 65 km

🚗 Centre de Sault dir. St-Trinit
- A 300 m sur la gauche -
ancien chemin d'Aurel

Le Clos des Sources ★★★

F
494

Quartier Le Brusquet
84240 GRAMBOIS
Liliane MUYSHONDT et Marcel FIGUCCIO
12 Chambres - Relais du Silence depuis 1996

Tél. 04 90 77 93 55
Fax 04 90 77 92 96

Janvier
R: Le lundi

👤	400 - 650
👥	450 - 780
☕	60
🍴	150 - 320
🛏 1/2	445 - 610
🛏	605 - 770

CC △

🚗 ♿ 🚌 🏊

🐎 🔍 ⛳

Au sud du Luberon, Grambois est un village typiquement provençal. Le Clos des Sources y est adossé et tourne son regard vers un magnifique paysage aux senteurs de lavande et de romarin. Lieu privilégié de paix et de tranquillité pour un séjour de détente. Cuisine gourmande et parfumée des marchés de Provence.

Im südlichen Luberon, 300 m über Meeresspiegel, ein typisch provencalisches Dorf. Panoramaaussicht und der Duft von Lavendel und Rosmarin, ein privilegierter ruhiger Ort für entspannende Ferien. Gourmetküche mit den Wohlgerüchen provencalischer Marktprodukte.

In Southern Luberon, 300 m above sealevel, a typical provençal village. Panoramic view and the scent of lavander and rosmarry, a privileged place of peace and quiet for a relaxing holiday. Gourmet cuisine with the fragrance of provençal market products.

Apt
N 100
Forcalquier
Sisteron
Avignon
Grambois
Manosque
D 956
D 973
Pertuis
A 96
A 57
Cavaillon
Durance
D 556
Cadarache
Aix-en-Provence
Marseille

✈ Marseille-Marignane 50 km

🚂 Aix en Provence 30 km

🚗 A7 sortie Cavaillon ou Aix en Provence - D973 Pertuis

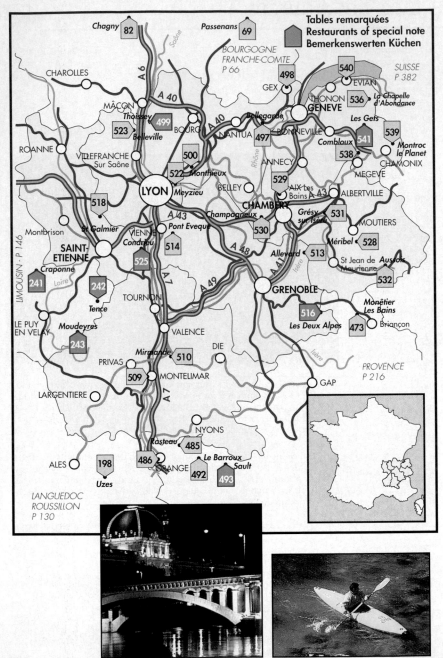

Rhône-Alpes

Des Alpes vertigineuses aux étendues paisibles du Massif Central les reliefs s'inclinent devant le Rhône tumultueux qui les traverse. Cuisine la plus réputée du monde… domaine skiable le plus grand du monde… région thermale la plus grande de France… pays qui collectionne les superlatifs… Rhône-Alpes ou le plaisir de vivre.

From the breathtaking Alps to the peaceful stretches of the Massif Central, the peaks give way to the tumultuous Rhone which crosses them. The most reputed cuisine in the world… the most extensive skiing domain in the world… the most important spa region in France… a land which invites superlatives, Rhone Alpes or the pleasure of living.

Von den schwindelerregenden Alpen bis hin zu den friedlichen Hügeln des Zentralmassifs fließt durch diese Berge die tobende Rhône. Die berühmteste Küche und das größte Skigebiet der Welt… das wichtigste Kurortgebiet Frankreichs… ein Land, das Superlative sammelt : die Rhône-Alpes oder, in anderen Worten, die Freude am Leben.

A NE PAS MANQUER.

- Grand Prix international des chiens de traîneaux à Mégève (janvier) Tél.04 50 21 27 28,
- Festival international du film d'humour à Chamrousse (11 au 16/03),
- Festival de la Magie à Valloire (19 au 25/03),
- Semaine intern. de la glisse à Avoriaz (début avril) Tél.04 50 74 02 11,

- Rencontres musicales d'Evian Tél.04 50 75 04 26,
- Festival international de musique de Divonne les Bains (juin) Tél.04 50 40 34 34,
- Fest. de la vieille ville à Annecy (01au 16/07),
- Semaines musicales du Mont Blanc à Chamonix (mi-juillet à fin août),

- Fête de la Transhumance à Dié (fin juin),
- Festival de la musique du vieux Lyon (mi-novembre à mi-décembre),
- Fêtes de l'été à Valence (juillet - début août).
- Les nuits romantiques à Aix-les-Bains (oct.) Tél.04 74 88 46 20,
- Vente des vins des Hospices à Beaune (mi déc.) Tél.04 74 04 87 75

Le Fartoret ★★★

F
497

Eloise
01200 BELLEGARDE
Famille BACHMANN-GASSILLOUD
40 Chambres - Relais du Silence depuis 1974

Tél. 04 50 48 07 18
Fax 04 50 48 23 85

Ouvert toute l'année
Ouvert tous les jours

517 m

225 - 480	
240 - 480	
50	
123 - 290	
330 - 460	
405 - 520	

CC ☐ AV TO

Nous sommes ici à 35 km de Genève et d'Annecy, entre Alpes et Jura. Le Fartoret est une jolie et confortable auberge au cœur d'un tranquille village savoyard surplombant la vallée du Rhône. Restauration de qualité à caractère régional, dans la salle à manger rustique ou en terrasse. Accueil chaleureux.

Zwischen den Alpen und dem Jura in mitten eines kleinen Dorfes über dem Rhonetal, in einem großen angenehmen Park in ländlicher Umgebung. Restauration von Qualität mit regionalem Charakter. 35 km von Genf und Genfer See und 35 km von Annecy und seinem See entfernt.

Between the Alps and the Jura, in a village overlooking the river Rhône, pleasant rustic relais in a large parc. High-quality cooking true to the regional character. 35 km from Geneva and Lake Geneva and 35 km from Annecy and its lake.

✈ Genève 35 km

🚆 Bellegarde 5 km

🚗 A40 sortie N°11

238

La Mainaz ★★★

France

F 498

RN5 - La Faucille - B.P. 337
01173 GEX Cedex
Sylvie et François PART
24 Chambres - Relais du Silence depuis 1983

Tél. 04 50 41 31 10
Fax 04 50 41 31 77

De fin octobre au 1er Décembre
R: Mercredi midi hors saison

🏔 1250 m

👤 330 - 415
👥 330 - 520
☕ 75
🍴 140 - 300
🍽 1/2 405 - 455
🍽 495 - 545

CC △ AV TO

Mettez tous vos sens en éveil pour savourer les bonheurs de notre authentique pays. Admirez le superbe panorama du massif du Mont Blanc et des Alpes Suisses par delà le lac Léman. La Mainaz sera votre lieu de séjour idéal pour découvrir le Jura dans sa convivialité.

Genießen sie glückliche Momente in unserem Jura, diesem ursprünglichen Land voller Natur in der Nähe des Massivs des Mont-Blanc, der Schweizer Alpen und dem Genfer See. Und schließlich unser Hotel-Restaurant, ein Familienbetrieb, mit herrlicher Aussicht, gemütlicher Atmosphäre und der großzügigen Küche.

La Mainaz invites you to savour the delights of the Jura, a truly authentic region where nature's at its best, near the massif du Mont-Blanc, the Suiss alps and lake Leman. Last but not least, our family-run hotel-restaurant where you will discover panoramic views, cosy interiors and the generous cuisine.

✈ Genève Cointrin 25 km
🚉 Gex 9km-Genève 25km
🚌 RN5 Paris-Genève - A40 sortie Bellegarde sur Valserine - dir. Paris Col de la Faucille

239

Au Chapon Fin ★★★

France

F
499

Rue Paul Blanc
01140 THOISSEY
Bruno MARINGUE
20 Chambres - Relais du Silence depuis 1990

Tél. 04 74 04 04 74
Fax 04 74 04 94 51

 De fin Novembre à début Décembre
Mardi et Mercredi midi

250 - 550
460 - 700
55
230 - 520
600 - 700

 □ AV

Sur la route du sud et de la montagne, le Chapon Fin vous accueille pour une étape gastronomique. Ici les moments de gourmandise se prolongent par le confort douillet d'une demeure accueillante... Chambres sur le jardin, bar et salon de détente, salle pour séminaires. Et toute une équipe aux petits soins !

Auf der Straße des Südens und der Berge, in der Nähe der Region Beaujolais, empfängt Sie die Familie Maringue-Blanc zu einem gastronomischen Aufenthalt. "Au Chapon Fin" sorgt mit dem gemütlichen Komfort eines gastlichen Anwesens für eine angenehme Verlängerung der Schlemmermomente... Zimmer zum Garten, Bar und Salon.

On the road to the South and the mountains, the Chapon Fin invites you to a gastronomic stopover. Here happy moments are made to last. Cozy, comfortable rooms overlooking the garden. Bar and relaxing lounge, seminar room. And a staff eager to cater to your every nedd !

Lyon Satolas 60 km

Macon-Loche 10 km

A7 sortie sud Belleville
sortie nord Macon-Sud
A40 sortie Replonges

Hôtel du Gouverneur ★★★★

France

Château du Breuil
01390 MONTHIEUX
Jean-Christophe CHARLET
53 Chambres - Relais du Silence depuis 1996

Tél. 04 72 26 42 00
Fax 04 72 26 42 20

Du 15/12/98 au 01/01/99
R: Dim. soir et Lundi sauf clients de l'hôtel

 460 - 540

500   900

65

80 - 360

375 - 415
1/2

CC AV TO

 53

Au cœur de la Dombes aux mille étangs, sur un domaine golfique de 233 hectares, le plus grand golf du Rhône-Alpes (47 trous). Proche de Perouges, cité médiévale mondialement connue. Parc des oiseaux de Villars, village d'Ars, le Beaujolais, le Lyonnais. Site de pêche à la mouche sur place (black-bass).

Im Herzen der Dombes, die größte Golfanlage der Gegend Rhône-Alpes mit 233 ha und 47 Löchern. In der Nähe der weltbekannten mittelalterlichen Stadt Perouges, des Vogelpark in Villars, des Dorfes Ars, der Regione Beaujolais und Lyon. Fliegenfischen vor Ort möglich (Black-Bass).

The largest golfing estate in the Rhône-Alpes area with 47 holes over 580 acres with many attractive sites around, such as the world famous medieval city of Perouges, the natural birds' reservetion at Villars, the village of Ars, the Beaujolais vineyards and the Lyon area. A black-bass fly-fishing site is on the estate.

Satolas 35km/Navette

Lyon 30km/Navette

A46 Les Echets - N83
St André de Corcy-Monthieux

Le Printemps ★★★

France

F 509

8, chemin de la Manche
26200 MONTÉLIMAR
Lyliane NIEZ-TEYSSIER
12 Chambres - Relais du Silence depuis 1980

Tél. 04 75 01 32 63
Fax 04 75 46 03 14

Ouvert toute l'année
R: Dimanche soir du 01/11 au 15/02

280 - 350
350 - 450
55
105 - 195
370

CC ☐ AV TO

Étape romantique et reposante sous le ciel de Provence sur la route des vins du Rhône. Lyliane Niez-Teyssier vous accueille chaleureusement et veille à votre satisfaction dans une ambiance très "cosy". Laissez vous séduire par les plaisirs d'une cuisine de qualité, servie sous les ombrages de la terrasse. Petits déjeuners copieux et raffinés. A très vite au Printemps !

Eine entspannende und romantische Etappe unter dem blauen Himmel der Provence, in einer Region mit reicher historischer Vergangenheit. Genüsse gepflegter Küche. Ihre Zufriedenheit ist die unsere. Bis bald im Hotel Printemps !

A restful and romantic halt under the Provençal sky in a region with a rich historical past. Lyliane Niez-Teyssier personally guards over everything in a cosy ambiance. Be spoilt by the pleasures of good cooking served on the shady terrace. Hope to see you soon in "Le Printemps"!

✈ Avignon 80 km
🚉 Montélimar 1 km
🚗 A7 sortie Montélimar Nord ou Montélimar Sud

La Capitelle ★★

France

F
510

Le Rempart
26270 MIRMANDE
Dominique et Bernard MELKI
11 Chambres - Relais du Silence depuis 1996

Tél. 04 75 63 02 72
Fax 04 75 63 02 50

Décembre - Janvier - Février
H: Mardi   R: Ma. et Me. midi sauf Juin, Juillet, Août et Sept.

✗ 140 - 265

355 - 500

450 - 595

CC ☐ AV TO

La Capitelle, maison du XVIIe siècle, sur le rempart de Mirmande, village médiéval et botanique. Chambres charmantes et toutes différentes. Repas aux chandelles près de la cheminée ou sur la terrasse. Le chef de cuisine vous proposera ses spécialités régionales et gastronomiques.

Haus aus dem 17. Jahrh. auf dem Schutzwall von Mirmande, einem mittelalterlichen Dorf. Sie werden vom Charme der stilvollen Zimmer begeistert sein. Das Essen wird bei Kerzenschein am Kamin oder auf der Terrasse serviert. Der Küchenchef hat für Sie verschiedene regionale und gastronomische Spezialitäten zusammengestellt.

A 17th century house in the ramparts of the botanical and medieval village of Mirmande. The rooms are full of charm and you will experience the regional and gastronomic specialities of the Chef, by candlelight around the fireplace or on the terrace.

✈ Lyon Satolas 130 km

🚆 Loriol 7 km

🚗 A7 sortie Montélimar Nord - RN7 vers Valence - D204 à droite

243

Les Pervenches ★★

France

F
513

Route de Grenoble - B.P. 45
38580 ALLEVARD
Famille MICOUD-BADIN
30 Chambres - Relais du Silence depuis 1981

Tél. 04 76 97 50 73
Fax 04 76 45 09 52

De mi-Octobre à fin Janvier et mi-Avril à début Mai
Ouvert tous les jours

475 m

268 - 332
312 - 385
44
112 - 225
300 - 342 (1/2)
379 - 428

CC ○ AV TO

Au pays d'Allevard, magnifique région au cœur de la chaîne de Belledonne, proche de Grenoble et de Chambéry, l'hôtel Les Pervenches sera pour vous un lieu de séjour particulièrement agréable. Hôtel et pavillons dans un parc de 2 hectares. Cadre reposant et ambiance chaleureuse. Cuisine traditionnelle.

Hotel mit Lauben, 2 ha Park. Ruhige, angenehme Atmosphäre. Traditionelle Küche.

In the Allevard country, wonderfull region situated at the heart of the Bellodonne chain of mountains, near Grenoble and Chambéry, the hotel Les Pervenches will be for you the place of an exceptional stay. Hotel and pavillons. 5 acres park. Pleasant and restful setting and atmosphere. Traditional cooking.

Grenoble-St-Geoirs 80 km
Grenoble-Chambéry 38 km

Hôtel du Midi ★★★

France

F 514

Place Claude Barbier
38780 PONT-EVEQUE (VIENNE)
Sophie GRENOUILLET
17 Chambres - Relais du Silence depuis 1984

Tél. 04 74 85 90 11
Fax 04 74 57 24 99

 R: du 23/12 au 06/01
R: Tous les midis et le dimanche

295 -325

295 - 395

35 - 55

95

240 - 290 (1/2)

 O AV TO

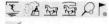

Étape agréable dans un cadre chaleureux à 3 km de Vienne, ville gallo-romaine. Visite du musée archéologique, festival de Jazz du 30/06 au 15/07. Accueil familial. Chambres donnant sur le jardin fleuri. Cuisine traditionnelle. Terrasse en été. Belle cheminée en hiver. Billard.

Ein angenehmer Aufenthalt in einer herzlichen Atmosphäre. 3 km von Vienne, einer gallo-römischen Stadt. Besuch des archäologischen Museums und Jazz Festspiele von 30.06. bis 15.07. Herzlicher Empfang. Zimmer mit Blick auf Garten. Traditionelle Küche, Terrasse im Sommer, Kamin im Winter. Billard.

A pleasant stopover in a restful setting and atmosphere. 3 km from the Gallo Roman city of Vienne. Fine archeological museum and Jazz Festival (June 30th - July 15 th). Friendly welcome, rooms overlooking beautiful flowered, garden, traditional cuisine. Summer terrace, open fires in winter. Billards table.

⊀ Lyon Satolas 30 km

☒ Vienne 5 km

🚗 A 3 km de Vienne. Direction Grenoble

245

Hôtel "La Bérangère" ★★★★

France

F
516

11, route de Champamé - B.P. 32
38860 LES DEUX ALPES
Lucie LHERM et Yvan LANGLOIS
49 Chambres - Nouveau Relais du Silence

Tél. 04 76 79 24 11
Fax 04 76 79 55 08
berange@calva.net

 De fin Août à début Décembre et de mi avril à mi Juin
Ouvert tous les jours

 1650 m

370 - 890
480 - 1100
65
180 - 420
500 - 800
585 - 890

CC △ AV TO

La Bérangère, skis aux pieds, jouit d'un ensoleillement maximum face au parc naturel des Ecrins. Hôtel de charme à la décoration raffinée, tout y est choisi pour un art de vivre de qualité à la montagne, été comme hiver, dans une ambiance chaleureuse.

Am Fuße der Skipisten, mit einem Maximum an Sonne und Blick auf den Naturpark des Ecrins. Ein Hotel mit viel Charme und feinster Einrichtung, ein Beispiel der Lebenskunst in den Bergen, im Sommer wie im Winter, in gemütlichem Rahmen.

At the foot of the ski slopes, la Bérangère enjoys maximum sunshine, facing the Ecrins natural park a charming hotel, tastefully decorated ; everything has been chosen for a quality, mountain lifestyle in summer and in winter, in a friendly atmosphere.

 Grenoble-St-Geoirs 120 km

Grenoble 70 km

De Grenoble RN91 Barrage du Chambon à droite D214 (1 h)

La Charpinière ★★★

F 518

42330 SAINT-GALMIER
Annick MAZENOD
35 Chambres - Relais du Silence depuis 1987

Tél. 04 77 54 10 20
Fax 04 77 54 18 79

Ouvert toute l'année
Ouvert tous les jours

340 - 450
340 - 450
52
98 - 235
330 - 370
420 - 470

CC △ AV TO

Jolie maison de caractère dans un parc de 3 ha avec piscine, tennis. Sauna, hammam, piscine à bains bouillonnants, salle de musculation, billard. Tout concourt à la détente : confort des chambres, qualité de la cuisine, chaleur de l'accueil, environnement de charme. Source Badoit, nautisme, équitation à proximité.

Charmantes Hotel in einem 3 ha Park. Tennis, Schimmbad, Sauna, Dampfbad, Whirlpool, Bodybuilding. Es erwartet Sie alles, was für einen angenehmen Aufenthalt nötig ist : komfortable Zimmer, gute Gastronomie und eine schöne Umgebung. Wassersport und Reitkunst, die Badoit-Mineralwasserquelle in der Nähe.

Charming house with a lot of caracter in a 7 acre parkland with swimming pool, tennis, sauna, Turkish bath, fitness center, billard. All combined for relaxation : comfort of rooms, quality of cooking and welcoming and charming surroundings. Close : Badoit spring, riding, sailing.

St-Etienne-Boutheon 7 km

Veauche 4 km

Sortie N°9 en venant de Lyon/St Etienne et N°8 en venant de Clermont-Ferrand

247

Le Mont Joyeux ★★★

France

F
522

Rue Victor Hugo
69330 MEYZIEU-Grand Large
Jean-Bernard MOLLARD
20 Chambres - Relais du Silence depuis 1987

Tél. 04 78 04 21 32
Fax 04 72 02 85 72

Ouvert toute l'année
Ouvert tous les jours

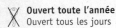 415 - 455

445 - 475

55

130 - 275

 450 - 600
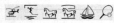

CC △ AV TO

DÉpaysement total et calme absolu. A 12 mn du centre de Lyon, proche d'Eurexpo et de l'aéroport de Satolas, la coquette maison installée devant le Grand Large, un lac de 160 ha, vous réserve de bien agréables moments. A l'accueil, Jacqueline Buer, souriante et vigilante, a pour vous toutes les attentions. Enthousiaste, elle vous parle de la cuisine de J.-B. Mollard. Toutes les chambres ont un balcon ou une terrasse.

VÖlligen Ortswechsel und absolute Ruhe finden Sie im Mont Joyeux ! Nur 12 Minuten von Lyon entfernt, in ders Nähe von Eurexpo und dem Flughafen Satolas, am See Grand Large. Alle Zimmer mit Balkon oder Terrasse.

GEt away from it all, come to quiet Mont Joyeux ! Only 12 minutes from the centre of Lyon, close to Eurexpo and Satolas Airport, this attractive establishment stands close to Grand Large, a peaceful lake. All rooms with balcony or terrace.

Satolas Lyon 15 km
Part Dieu Lyon 15 km
A46 (Rocade Est) sortie "Le Grand Large"

Château de Pizay ★★★★

France

F
523

Hameau de Pizay en Beaujolais
69220 SAINT-JEAN D'ARDIERES
Françoise COLOMB
62 Chambres - Relais du Silence depuis 1986

Tél. 04 74 66 51 41
Fax 04 74 69 65 63

 Du 24/12/97 au 02/01/98
Ouvert tous les jours

 495 - 700

 575 - 1200

 65

 200 - 395

 495 - 800

CC AV

62

Un voyage unique au cœur du Beaujolais dans un château construit dès le 12e siècle, entouré de son vignoble de 52 ha et de sa forêt de chênes de 30 ha. Magnifique jardin à la française, restaurant gastronomique, 62 chambres climatisées avec terrasse privative sur jardin ou piscine. Dégustation des vins du domaine.

Eine einmalige Reise mitten in das Beaujolais, in ein Schloß im 12. Jahrhundert gebaut, umgeben von seinem Eichenwald und seinem Weinberg. Gastronomiches Restaurant, geräumige Zimmer mit Klimaanlage und Privatterrassen. Weinproben!

A unique trip to a 12th century Château located in the heart of the Beaujolais region of France. The Château is surrounded by a 130 acre vineyard and a 75 acre oak forest with its magnificent French garden. The gastronomic restaurant will enchant you. Spacious rooms, air conditioned with private terraces. Taste its wines!

Satolas 70 km

Mâcon Loché 20 km

A6 sortie Belleville sur Saône
- dir. N6 Mâcon

249

Hôtellerie Beau Rivage ★★★★

France

F
525

2, rue du Beau Rivage
69420 CONDRIEU
Pascal HUMANN et Reynald DONET
25 Chambres - Relais du Silence depuis 1997

Tél. 04 74 56 82 82
Fax 04 74 59 59 36

Ouvert toute l'année
Ouvert tous les jours

550 - 850

550 - 850

65

180 - 620

CC AV TO

Douceur et lumière des bords du Rhône, terrasses à fleur d'eau, magie d'un jardin et de ses ombrages secrets, charme particulier d'une ancienne maison de pêcheurs... autant de sensations qui font de l'Hôtellerie Beau Rivage un lieu d'art de vivre.

Genießen Sie das milde Licht des Rhôneufers, die Terrassen direkt am Wasser, die Magie eines Gartens und seinen geheimnisvollen Schatten, den besonderen Zauber eines ehemaligen Fischerhauses ; all diese Genüsse machen das Hotel Beau Rivage zu einem Ort der Lebenskunst.

A mellow atmosphere bathed in light on the banks of the Rhône, terraces overhanging the water, the enchantment of a garden and its secret shady nooks, the particular charm of a former fisherman's house... so many sensations, making the Beau Rivage just the place to enjoy a very special life-style.

Lyon Satolas 45 km

St Clair 3 km

De Lyon A7 sort. Condrieu N86. Du sud A7 sort. Chanas. Dir. Annonay et Serrières N86

L'Orée du Bois ★★

France

F
528

Rond-Point des Pistes - Route du Belvédère
73550 MERIBEL
Nicole et Claude CHARDONNET
35 Chambres - Relais du Silence depuis 1968

Tél. **04 79 00 50 30**
Fax 04 79 08 57 52

Du 20/04 au 01/07 et du 31/08 au 20/12
Ouvert tous les jours

 1650 m

 été - 440

été - 490

70 - buffet

200 - 220

700 - hiver
1/2

490 - été

CC △ AV TO

La vie de chalet au cœur du plus grand domaine skiable du monde et du site des jeux olympiques de 1992. Le charme de l'été. Traditions familiales, bois blond, table gourmande et paysages grandioses... Ici au cœur du domaine des Trois Vallées, la montagne est authentique et chaleureuse !

Alle Vorzüge eines Aufenthales im Chalet, im Herzen des weltgrößten Skigebietes, Austragungsort der Olympischen Winterspiele 1992. Und: der Zauber der Sommers.

Chalet life, in the heart of the largest ski area in the world and site of the 1992 olympic games. Summer charm. Family traditions, light coloured wood, a gourmet restaurant and spectacular views... Here, at the heart of the Three Valley skiing area, the mountains are welcoming and authentic !

Courchevel 20 km

Moutiers 20 km

N90 jusqu'à Moutiers puis D90 dir. Altiport

251

Le Manoir ★★★

France

F
529

37, rue Georges 1er (derrière les thermes)
73100 AIX-LES-BAINS
Pierre PIRAT
73 Chambres - Relais du Silence depuis 1977

Tél. 04 79 61 44 00
Fax 04 79 35 67 67

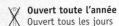

Ouvert toute l'année
Ouvert tous les jours

👤 295 - 395

👥 345 - 645

☕ 58

🍴 138 - 250

🍽 325 - 485
1/2

🍽 395 - 545

CC ☐ AV TO

Pierre Pirat et son équipe vous accueillent cordialement dans ce séduisant relais aménagé dans les dépendances des anciens palaces Splendide Royal. Ambiance chaleureuse d'une élégante maison de caractère où il fait bon vivre et invitation à la détente dans le jardin au milieu des fleurs ou au bord de la superbe piscine intérieure. Jacuzzi. Multiples possibilités pour réunions, séminaires et repas de fêtes. Terrasse botanique panoramique.

Im verführerischen Relais du Silence, Le Manoir, erwartet Sie eine warme und freundliche Atmosphäre. Der Blumengarten lädt ein zur Erholung und Entspannung. Herrliches Hallenschwimmbad. Möglichkeiten für Treffen, Seminare und Feiern.

The charming Relais du Silence, Le Manoir, offers you a warm and friendly atmosphere. Its vast flowergarden is the ideal setting for leisure and relaxation. Superb indoor swimming pool. Possibilities for reunions, seminars and celebrations.

✈ Chambery-Aix 10 km

🚂 Aix-les-Bains 500 m

🚌 Derrière les thermes

252

Hôtel des Bergeronnettes ★★

France

F 530

Village de l'Eglise
73240 CHAMPAGNEUX
Famille GOURJUX
18 Chambres - Relais du Silence depuis 1997

Tél. 04 76 31 50 30
Fax 04 76 31 61 29

Ouvert toute l'année
Ouvert tous les jours

300 - 350

240 - 310

35

70 - 200

250 - 360
1/2

290 - 410

○ AV TO

En avant pays Savoyard, sur les hauteurs d'un petit village, dans un site charmant et bucolique, "Les Bergeronnettes" offrent un lieu de repos privilégié et la douceur de vivre. Depuis 1935, le restaurant Gourjux a acquis sa notoriété par une cuisine franche et généreuse qui allie saveurs savoyardes et spécialités régionales. A 20 mn de Chambéry, 1 heure de Lyon, Grenoble et Genève.

In Savoyen, auf den Höhen eines kleinen Dorfes, lädt "Les Bergeronnettes" zur Erholung und süssem Nichtstuen ein. Berühmte Küche seit 1935 mit regionalen Spezialitäten. 20 Min. von Chambéry, 1 Std. von Lyon, Grenoble und Genf.

In Savoy, situated on the hights of a small village, "Les Bergeronnettes" is the ideal place for a restful holiday. Renowned cuisine with regional specialities since 1935. 20 min. from Chambéry, 1 hour from Lyon, Grenoble and Geneva.

Lyon-Satolas 60 km

Chambéry 35 km

Sortie Autoroute Les Abrets-
Aoste-St Genix S/Guiers
à 4 km Champagneux

La Tour de Pacoret ★★

France

F
531

Montailleur
73460 GRESY SUR ISERE
Laurence et Gilles CHARDONNET
9 Chambres - Relais du Silence depuis 1974

Tél. 04 79 37 91 59
Fax 04 79 37 93 84

De la Toussaint à Pâques
R: Mardi

400 m

 280

320 - 435

50

90 - 220

330 - 380

455 - 505

CC ○ AV

La maison amie, où il fait bon vivre. Une cuisine gourmande et raffinée, alliant les spécialités gastronomiques à l'accent du terroir à une cave de grands crus sélectionnés. La détente au bord de la piscine ou dans le parc ombragé et fleuri. Le repos dans les chambres coquettes s'ouvrant sur la campagne.

Ein freundliches Haus, wo es sich gut leben läßt. Es erwartet Sie eine raffinierte Küche mit zahlreichen regionalen Spezialitäten und ausgesuchten Weinen. Das hotel besteht aus neun sehr ruhigen Zimmern mit freiem Blick in die Naturlandschaft.

The good life in a friendly house. Enjoy a refined French cooking with regional gastronomic specialities complemented by our selection of vintage wines. Relax by the swimming-pool or in the shady park ; our 9 cosy rooms, with a view over the countryside, make it a perfect place to stay.

Chambéry 26 km

Albertville 9 km

Autoroute dir. Albertville
sort. St-Pierre d'Albigny puis
N90-D222-D201

Hôtel du Soleil ★★★

F 532

15, rue de l'Eglise
73500 AUSSOIS
Pascal MONTAZ
22 Chambres - Relais du Silence depuis 1991

Tél. 04 79 20 32 42
Fax 04 79 20 37 78

Du 25/04 au 10/06/98 et du 15/10 au 18/12/98
Ouvert tous les jours

▲ 1500-2750 m

🧍 260 - 285
👫 340 - 390
☕ 40
🍴 95 - 250
🛏 1/2 285 - 345
🛏 345 - 405

CC ○ AV TO

Aux portes du Parc de la Vanoise, dans une station-village au charme authentique exposée sud. Ski alpin 55 km de pistes et fond 35 km. A proximité d'autres stations. En été : promenades, VTT et loisirs au village. En saison : 2e restaurant de l'hôtel : le "Matafan" sur réservation. Soirées à thèmes. Prêt VTT. Possibilité visioconférence. (Piscine en projet). Le clocher d'Aussois ne sonne pas la nuit.

Im Herzen eines sonnigen Dorfes am Rande des Nationalparks der "Vanoise". Südlage. Skigebiet: 55 km Pisten. Langlauf: 35 km. Im Sommer: Wanderfahrten, Mountainbike (Verleih im Hotel), Freizeitmöglichkeiten im Dorf. Keine Kirchenglocken nachts in Aussois!

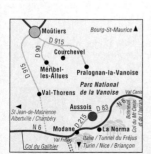

In a sunny village and ski resort, near the Vanoise Park. Alpine skiing 55 km and cross country skiing 35 km. In summer : walking, mountain bike, entertainment in the village. Possibility of videoconference. Project swimming pool. At Aussois, the church bell doesn't ring at night.

🚂 Chambery 100 km
🚉 Modane 7 km
🚗 A43 ou N6 dir. Modane

Le Vieux Moulin ★★

France

F
536

Route de Chevennes
74360 LA CHAPELLE D'ABONDANCE
Famille Dominique MAXIT
16 Chambres - Relais du Silence depuis 1990

Tél. 04 50 73 52 52
Fax 04 50 73 55 62

De mi Octobre à mi Décembre et de mi Avril à mi Mai
Ouvert tous les jours

1020 m

200

280

40

95 - 230

260 - 320

280 - 360

CC ○ TO

Dans le vaste domaine des Portes du soleil, à 300 mètres du village, des pistes de ski de fond et des navettes conduisant aux remontées mécaniques, le Vieux Moulin vous offre, été comme hiver, calme, confort et chaude ambiance montagnarde. Dominique Maxit, aux fourneaux, prépare une cuisine traditionnelle riche en spécialités régionales. Authentiques savoyards, les Maxit sont particulèrement attachés à la qualité de l'accueil et de la table.

300 m von den Skipisten entfernt, in ruhiger südlicher Lage. Gemütliche Zimmer mit allem Komfort. Gepflegte Küche vom Besitzer selbst zubereitet, herzlicher Empfang.

The hotel is located 300 m from the village. Very quiet south orientated, very comfortable rooms. Excellent local food. The best of welcomes is reserved for the guests.

Genève-Cointrau 60km

Thonon les Bains 33 km

Idéal M

F
538

419, route
74920 COM
Marc MUFF
27 Chambre

Tél. 04 50 5
Fax 04 50 5

De mi Avril au 10/06 et fin
Ouvert tous les jours

1000-2500

  350 - 525

470 - 640

62 - 64

150 - 280

438 - 560

497 - 646

CC △ AV TO

Geneve 60 km

Sallanches 8 km

A40 sortie N°20 - RN212 dir. Megève

Depuis 3 générations, la famille Muffat vous accueille dans son confortable chalet et vous régale d'une cuisine régionale et diététique. Site exceptionnel sur la chaîne du Mont-Blanc. 7 sommets de plus de 4000 m. Pistes de ski reliées à Megève. Promenades-randonnées. Piscine panoramique climatisée. Séjour idéal de repos et détente.

Chalet in überwältigend schöner Berglandschaft, 4 km von Megève entfernt. Restaurant und beheizter Swimmingpool mit Panoramablick auf den Mont Blanc. Zimmer mit Farbfernseher, gemütliche Stimmung, unaufdringliche Gastlichkeit. Vorzügliche abwechslungsreiche Küche, Savoyardische Spezialitäten.

A châlet with an exceptional view of the mountains, 4 km from Megève. Comfortable rooms, warm atmosphere, friendly welcome, high quality cooking, with Savoy specialities. Panoramic restaurant and swimming-pool (heated). Downhill and cross-country skiing. Walks at 1000 - 2500 m.

France

Tél. 04 50 54 01 00
Fax 04 50 54 00 51
nicolaj@club.internet.fr

"CS RO...

...troc-Argentiè...
...00 CHAMON...
...anne et P...
...24 Chambr...

...1993

...5/11 au 1...
...rt tous le...

25P

98 - 298

408 - 478
1/2

514 - 584

CC △ AV TO

▲ 1400 m

Genève 100 km

Montroc 200 m

Autoroute A40 Chamonix
Mont-Blanc ou Martigny (Ch)
- Col de la Forclaz

Situé en pleine nature, au pied de l'Aiguille Verte. Au cœur du "Triangle de l'Amitié", à 20 km de l'Italie et 8 km de la Suisse, "Les Becs Rouges" offrent une vue exceptionnelle sur le massif du Mont-Blanc. Point de départ idéal pour promenades et randonnées. Cuisine au rythme des saisons. Golf à 8 km.

Für all jene, die es exquisit haben möchten. "Les Becs Rouges" befindet sich mitten im "Freundes-Dreieck", 20 km von Italien und 8 km von der Schweiz, mit dem besten Panoramablick auf den Mont-Blanc und seine Gletscher. Internationales Renommé und geschätzte französische Qualität.

Overlooking the legendary glaciers of Mont-Blanc this tranquil gem of a hotel will come as a plesant surprise. A professional multi-lingual family team will attend to your every need, transforming your stay into a memorable experience. French cuisine based on the rythms of the seasons. Golf 8 km.

Le Bois Joli ★★

F 540

La Beunaz - St Paul en Chablais
74500 EVIAN
Famille BIRRAUX
24 Chambres - Relais du Silence depuis 1977

04 50 7
04 50 7.

1000

Du 20/10 au 20/12 et de début Mars à début Avril
R: Mercredi (Sauf pension et demi-pension)

	290 - 350
	300 - 360
	40
	98 - 230
	290 - 340
	320 - 360

CC ○ AV TO

Un grand chalet en pleine nature entre lac et montagnes. Nombreuses randonnées, accompagnées ou non, pour découvrir la faune et la flore avant de profiter à votre retour du tennis et de la piscine de l'hôtel. Si vous préférez une balade en voiture, Evian (12 km), Lausanne (également par bâteau), Genève, Zermatt et Chamonix s'offrent à vous facilement dans la journée.

Zwischen See und Bergen, Wanderungen zum Entdecken der Flora und Fauna, Autoausflüge nach Evian (12 km), Lausanne (per Schiff), Genf, Zermatt und Chamonix. Winter: Ski-und Langlauf in 1 km Entfernung. Sommer: Wassersport in Evian Strandnähe.

Between lake and mountains, long walks or excursions by car to Evian, Lausanne, Geneva, Zermatt and Chamonix, and to Lausanne also by boat. Winter: cross country and alpine skiing at Bernex (1 km from the hotel). Summer: water sports at Evian (10 km). Beach nearby.

Direction BERNEX
Depuis Thonon ou Evian
Lac Léman
Montreux
Thonon-les-Bains
Evian-les-Bains
N5
St Paul-en-Chablais
D21
N5
D26
D 903
Abondance
D 22
◄ Genève
D 902
D 902
Morzine
St Maurice
D 907
Bonneville
Tannines
D 4
Samoëns
A 40
N 205
Sallanches ▼

Genève 60 km

Evian 12 km

Evian direction Bernex (D21), à St Paul (D52)

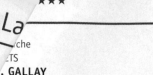

★★★

e La

...che

...TS

...**. GALLAY**

...res - Relais du Silence depuis 1989

France

Tél. 04 50 75 80 00
Fax 04 50 79 87 03

mi Juin et mi Septembre à mi Décembre

F
541

De ...es jours
O...

00 - 800
350 - 850
50
98 - 230
380 - 700
450 - 780

CC △ AV TO

Le feu qui danse dans la cheminée, les traditions montagnardes, la table délicieusement servie... toute cette ambiance chaleureuse vous attend à l'hôtel Labrador, aussi bien en été qu'en hiver, sans oublier les infrastructures proposées pour votre détente et votre remise en forme.

Der warme Schein eines Feuers im Kamin, die guten alten Traditionen der Berge, ein reich gedeckter Tisch... Mit dieser herrlichen Atmosphäre verwöhnt Sie das Hotel Labrador gerne Sommers wie Winters. Und natürlich finden Sie daneben auch alle Einrichtungen, die für Entspannung und Erholung notwendig sind.

A fire dancing in the fireplace, mountain traditions, a delicious meal on your table... this is the friendly setting that awaits you at Hotel Labrador, in summer as well as winter. Moreover, we offer facilities or relaxation and firness.

Paris
Thonon (SNCF)
Évian
Châtel
Genève
Annemasse
Morzine
Lyon (TGV)
La Roche s/Foron
Taninges
Les Gets
A 41
Cluses (SNCF)
Samoëns
A 40
Annecy
Chamonix
Tunnel du Mt Blanc
Aix-les-Bains

✈ Genève 55 km

🚂 Cluses 22 km

A40 sortie Cluses - D902 dir. Taninges

*"Sur toutes les tables,
les saveurs les plus subtiles réclament toujours le meilleur de la nature"*.

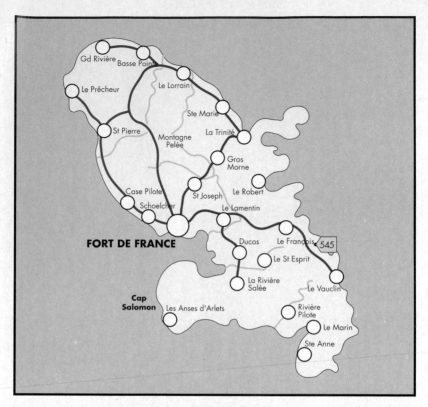

Gd Rivière
Basse Point
Le Prêcheur
Le Lorrain
Le Prêcheur
Ste Marie
St Pierre
La Trinité
Montagne
Pelée
Gros
Morne
Case Pilote
Le Robert
St Joseph
Schoelcher
Le Lamentin
FORT DE FRANCE
Ducos
Le François
545
Le St Esprit
La Rivière
Salée
Le Vauclin
**Cap
Salomon**
Les Anses d'Arlets
Rivière
Pilote
Le Marin
Ste Anne

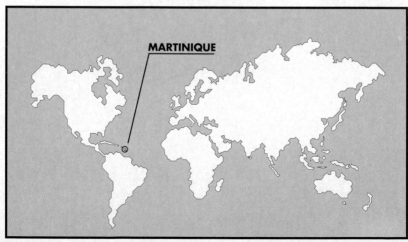

MARTINIQUE

La Frégate Bleue ★★★

France

F
545

97240 LE FRANÇOIS - MARTINIQUE
Yveline et Charles de LUCY de FOSSARIEU
7 Chambres - Relais du Silence depuis 1991

Tél. 05 96 54 55 56/54 54 66
Fax 05 96 54 78 48

Ouvert toute l'année
Ouvert tous les jours

 400 - 1000

 400 - 1200

 50

 150 - demande

1/2

CC AV TO

Un charmant hôtel-villa de style créole, accueillant et intime, en situation centrale pour la découverte de l'île, près des points d'intérêt et des superbes plages du Sud. Les vastes chambres avec kitchenette et véranda sont meublées en antillais ancien. De votre terrasse, vous découvrez une magnifique vue sur l'Atlantique et les îlets du François.

Elegante, herzliche Atmosphäre in kreolischem Stil. Zentrale Lage für Urlaubs-oder Geschäftsreisen. Nähe Strand, Sportmöglichkeiten und Excursionsausgangsunkt. Große Zimmer mit Kochnische und Veranda mit herrlichem Blick auf Atlantik und Inseln.

Elegant friendly atmosphere in creole style. Central location for holidays or business trip. Close to beaches, sports, points of interest. Large rooms with kitchenette and veranda with magnificent view to the Atlantic and islands.

 Lamentin 14 km

RN6 vers Sud. Ne pas entrer dans la ville François.

263

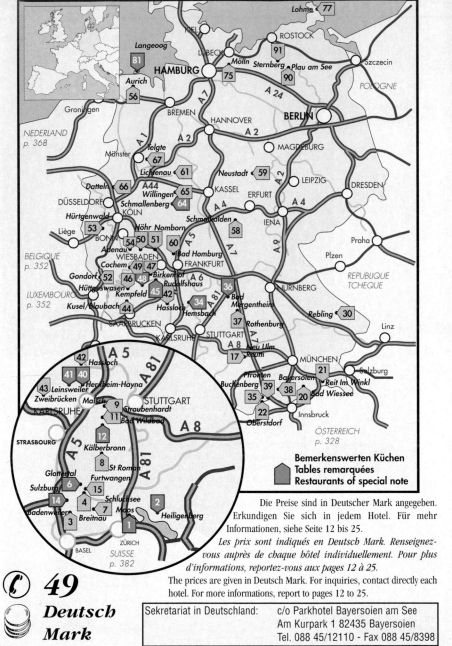

Die Preise sind in Deutscher Mark angegeben. Erkundigen Sie sich in jedem Hotel. Für mehr Informationen, siehe Seite 12 bis 25.

Les prix sont indiqués en Deutsch Mark. Renseignez-vous auprès de chaque hôtel individuellement. Pour plus d'informations, reportez-vous aux pages 12 à 25.

The prices are given in Deutsch Mark. For inquiries, contact directly each hotel. For more informations, report to pages 12 to 25.

49

Deutsch Mark

Sekretariat in Deutschland: c/o Parkhotel Bayersoien am See
Am Kurpark 1 82435 Bayersoien
Tel. 088 45/12110 - Fax 088 45/8398

Deutschland

Allemagne - Germany

Deutschland - ein Land mit vielen Gesichtern ! Im Norden - Seen, Dünen und Strände an Ost- und Nordsee, in der Mitte - hügeliges Gebiet mit Flüßen, Wäldern, Weinbergen und im Süden eine Voralpen-Landschaft mit Mittelgebirgen und Seen. Was braucht man mehr ?

Un pays aux mille visages ! Au nord, des dunes, des plages, des lacs, bordés par la Mer du Nord et la Mer Baltique. Au centre, un pays vallonné avec ses rivières, ses forêts et ses vignobles et enfin au sud, les paysages des Préalpes avec leurs monts et lacs. Que demander de plus ?

A country with a thousand faces ! In the north, dunes, beaches, lakes surrounded by the North Sea and the Baltic. In the centre, a land of valleys and rivers, forests and vineyards and finally, in the south, the landscapes of the foothills of the Alps with their peaks and lakes. What more can you ask for ?

NICHT ZU VERPASSEN.

- Kieler Woche (Segelwettbewerb) im Sommer,
- Schleswig-Holstein Musik-Festival (Mai-Sept.),
- Hamburger Fischmarkt (gangzjährig),
- Frankfurter Messen (gangzjährig),
- Kölner Karneval (Februar),
- Bayreuther Festspiele (Sommer),
- Münchner Oktoberfest (Hersbt),
- Konzertwochen in Oberbayern (Mai-Oktober),
- Badische Winzerfeste (August bis Oktober),
- Canstatter Wasen, Stuttgarter Weindorf (Herbst),
- Große Rennwoche, Baden-Baden (August).

Der Status Deutschlands als wirtschaftlich
fortschrittliches und engagiertes Land hat
eines nie ausgeschlossen: die enge
Verbundenheit zur heimatlichen
Kulturgeschichte und Tradition. Überall
liegen die Zeugnisse der Vorgangenheit
sozusagen direkt am Weg. Weltbekannte
Wahrzeichen, sagenumwobene Schlösser
und Burgen, Jahrhundertealte Gebäude
und bedeutende Baudenkmäler laden
zum Blättern im Geschichtsbuch ein. Seite
an Seite mit dem Modernen, das sich
harmonisch mit dem Vergangenen zu
einem erlebnisreichen Ganzen verbindet.

*L'Allemagne, pays de progrès
résolument tourné vers l'avenir,
n'en demeure pas moins très atta-
chée à l'histoire de sa civilisation
et aux traditions de son pays.
Les témoignages du passé sont
partout sur nos chemins. Des
emblèmes de renommée mondiale, des
forteresses et châteaux
légendaires, des constructions
centenaires et des monuments
importants nous invitent à tourner
les pages du livre d'histoire. Page
par page, le modernisme s'unit
harmonieusement au passé et
forme un tout, riche en événements.*

*Germany, an economically
progressive and committed
country, has never excluded its
attachment to the history of its
civilisation and the traditions of
its country. Testimonials of the
past are found all around.
Emblems of international renown,
fortresses and legendary castles,
century-old buildings and
important monuments invite us to
turn the pages of the history book.
Page by page, modernism
harmoniously unites with the
past and creates a rich and
eventful tapestry.*

Hotel-Restaurant Gottfried ★★★

Deutschland

D
1

Böhringerstr. 1
78345 MOOS
Gerlinde & Klaus NEIDHART
18 Zimmer - Relais du Silence seit 1993

Tél. 07732/41 61
Fax 07732/525 02

Januar
Donnerstag, Freitag bis 17.00

👤	98 - 140
👥	160 - 240
☕	inclus
✗	39 - 89
🍴 1/2	115 - 155
🍴	

CC AV

Moos est un charmant petit port sur le lac de Constance. Dans cet endroit magique, l'hôtel Gottfried est une maison traditionnelle et chaleureuse de grand confort pensée pour votre détente et votre plaisir. Une promenade à bicyclette à travers la "Höri" vous fera doublement apprécier la cuisine renommée de Klaus qui accomode pour vous avec talent les poissons du lac tout fraîchement pêchés.

Traditions-Haus im Fischerort Moos, Bodensee. Zimmer im zeitgemäßen Komfort. Entspannen Sie sich im eigenen Hallenbad oder in der Sauna nach einer Radtour auf der Höri. Nur frische Produkte à la Saison. Erlesener Weinkeller mit Spitzen jahrgängen aus 8 internationalen Anbaugebieten. Für Kenner die besondere Adresse am Bodensee.

Hotel of long tradition in Moos on the lake Constance. Rooms equipped with modern comfort. Relax in our indoor swimming-pool or in our sauna after a biking-tour across the Höri.

✈ Zürich 60 km
🚆 Radolfzell 2 km
🚗

Berghotel Baader, Restaurant ★★★

Deutschland

D 2

Salemer Str. 5
88633 HEILIGENBERG
Clemens BAADER
16 Zimmer - Relais du Silence seit 1996

Tél. 07554/80 20
Fax 07554/80 21 00

Keinen
R: Dienstag

 800 m

 70 - 90

 130 - 160

 inclus

 38 - 108

 100 - 115
1/2

CC AV

Vivez le lac de Constance dans un calme reposant. Découvrez les magnifiques paysages qui s'offrent à vous de notre terrasse panoramique. Notre carte vous propose une cuisine pleine de fraîcheur à partir des produits du lac. Le restaurant du Berghotel Baader est l'un des 100 meilleurs d'Allemagne.

Erleben Sie den Bodensee in beschaulicher Ruhe mit Landschaft, See und Kultur von der Aussichtsterrasse des Sees mit frischer Bodenseeküche. Unser Restaurant zählt zu den 100 besten in Deutschland und bietet Ihnen für Urlaub, Wochenend und Tagungsangebote die frische Bodenseeküche.

Enjoy Lake Constance in a relaxing calm atmosphere with view from the panoramic terrace of the landscape, the lake, everything that makes our culture. Cooking using fresh ingredients and products from the lake.

Friedrichshafen 30 km

Salem 10 km

269

Försterhaus Lais ★★★

Deutschland

D
3

Badstrasse 42
79410 BADENWEILER
Hubert LAIS
28 Zimmer - Relais du Silence seit 1992

Tél. 07632/821 20
Fax 07632/82 12 82

Das ganze Jahr geöffnet
Kein Ruhetag

▲ 424 m

60 - 106

136 - 212

inclus

25 - 75

84 - 130

112 - 150

CC AV

Dans le sud de la Forêt Noire, bien au calme sur un flanc de colline exposé sud ouest, un hôtel pimpant et confortable avec salon de beauté. Pour des vacances actives, ou de repos, ou de remise en forme. Grand éventail de forfaits (famille, cure, golf, Noël et St Sylvestre...).

Ruhige, idyllische Lage an den Südwesthängen des südlichen Schwarzwaldes. Behaglich eingerichtete Zimmer, Hallenbad, Sauna, Solarium, Schönheitsfarm. Entspannen Sie sich "Am Puls der Natur". Ein buntes Erholungsangebot erwartet Sie. Bitte erkundigen Sie sich auch über unsere speziellen Sonderpauschalen. Im Restaurant: saisonale und regionale Spezialitäten.

Tranquil, idyllic location on the southwestern slopes of the southern Black Forest, comfortably furnished rooms, indoor swimming pool, sauna, solarium, beauty farm.

⊹ Basel / Mulhouse 40 km

🚃 Müllhselm 8 km

🚗

Hotel Faller ★★★

D 4

im Ödenbach 5
79874 BREITNAU-HINTERZARTEN
Hans, Oliver u. Roswitha KENZLER
25 Zimmer - Relais du Silence seit 1991

Tél. 07652/10 01
Fax 07652/311

Ende November Anfang Dezember
Donnerstag

 1000 m

 80 - 100
 120 - 220
 inclus
 30 - 75
 83 - 138

A 50 km des frontières de la France et de la Suisse, en plein coeur du parc naturel de la haute Forêt Noire, l'hôtel Faller est une maison familiale et personnalisée idéalement située pour les amoureux du ski et les randonneurs. Chambres spacieuses et de grand confort, cuisine exquise et somptueux paysages.

Persönlich und familiär geführtes Haus im Naturpark Hochschwarzwald, dem Zentrum der Ski - und Wanderfreunde. Regionale und abwechslungsreiche Küche. Zimmer und Appartements mit zeitgemässem Komfort für Ihr Wohlbefinden. Schwarzwälder Gastlichkeit. Interessante Sonderwochen, Vor - und Nach-Saisonpreise.

A homely family-run hotel in the heart of the Black Forest, a popular centre for skiing and hiking. On the Black Forest Scenic Route panoramic view. Comfortable rooms and excellent cooking make your holiday unforgettable. 50 km from the borders to France and Switzerland.

Basel 60 km

Hinterzarten/Schw. 2 km

B31 von Freiburg Richtung Donaueschingen oder B 500 durch Glottertal

271

Hotel Hirschen ★★★★

D 6

Rathausweg 2
79286 GLOTTERTAL
Hermann-Josef STRECKER
54 Zimmer - Relais du Silence seit 1980

Tél. 07684/810
Fax 07684/17 13

Keinen
Montag

90 - 150

200 - 250

inclus

68 - 92

130 - 190
1/2

CC AV

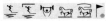

L'Hôtel Hirschen est situé dans la vallée la plus chaude de la Forêt Noire, à 14 km de Freiburg entouré des vignes les plus élevées d'Europe. De nombreuses excursions sont possibles dans la région frontalière.

Der Hirschen liegt im wärmsten Schwarzwaldtal, 14 km von Freiburg entfernt. Herrliche Ausflugsziele im Dreiländereck. Hotel und Restaurant sind international bekannt und anerkannt und bieten Ihnen das richtige Urlaubs-, Wochenend - und Tagungsangebot. Eigener Weinbau.

The "Hirschen" lies in the warmest valley of the Black Forest, 14 km from Freiburg. Magnificent day trips within the territory bordered by France and Switzerland. The internationaly renowned hotel and its restaurant offer everything for the right vacation, weekend and seminars. Own vineyards.

Karlsruhe
Emmendingen
Triberg
St. Georgen
Waldkirch
A 5
Denzlingen
St. Peter
Glottertal
Donaueschingen
Freiburg
Hinterzarten
Basel

Basel 55 km

Freiburg 9 km

A5 Abfahrt 61 (Freiburg Nord) - L294 bis Denzlingen Ausfahrt Glottertal

Heger's Parkhotel Flora

Deutschland

D
7

Sonnhalde 22
79859 SCHLUCHSEE
Hugo HEGER
34 Chambres - Neues Relais du Silence

Tél. 07656/974 20
Fax 07656/14 33

Mitte November→Mitte Dezember
Kein Ruhetag

960 m

 100 -115

 72 - 110

 inclus

 27

 30

 58

CC AV

Cette maison est l'endroit idéal pour une cure de silence et de repos à Schluchsee. Situation ensoleillée dans un petit parc naturel dominant le village, à quelques minutes du lac, de la gare et des activités de loisirs Vous apprécierez l'atmosphère chaleureuse, la qualité de l'agencement et l'excellente cuisine.

Heger's Parkhotel Flora - Ihr Ziel für Ruhe und Erholung in Schluchsee. Ruhig gelegen am Naturpark, auf einer sonnigen Anhöhe. Nur wenige Minuten zum See, zum Bahnhof und zu den Freizeiteinrichtungen. Geschätzt für die familiäre Atmosphäre, die gediegene Einrichtung und die exzellente Küche.

The ideal place to relax in Schluchsee. Situated right next to the peaceful "Naturpark" on a sunny hillside. Only a few minutes to the lake, the station and leisure facilities. Appreciated for its home-like atmosphere, the quality of its equipment and the excellent food.

Zürich Kloten 80 km

Schluchsee 1km

Aus Richtung
Freiburg/Donaueschingen :
B31 - B500

273

Hotel Landgasthof Adler ★★★

Deutschland

D 8

St Roman 14
77709 WOLFACH-ST ROMAN
Familie HAAS
29 Zimmer - Neues Relais du Silence

Tél. 07836/937 80
Fax 07836/74 34

07/01→25/01
R: Montag

▲ 700 m

👤 81 - 84

👥 120 - 160

🛏 14

✗ 25 - 70

 81 - 103

 91 - 113

CC AV

"Maison exceptionnelle de la région Ortenau". L'hôtel Adler s'est vu décerner cette mention pour de multiples raisons : son bel environnement de hautes prairies, l'accueil charmant, le confort raffiné, la décoration typique, la cuisine réalisée à partir des produits de sa propre ferme biologique. Espace de jeux pour enfants.

Unser Haus, ausgezeichnet mit dem Prädikat "Top Haus der Ortenau" liegt in einer idyllischen Lage. Ausgangspunkt für Ausflüge und Wanderungen. Wir bieten Wild- und Fischgerichte sowie Besonderes aus eigener biologischer Landwirtschaft und Schlachtung. Eigene Konditorei. Kinderspielplatz. Wildgehege.

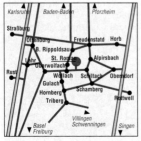

Our house, given the title "Top house of the Ortenau region", is situated in an idyllic site. Starting-point of excursions and walking tours. Excellent game and fish menus as well as specialities. Coming from our own biological farm, butchery and confectionery ; playground for children, game preserve.

🛬 Straßburg 60 km

🚉 Wolfach 10 km

🚗 A5 Ausfahrt Offenburg, B33
bis Hausach, L295 Richtung
Rottweil

Landhotel Adlerhof ★★★

Deutschland

D 9

Mönchstraße 14
75334 STRAUBENHARDT
Ernst und Anita WOLFINGER
21 Zimmer - Relais du Silence seit 1996

Tél. 07082/923 40
Fax 07082/923 41 30

Januar
R: Montag

 500 m

 75 - 85

 140 - 190

 inclus

 25 - 85

 84 - 167

 90 - 113

CC

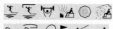

En pleine Forêt Noire, l'Adlerhof offre une vue panoramique sur la campagne et d'inoubliables paysages. Cuisine locale et classique, vins nationaux et internationaux. Le forfait WE inclut un vol en planeur. Location de bicyclettes. Meetings et randonnées. Pforzheim 15 km, Karlsruhe 25 km.

Umgeben von Tannen, Flüßen und Weinbergen, in großer Parklandschaft. Unvergesslicher Panoramablick. Pforzheim 15 km, Karlsruhe 25 km. Regionale bis klassische Küche; nationale und internationale Weine. Wochenendangebote mit Segelflug, Fahrradverleih. Tagungen und Wandern.

Surrounded by firs, rivers and vineyards, in a wide scenic park. The panorama is an unforgettable view. 15 km from Pforzheim, 25 from Karlsruhe. Local and classic cuisine; international wines. Gliding, bicycles, hiking.

Stuttgart 70 km

Wenenbürg 5 km

A5 Karlsruhe, Ettlingen, Marxzell Straubenhardt/A8 Pforzheim, Birkenfeld, Straubenhardt

275

275

Kurhotel Valsana am Kurpark ★★★★

Deutschland

D 11

Kernerstraße 182
75323 BAD WILDBAD
A. ROTHFUSS u. C. KLITTICH
35 Zimmer - Relais du Silence seit 1985

Tél. 07081/15 10
Fax 07081/151 99

15/11→20/12
Montag

450 m

 102 - 150

 190 - 200

 inclus

 25 - 45

 30

 45

 CC AV

L'Hôtel Valsana est le lieu idéal pour des séjours de repos et de remise en forme. Environnés de belle nature, vous apprécierez le confort de ses vastes chambres avec terrasse, de ses restaurants, tavernes où vous seront servis une cuisine typique ou diététique et des vins régionaux. Possibilités de cure (traitements thérapeutiques et médicaux sur place). Bus à l'hôtel.

Erholen Sie sich ! Großzügige Apartments, Restaurant, Café-Terrasse, Wintergarten, Weinstube, Hotelbus; kreative, ideenreiche Küche auf regionaler und internationaler Basis (Fisch, Geflügel und leichte Kost). Regionale Weine, Kurmöglichkeit (med.u.therap. Anwendungen im Hause, Arzt).

Enjoy your spacious comfortable rooms with terrace, restaurant, café-terrace, wine-tavern, hotel bus, typical cooking of the region (fish, poultry and light dishes), prestigious wines of Baden-Württemberg. Medical and physical treatments in the house.

Stuttgart 80 km

Bad Wildbad 2 km

A8 Ausf. Pferzheim West-Narenbürg-Calmbach-Bad Wildbad durch Tunnel fahren

Hotel Waldsägmühle ★★★

D 12

Kälberbronn Kr. Freudenstadt
72285 PFALZGRAFENWEILER
Hans ZIEGLER
38 Zimmer - Relais du Silence seit 1991

Tél. 07445/851 50
Fax 07445/67 50

Anfang Januar - Anfang Februar
Sonntag ab 14.00 und Montag (nur Restaurant)

▲ 630 m

 75 - 110

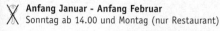 135 - 210

 inclus

 30 - 85

 105 - 135

 130 - 160

CC AV

Situé au calme dans le parc national de la vallée de Zinbach à 2 km de la route nationale B28. Navette entre l'Hôtel et la gare ou l'aéroport. Prix spéciaux pour les week-ends. Cuisine régionale et internationale, menus gastronomiques.

Ruhig gelegen im Landschaftsschutzgebiet des oberen Zinsbachtales. 2 km zur Bundesstrasse 28. Hotelbusservice zum Bahnhof oder Flughafen. Preiswerte Wochenendangebote, Schlemmermenüs mit regionalen und internationalen Gerichten. Ideale ebene Wanderwege in einer Höhenlage von 630 ü.M. 15km östlich von Freudenstadt im nördlichen Schwarzwald.

Pleasantly situated in the peace of the Zinsbach Valley National Parc, 2 km to route B 28. Shuttle service from the hotel to train station and airport. Good value week-end offers, gourmet regional and international meals. Ideal walks at 630 m above sea-level - no gradients. East of Freudenstadt in the northern Black Forest.

✈ Stuttgart 75 km

🚆 Freudenstadt Hbf 15km

🚗

277

Waldhotel "Bad Sulzburg" ★★★★

Deutschland

D 14

BADSTRASSE 67 - SCHWARZWALD
79295 SULZBURG
Roland und Luitgard AMORI
35 Zimmer - Relais du Silence seit 1978

Tél. 07634/82 70
Fax 07634/82 12

07/01→15/02/98
Keinen

 460 m

 92 - 105

148 - 196

inclus

45 - 80

 110 - 134
1/2

CC

A mbiance chaleureuse dans le calme absolu d'une très romantique vallée de la Forêt Noire. Situation solitaire exceptionnelle à proximité des frontières franco-suisse-allemandes. Délicieuse cuisine des saisons et très belle carte des vins.

R omantische Einzellage im verträumten Sulzbachtal. Ausgangspunkt für zahlreiche Wanderungen (45 km Terrain-Kurwege). Eine Insel der Abgeschiedenheit im Dreiländereck D/F/CH. Autobahn-Anschlüsse Bad Krozingen und Müllheim (15 km). Anerkannte Gastronomie und bemerkenswerte Weinkarte. Spezialitäten : Schwarwaldforelle mit Wildkräutersauce ; Wild- und Lammgerichte nach Saison.

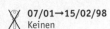

C harming lodge set in a romantic Black Forest valley. Sits alone in quiet surroundings. Ideal base for walking and touring. Delicious seasonal menues and à la carte ; remarkable wine list. Near (20 km) the French-Swiss-German borders. 20 min. drive from highway exits Bad Krozingen and Müllheim.

Mulhouse-Bâle 45 km

Heitersheim 10 km

A5 Bad Krozingen oder Müllheim jeweils Entfernng 15 km

Goldener Rabe ★★

Deutschland

D
15

Raben 7 - Schwarzwald
78120 FURTWANGEN
Roswitha & Robert EHRATH
12 Zimmer - Relais du Silence seit 1976

Tél. 07723/73 97
Fax 07723/56 95

Mitte Nov. - Dez 15.
Freitag

1054 m

 32 - 47

64 - 94

 inclus

16 - 34

 48 - 63

 60 - 75

CC AV

Site superbe dans la Haute Forêt Noire, paradis pour randonneurs. Paysages magnifiques sur les Vosges et les Alpes Suisses. Neige assurée pour le ski. Location de matériel près de l'hôtel. Le Goldener Rabe est un refuge de calme à l'atmosphère chaleureuse. Cuisine de chef.

Ruhige Lage in Schönster Schwarzwaldlandschaft. Idealer Aüfenthat zu jeder Jahreszeit. Wander, Rad und Skigebiet. Herrliche Ausflugsziele im Dreiländereck.

High in the Black Forest, wonderful walks with view to the Vosges and Swiss Alps. Skiing assured and a shop to rent the necessary. Swimming pools and ski-lifts not far away. A quiet hotel with a warm atmosphere, and the Chef himself will spoil you with his cooking.

Stuttgart 100 km

Trieberg 15 km

Landhof Meinl ★★★

Deutschland

D 17

Marbacherstr. 4
89233 NEU ULM/REUTTI
Fam WILLI und Gerda MEINL
30 Zimmer - Relais du Silence seit 1996

Tél. 0731/705 20
Fax 0731/705 22 22
rmeinl@ad.com

 24/12/97→10/01/98
Sonntag

 528 m

 98 - 138

 130 - 170

 inclus

 30 - 90

 90 - 120

 AV

A 8 km du centre d'Ulm, dans la commune de Reutti, environné de prairies en fleurs et de champs. L'Hôtel est dirigé par la famille Meinl. Vous serez accueilli avec beaucoup de gentillesse et pourrez goûter à l'ambiance sympathique de cette confortable maison . Massages médicaux, solarium, billard, vélos. Vue panoramique.

Ruhiges familiär geführtes Hotel im dörflichen Vorort Reutti, inmitten grüner Wiesen und Felder, 8 km von der Stadtmitte Ulm, mit jeglichem Komfort: Sauna, Massagepraxis, Solarium, Billard, Fahrräder, Liegewiese, Gartenterrasse mit Panoramablick.

Quiet hotel in the rustic suburb of Reutti amidst blooming meadows in the open country, 8 km to the heart of Ulm, with all the luxury you can think of: sauna, massage, facilities (with authorized masseurs), solarium, billiards, bicycles, outdoor recreation, terrace in the garden with panoramic view.

Stuttgart 90 km

Ulm 10 km

A7 Ausfahrt Nersingen -
Richtung Neu-Ulm, 3. Ampel
links, 5 km nach Reutti

Landhaus Hotel Sapplfeld ★★★★

Deutschland

D
20

Im Sapplfeld 8
83707 BAD WIESSEE
Christian KLUMPP
14 Zimmer - Relais du Silence seit 1978

Tél. 08022/984 70
Fax 08022/835 60

Keinen
Kein Ruhetag

 735 m

142 - 192

234 - 324

inclus

160 - 200

CC AV TO

L'hôtel Sapplfeld sait jouer le charme pour vous séduire et vous retenir. Dans cette jolie maison de style bavarois, au calme, en bordure de lac, vous trouverez une ambiance intime et confortable, une cuisine très soignée, ainsi que tous les équipements de remise en forme et un institut de beauté. De plus Bad Wiessee offre la possibilité de pratiquer tous les sports. Forfaits forme, beauté et périodes de promotion.

Ruhige Lage nahe am See, Bayerischer Stil, anspruchsvoll im Komfort: Sauna, Solarium, Fitnessraum, Hallenbad, Schönheitsfarm, Fango, Massage, Arzt. Wiessee bietet alle sportlichen Möglichkeiten. Günstige Frühjahrs- und Pauschalwochen.

Tranquil location by the lake, Bavarian style, ambitious in comfort: sauna, solarium, fitness room, indoor swimming-pool, beauty farm, mud-baths, hotel doctor. Lake Wies offers all sports opportunities.

München-Erding 105 km

Bahnhof Gmund 4 km

Hotel Steinbacher Hof ★★★★

Deutschland

D
21

Steinbachweg 10
83242 REIT IM WINKL
Friedrich ENTHAMMER
57 Zimmer - Relais du Silence seit 1997

Tél. 08640/80 70
Fax 08640/80 71 00

 Anfang November bis Mitte Dezember
Kein Ruhetag

 🏔 **700 m**

👤 102 - 172
👥 174 - 336
☕ inclus
🍴 25 - 59
🍽 1/2 36
🍽

AV TO

Environné de prairies et de forêts, le Steinbacher Hof est un hôtel de grand confort, rustique et élégant. On y sert une cuisine créative et les spécialités du pays. La famille Enthammer veille personnellement sur votre bien-être et propose un riche programme de divertissements pour des vacances inoubliables.

Gehobenes Ferienhotel in herrlicher Einzellage inmitten eigener Wiesen und Wälder. Unsere rustikal-eleganten Restaurants bieten Ihnen kulinarische Genüsse aus der heimischen und alpenländischen Region. Unser eigener Veranstaltungskalender bringt Ihnen viel Abwechslung in den Urlaub !

Upper middle classy hotel situated in the midst of its owner's grassy fields and woods. Our elegant country-style restaurants offer you culinary delights of the Bavarian and Alpine region. Our own calendar of events will provide you with a lot of different and interesting activities in your holidays.

[Map showing: München, Chiemsee, Prien, Traunstein, Salzburg, E 14, E 11, E 86, Bernau, Ruhpolding, Inzell, Bad Reichenhall, Kufstein, Reit im Winkl, Berchtesgaden, Kitzbühel, Königsee, Innsbruck]

🚆 Salzburg 70 km
🚃 Ruhpolding 25 km
🚗 A8 Ausfahrt Bernau / Reit im Winkl

Hotel Nebelhornblick ★★★★

Deutschland

D 22

Allgäu - Kornau 49
87561 OBERSTDORF
Familie GRAS
27 Zimmer - Relais du Silence seit 1997

Tél. 08322/964 20
Fax 08322/96 42 50

 R: Mitte November bis Mitte Dezember
R: Sonntag

 940 m

70 - 95

120 - 300

inclus

97 - 177

AV

Hôtel fleuri en Allgäu au-dessus de Kornau, charmant et calme petit village près d'Oberstdorf. Idéal pour vos vacances dans une belle région. Le restaurant est réservé aux clients de l'hôtel. Chambres non fumeur. Suites de grand confort avec lits de 2,10 m. Forfaits intéressants.

Das Blumenhotel im Allgäu, über dem ruhig gelegenen liebenswerten Oberstdorfer Ortsteil Kornau, am Eingang zum Kleinwalsertal. Ein Ferienhotel in schönster Landschaft. Restaurant nur für Hausgäste. Aufenthaltsräume mit Kachelofen, Nichtraucherräume. Große Apartments mit Wohnteil, teils 2,10 lange Betten. Sonder-arrangements.

The "flower hotel" located in the quiet charming village of Kornau near Oberstdorf for holidays in a beautiful landscape. Restaurant for hotel-guests only. Rooms for non-smokers. Comfortable suites with king-size beds. Special rates possible.

Stuttgart/München 200 km

Oberstdorf 3 km

A7 Richtung Oberstdorf, dann Richtung kleinwalsertal 2. Einfahrt Kornau

Hotel Reblingerhof ★★★★

 Deutschland

 D 30

Kreisstr. 3
94505 BERNRIED-REBLING
Familie KRAUßPETER
14 Zimmer - Relais du Silence seit 1983

Tél. 09905/555
Fax 09905/18 39

Keinen
Montag

 700 m

86
124 - 198
inclus
25
87 - 124
anfrage

CC AV TO

Une maison ensoleillée du matin au soir au cœur d'une nature magnifique, une vue panoramique unique de la vallée du Danube aux Alpes, le confort personnalisé et intime d'un intérieur bavarois... Tout pour réussir d'heureuses vacances. Piste en asphalte propre à l'hôtel (été et hiver), enclos à gibier, chemins forestiers devant la porte, pédalos, parcours d'entrainement, VTT, mini golf pour jogging.

Sonnige Lage, herrliche Natur und Panoramablick über das Donau-Tal bis zu den Alpen. Bayerische Ausstattung und Atmosphäre mit Komfort. Hauseigene Asphaltstockbahn (Sommer + Winter), Hallenbad, Sauna, Wildgehege, Wald-Wassertretanlage, Trimmpfad.

Sunshine from morning to night, magnificent nature, panoramic view over the Danube valley to the Alps. Bavarian interior design and personal comfort. Terrific sports activities from indoor swimming to walks and mountain biking in the woods.

✈ München 100 km

🚆 Deggendorf 15km

🚗 A3 Ausfahrt Metten oder
Deggendorf - Egg -
Edenstetten - Leithen

Der Watzenhof ★★★

Deutschland

D
34

Bergstraße
69502 HEMSBACH
Familie RÜCKER
13 Zimmer - Relais du Silence seit 1995

Tél. 06201/77 67
Fax 06201/737 77

 Januar
Sonntag 14h30 - Montag 17h30

 125 - 165

165 - 210

inclus

40 - 65

1/2

cc AV

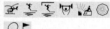

Une inscription datée de 1153 atteste du passé du Watzenhof qui a connu une histoire mouvementée. Acheté par Franz et Anny Rücker en 1937, il fut d'abord petite buvette puis hôtel restaurant en 1958. Toute la famille exprime son sens de l'hospitalité dans le plaisir de vous satisfaire.

Die wechselvolle historische Vergangenheit des Watzenhof beweist eine Inschrift von 1153. 1937 von Franz und Anny Rücher gekauft, diente er anfangs als kleine Jause und wurde 1958 Hotel und Restaurant. Die ganze Familie entbietet Ihnen ihre Gastfreundschaft zu Ihrer vollen Zufriedenheit.

Autobahn Frankfurt Basel
A 67
A 5
Darmstadt
Hotel Watzenhof
Hemsbach
Nieder-liebersbach
Autobahn Saarbrücken
A 6
Mannheim
B 38 A
Tunnel B 38 A
Weinheim
B 38
B 3
Birkenau
A 6
Autobahn Köln-Heidelberg
Heidelberg

The Watzenhof experienced an ever-changing historical past as an inscription dating back to 1153 proves. Bought by Franz and Anny Rücher in 1937, it first was a small station for refeshments, in 1958 turned hotel and restaurant. The entire family offers you hospitality for your satisfaction.

✈ Frankfurt/Main 55 km

🚆 Weinheim/Bergstraße 7 km

🚗 A5 Ausfahrt Hemsbach,
Hemsbach B3 Links Abbiegen
2,5 km

Hotel Schwarzer Bock ★★★

Deutschland

D
35

Hölzers 169 Buchenberg Allgäu
87474 LUFTKURORT BUCHENBERG ALLGÄU
Sigurd und Steffi ABELE
20 Zimmer - Relais du Silence seit 1978

Tél. 08378/940 50
Fax 08378/94 05 20

Kein Ruhetag

 860 m

 78 - 125

 150 - 190

 inclus

 30 - 50

 105 - 125

CC AV TO

Entre le Lac de Constance et les châteaux de Louis II de Bavière, hôtel typique récemment rénové. Excellent restaurant et la "Hölzerstube" pour déguster une fondue. Bar à cocktails, salon de lecture et belle cheminée. Centre d'esthétique. Tout pour des vacances réussies à coup sûr.

Renoviertes Hôtel im gemütlichen Landhausstil zwischen Bodensee und Königsschlössern. Lassen Sie sich verwöhnen beim Fondue-Essen in der Hölzlerstube oder bei einem Menü in Abeles feinem Restaurant. Kosmetikstube, Tennishalle, Cocktailbar mit Lesehalle und offenem Kamin verschönern Ihren Aufenthalt.

Würzburg Augsburg
A 8   A 8
Ulm   17
Landsberg A 96
18
Kempten 17   A 95 München
Füssen   Salzburg
(Isny) Buchenberg Garmisch Innsbruck
Lindau Oberstdorf

Stuttgart 150 km

Kempten HBF 8 km

Recently renovated hotel in comfortable country style, well-sited between Lake Constance and the castles of King Ludwig II. Enjoy a fondue in the "Hölzerstube" or a fine menu in Abele's excellent restaurant. Beauty salon, indoor and outdoor tennis courts, cocktail bar with lounge and open fire place will make your stay pleasant.

Hotel Bundschu ★★★

D 36

Cronbergstraße 15
97980 BAD MERGENTHEIM
Familie BUNDSCHU
50 Zimmer - Relais du Silence seit 1988

Tél. 07931/93 30
Fax 07931/93 36 33

H: 04/01→15/01
R: Montag

👤	115 - 150
👥	150 - 210
☕	inclus
🍴	35 - 69
🍽 1/2	110 - 140
🍽	125 - 155

CC AV TO

Emplacement idéal sur la "Route Romantique" à côté de la vieille ville. Toutes activités sportives à maximum 1 km (piscines, sauna, tennis, golf). Cuisine du marché. Arrangements pour vacances, séminaires et tour opérators.

An der Romantischen Straße, willkommen in unserem ruhigen, geschmackvoll eingerichteten und liebevoll geführten Hotel und Restaurant. Günstig am Ortsrand, alten Ortskern, Schloß, den Parkanlagen, Sport- u. Freizeitmöglichkeiten. Unsere feine leichte Küche des Chefs wird Sie verwöhnen. Ideal für Ferien und Wochenende. Tagesausflüge nach Rothenburg-Wertheim, Würzburg, Schwäbisch Hall, durch ruhige Täler und Weinorte.

Ideally situated on the Romantic Route by the old town with its castle, parks and spa garden. All sports on location. Family-run house with very fine and fresh Swabian cuisine. Special arrangements for groups, weekends, holidays and seminars.

Frankfurt 120 km

Bad Mergentheim 1 km

Direkt an der Romantischen Straße B19. Abzweig: Beschilderung-Hinweisschild beachten!

287

Burg-Hotel ★★★

D 37

Klostergasse 1-3
91541 ROTHENBURG ob der Tauber
Gabriele BERGER-KLATTE
15 Zimmer - Relais du Silence seit 1997

Tél. 09861/948 90
Fax 09861/94 89 40

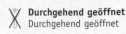
Durchgehend geöffnet
Durchgehend geöffnet

🔺 426 m

 160 - 180
 180 - 300
 inclus
✕
 1/2

CC AV

Très belle situation avec vue magnifique au centre de la ville moyen-âgeuse la mieux préservée d'Allemagne.

Ruhige Lage mit herrlicher Aussicht und doch zentral in der besterhaltenen mittelalterlichen Stadt Deutschlands.

Very quiet and beautiful situation with breathtaking view in the heart of Germany's best preserved medieval city.

✈ Frankfurt/Main 250 km
🚆 Rothenburg 2 km
🚗 A7 Rothenburg - Stadtmitte

Parkhotel Bayersoien ★★★★

Deutschland

D
38

Am Kurpark 1
82435 BAD BAYERSOIEN AM SEE
Familie Dr. FEHLE-FRIEDEL
59 Zimmer - Relais du Silence seit 1991

Tél. 08845/120
Fax 08845/83 98 u. 96 95

Keinen
Kein Ruhetag

 812 m

145 - 190
198 - 260
inclus
35 - 85
 134 - 165
 159 - 190

AV TO

Merveilleusement situé entre le parc thermal et le lac, près des chateaux de Louis II et de la mondialement célèbre église de Wies. Une belle maison où rien ne manque. Excellente cuisine, centre thermal et de remise en forme. Forfaits beauté, forme et bains de boue.

Bestlage, unverbaubar, zwischen Kurpark und See, ein großzügig ausgestattetes Haus mit dem Flair eines Landhauses. Moderne Kur- und Wellnessabteilung mit Schönheitsfarm, Naturmoorbädern, Massagen, Spezialtherapien und F.X. Mayr-Kuren. 180 km Wanderwege. Exquisite Küche, ganz in der Nähe der Königsschlösser und der Wieskirche.

Optimum location between the park and the lake, 180 km of footpaths, exquisite cuisine, modern spa and wellness-complex. Near the castles of Dream-King Ludwig II. The world famous Wieskirche, Ettal monastery and Oberammergau. Special arrangements for beauty and wellness, mudbaths.

✈ München 120 km
🚆 Saulgrub 4 km

Hotel Bavaria ★★★★

Deutschland

D 39

Kienbergstr. 62
87459 PFRONTEN-DORF
Joachim und Claudia WOHLFART
45 Zimmer - Relais du Silence seit 1994

Tél. 08363/90 20
Fax 08363/68 15

November
Kein Ruhetag

 900 m

110 - 155
220 - 390
inclus
25 - 95
119 - 225
149 - 255

CC AV TO

Elégance, charme et hospitalité d'un hôtel aménagé dans le style maison de campagne, au calme, offrant de magnifiques vues sur les prés et les montagnes. Endroit idéal pour reprendre des forces ou passer des vacances actives : randonnées, tous les sports, excursions et visites (châteaux royaux).

Exklusives Haus mit viel Ambiente in allen Räumlichkeiten. Ruhige Lage, herrliche Aussicht auf die umliegenden Wiesen, Wälder und die Bayr. Alpen. Ideales Ferienziel für Erholungs- und Aktivurlaub. Wanderwege direkt am Haus, vielfältige Möglichkeiten für Ausflüge und Besichtigungen (Königsschlösser).

First class hotel with charming, cosy atmosphere. Situated in a lovely, quiet area, surrounded by meadows and mountains, offering terrific views. Ideal place for relaxing or active holidays with walks, hiking tours, various kinds of sports, excursions or sight seeing (royal castles).

Stuttgart 200 km
Pfronten-Ried 2 km
A7 bis Ausf. Pfronten/
Nesselwang, in Pfronten
Richtung Reutte/Tirol

Hotel "Krone" ★★★★

Deutschland

D
40

Hauptstr. 60-66
76863 HERXHEIM-HAYNA
Karl KUNTZ
43 Zimmer - Relais du Silence seit 1985

Tél. 07276/50 80
Fax 07276/508 14

R: ersten 14 Tage i. Januar 14 Tage Ende Juli/Anf. Aug.
R: Dienstag, aber für Hausgäste geöffnet

138 - 198

198 - 255

inclus

125 - 155

130 - offen

158 - offen

CC

L'hôtel situé au cœur d'un village historique, vous offre l'hospitalité palatine typique du pays avec l'accueil et le confort à la française. Un des 25 meilleurs restaurants d'Allemagne.

Die "Krone", idyllisch in einem Fachwerkdorf gelegen, bietet Ihnen persönliche Pfälzer Gastlichkeit und aus Frankreich inspirierte Hotellerie mit zweihundertjähriger Tradition. Architektonisches Design nach zeitgenössischem Standard in Perfektion. Der anerkannte Küchenmeister und Konditor verspricht kulinarische Abenteuer. Sport : Hallenbad, Solarium, Kegelbahn, Tennis.

Situated in a historic village, offering German Palatinate hospitality as well as French style, with a 200 year tradition. Architectual design for all suites and rooms to contemporary standards and perfection. The highly decorated Chef and Confectioner guarantees culinary adventures. Sports : indoor swimming pool, solarium, bowling alley, tennis.

Stuttgart/Frankfurt 100 km

Kandel 5 km

A65 Richtung Landau,
Abfahrt Kandel Nord, dann
Richtung Herxheim

Leinsweiler Hof ★★★★

Deutschland

 D 41

Weinstrasse
76829 LEINSWEILER
Waltraud und Arnold NEU
59 Zimmer - Relais du Silence seit 1989

Tél. 06345/40 90
Fax 06345/36 14

Anfang→Mitte Januar
So ab 15 Uhr Mo ganz.

100 - 130

180 - 230

inclus

36 - 98

1/2 126 - 151

Anfrage

CC AV

Un hôtel de grand confort dans un pittoresque village entouré de vignobles, près de la forêt du Palatinat, à 20 km de la France. L'atmosphère y est familiale, la cuisine renommée et la carte offre un grand choix de vins. Terrasse. Nombreuses fêtes et animations. Concerts. Dégustations de vins.

Mitten im Meer von Reben, umgeben von Burgen und Schlössern, 20 km zur französischen Grenze, malerische Weindörfer, 65 km Wanderwege, Musikwochen, Galerien, Museen, Ausflugsfahrten, Weinfeste, mehrfach ausgezeichnete Küche und Weinkarte, familiäre Atmophäre, Sandstein-Gewölbekeller.

Situated in vineyards near the forest, surrounded by fortressed and legendary castles, 20 km to the French border, 65 km forest paths. Weeks of classic music, galeries, museums, sightseeing tours, wine-festival. Famous cuisine, selected and excellent wines, family atmosphere. Special summer prices.

Stuttgart 90 km

Landau 10 km

A65 bis Landau-Nord, auf B10 Richtung Annweiler, nach 7km Abfahrt Leinsweiler

Hotel Sägmühle ★★★

Deutschland

D
42

Sägmühlweg 140
67454 HAßLOCH
Heinz MARNETH
27 Zimmer - Relais du Silence seit 1991

Tél. 06324/929 10
Fax 06324/92 91 60

Keinen
Kein Ruhetag

 85 - 115

 135 - 165

 inclus

 32,50 - 75

 99,50 - 114,50

 auf Anfrage

 CC AV

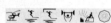

Le "charme d'hier", l'ambiance raffinée, les chambres aménagées avec tout le confort moderne, ainsi qu'une cuisine recherchée, donnent à notre maison un cachet tout particulier. Grand choix d'activités à proximité.

Der "Zauber von gestern", stilvolles Ambiente, mit modernem Komfort ausgestattete Gästezimmer sowie eine anspruchsvolle Küche geben unserem Haus eine besondere Note. Für einen abwechslungsreichen Aufenthalt bieten sich in der nahen Umgebung zahlreiche Möglichkeiten.

The "enchantment of yore", stylish surroundings, guest rooms with modern comfort, and high-quality cuisine give our house that special touch. Great choice for activities in the vicinity.

Frankfurt 100 km

Haßloch 2 km

A65 Ausfahrt Haßloch, Umgehungsstr. Ausfahrt Haßloch-Ost, bis Esso-Station, dann links ab

Hotel "Europas Rosengarten" ★★★

Deutschland

D
43

Rosengartenstr. 60
66482 ZWEIBRÜCKEN
Familie ZADRA u. Herr Peter HERRMANN
47 Zimmer - Relais du Silence seit 1996

Tél. 06332/97 70
Fax 06332/97 72 22

Keinen
Kein Ruhetag

118 - 125

156 - 165

inclus

25 - 75

108 - 112

148 - 152

 AV

Situation centrale mais néanmoins tranquille, idéale pour séjours de détente ou de travail. Vous serez séduits en été par la douceur des terrasses de notre jardin et en hiver par la féerie du "jardin des lumières". Gastronomie à thèmes tout au long de l'année. Vue superbe sur la plus grande roseraie d'Europe.

Die ruhige und doch zentrale Lage ist ideal für Kurzurlaub oder Tagungen. Im Sommer genießen Sie unsere Gartenterrasse - im Winter den Blick auf den Lichtergarten. Ganzjährig wechselnde Restaurant-Aktionen. Fragen Sie nach unseren Arrangements. Blick auf einen der größten Rosengärten Europas.

The central but quiet location is perfect for short trips or meetings. In summertime you can enjoy our beautiful garden terrace - in winter the view of the illuminated garden. Throughout the year we have gastronomic events. View over one Europe's largest rose gardens.

✈ Saarbrücken 30 km

🚆 Homburg 10 km

🚗 A8, Abfahrt Zweibrücken, Richtung Innenstadt, Europas Rosengarten

Hotel Reweschnier ★★★

D 44

Kuseler-Str 5
66869 BLAUBACH
Karl-Heinz CLOS
29 Zimmer - Relais du Silence seit 1997

Tél. 06381/92 38 00
Fax 06381/92 38 80

Keinen
R: Januar über Mittag geschlossen

🛏	82 - 102
🛏🛏	133 - 165
☕	inclus
🍴	25 - 58
🍽 1/2	93 - 109
🍽	105 - 122

CC AV

Hôtel de charme, loin du stress quotidien, situé dans un cadre de verdure, entouré de prairies et de champs. Hospitalité palatinoise, excellente cuisine régionale et internationale. Week-ends gastronomiques, Grill couvert. Randonnées pédestres guidées au château-fort. Nombreuses promenades.

Landhotel, fernab von jeglichem Stress, idyllisch gelegen, umgeben von Wiesen u. Feldern gepaart mit Pfälzer Gastlichkeit und exzellenter Küche, die einheimische sowie internationale Spezialitäten anbietet. Arrangements: Gourmetwochenende, Bürg. Grillhütte, Tennis, Golf 9 Loch, Wandern.

Country hotel, away from stress, idyllic location, surrounded by meadows and fields. Palatinate hospitality and Excellent cuisine. Regional as well as international specialities. Arrangements: Gourmet weekend with guided tour to the nearby castle, country cottage, Golf- 9 hole, tennis, hiking.

🛫 Saarbrücken 60 km
🚆 Kusel 3 km
🚗 A6 Saarbrücken-Mannheim
Ausfahrt A62 Landstühler
Kreik Abfahrt Küsel

Hotel Forellenhof ★★★

Deutschland

Reinhartsmühle
55606 RUDOLFSHAUS
Manuela und Gerd WECKMÜLLER
30 Zimmer - Relais du Silence seit 1983

Tél. 06544/373
Fax 06544/10 80

Anfang Januar→Anfang März
R: Montag

 90 - 100

150 - 170

inclus

35 - 95

1/2 100 - 125

auf Anfrage

CC AV TO

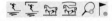

Un calme parfait et l'hospitalité exquise de cette maison vous attendent dans un lieu idéal pour la pêche à la ligne et les balades à pied ou à bicyclette. Produits de notre propre élevage (poissons et bœuf Galloway), liqueurs, gâteaux. Grands vins régionaux. Grande terrasse au bord de l'eau. Forfait avec vin, verdure et eau douce.

Absolute Ruhe gepaart mit erlesener Gastlichkeit in einem herrlichen Angel- und Wanderparadies. Pauschalangebote mit Wein, Weiher und Wald. Die Küche wurde in Hotelführern ausgezeichnet - eigene Forellen- und Galloway-Rinderzucht sowie Wurst, Liköre und Kuchen.

Hospitality and tranquility of this hotel await you in the midst of a beautiful area, ideal for fishing and walking. We breed our own salmon and Galloways and make our own cold meats, liqueurs and cakes. Great local wines.

Hahn 20 km

Kirn 10 km

A61, Ausfahrt Bad Kreuznach, B41 bis Kirn, Richtung Rhaunen

Gethmanns Hochwaldhotel ★★★

Deutschland

D 46

Bundesstr. 269
55743 HÜTTGESWASEN-ALLENBACH
Hans GETHMANN
26 Zimmer - Relais du Silence seit 1976

Tél. 06782/888- 98 60
Fax 06782/880

05→25/12
Kein Ruhetag

 700 m

100 - 115

130 - 160

inclus

18 - 45

1/2   110 - 130

120 - 140

 AV

Chez Gethmann dont le nom signifie "on y va", on y va volontiers en effet. Depuis plus de 160 ans, la maison garantit une chaude hospitalité à l'ambiance familiale. Au cœur d'un magnifique paradis pour randonnées, découvrir la faune et la flore, jouir d'un confort hôtelier des plus agréables, se détendre à fond. Tout cela vous est offert au pays des pierres précieuses et minéraux.

"Zu Gethmann geth man". Seit 160 Jahren familiäre Gastlichkeit inmitten eines herrlichen Wanderparadieses. Die Fauna und Flora entdecken, den Hotelkomfort genießen, richtig relaxen in zünftiger Atmosphäre, im Land der Edelsteine und Mineralien.

Feel at home away from home. For more than 160 years genuine hospitality in the heart of the scenic Hochwald, a hiker's paradise. Discover the fauna and flora, enjoy the comfort and family atmosphere, rest and relax in the country of precious stones and minerals.

🚉 Hahn 30 km

🚂 Idar-Oberstein 20 km

🚗 Bundesstr. 269 zwischen Birkenfeld u. Morbach

297

Hotel Birkenhof ★★★

Deutschland

D 47

Rheinland-Pfalz
55469 KLOSTERKUMBD bei Simmern/Hunsrück
Klaus DIETRICH
22 Zimmer - Relais du Silence seit 1985

Tél. 06761/95 400
Fax 06761/95 40 50

05→31/01
R: Dienstag

440 m

88 - 105

135 - 175

inclus

30 - 90

98 - 118

 AV

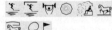

Le "Hunsrück" un pittoresque massif montagneux d'altitude moyenne situé entre le Rhin et la Moselle, une région de villégiature pure. Grandes possibilités sportives et culturelles : musées, églises, citadelles. Vue panoramique, excellentes promenades. Cuisine créative légère aux produits régionaux du marché et de notre propre élevage de bœuf charolais. Dégustation de vins chez vigneron. Week-ends gourmet.

Im reizvollen Mittelgebirge des Hunsrück zwischen Rhein und Mosel. Unberührte Natur, ideal zum Ausspannen. Exzellente leichte Küche mit marktfrischen Produkten der Region und unserer eigenen Charolais-Weiderinderzucht. Weinproben beim Winzer.

Hunsrück is a charming low mountain range between Rhine and Moselle, an untouched holiday region. Excellent light cuisine with fresh regional market products and our own-bred Charolais cattle. Wine-tasting in vineyard and gourmet-weekends.

Frankfurt/Main 100 km

Bingen 30 km

A61, Ausfahrt Laudert,
Richtung Kisselbach,
Budenbach, Birkenhof

Hotel Hunsrücker Fass ★★★★

D 48

Hauptstr. 70
55758 KEMPFELD
Friedrich SCHWENK
20 Zimmer - Relais du Silence seit 1996

Tél. 06786/97 00
Fax 06786/97 01 00

 Keinen
Kein Ruhetag

 520 m

 90 - 130
 140 - 190
 inclus
 35 - 95
 105 - 130

 CC AV

Dans le midi de Hunsrück se trouve une des plus belles demeures de campagne de Rhénanie-Palatine. Ici, au pied de la "Wildenburg" vous apprécierez l'exquise hospitalité de "Hunsrück" et une cuisine de maître, jeune et créative. Offres spéciales pour repos et détente, beau jardin.

Mitten im Hunsrück liegt einer der schönsten Landgasthöfe von Rheinland-Pfalz, direkt an der Deutschen Edelsteinstraße. Hier, am Fuße der Wildenburg, paart sich exquisite Hunsrücker Gastlichkeit mit junger kreativer Meisterküche. Pauschalangebote zum Genießen und Entspannen. Schöne Gartenterrasse.

In the middle of Hunsrück you find one of the most beautiful country hotels of Palatine Rhineland. Here, near the "Wildenburg" is the home of the exquisite Hunsrück hospitality and a young creative "cuisine de maître". Special offers to enjoy and relax. Very nice terrace in the garden.

-+- Frankfurt 150 km

Idar-Oberstein 12 km

A61, Ausfahrt Bad Kreuznach - B41 Abfahrt Herrstein Richtung Morbach

299

Moselromantik Hotel Weißmühle ★★★

Deutschland

D
49

Im Enderttal
56812 COCHEM/MOSEL
Frau ZIMMER
35 Zimmer - Relais du Silence seit 1997

Tél. 02671/89 55
Fax 02671/82 07
weißmuehle.cochem@eurohotel.online.com

Keinen
Kein Ruhetag

 90 - 120

 160 - 250

 inclus

 45 - 95

 120 - 145
1/2

 140 - 160

CC AV TO

Köln-Bonn 140 km

Cochem 2,5 km

"Le Weißmühle" est situé dans la vallée de l'Endert, à 2 km de Cochem. C'est une belle maison cossue à l'ambiance authentique et traditionnelle. Vous bavarderez au coin du feu, vous rêverez sous les baldaquins, vous vous régalerez d'une cuisine renommée. Bar à l'hôtel, organisation de séminaires. Bowling, étang à truites.

2 km von Cochem, im Enderttal liegt die Weißmühle. Bekannte Spezialitäten-Küche, Hotel-Bar, Sauna, Kegelbahn, Tagungsraum und Forellenteiche. Im Himmelbett träumen, am Kaminfeuer plaudern, von der Küche verwöhnt werden, in der Hotelbar den Abend ausklingen lassen. So könnte Ihr Tag in der "Weißmühle" aussehen. Schnupper-Angebote und mehr...

The Hotel Weißmühle is situated in the "Enderttal" valley, 2 km from Cochem. Speciality cuisine, hotel-bar, sauna, bowling, meeting facilities and trout-pond. Four-poster beds, open fireplace, and more romance.

Hotel Heinz ★★★★

Deutschland

D
50

Bergstrasse 77
56203 HÖHR-GRENZHAUSEN
Familie HEINZ
64 Zimmer - Relais du Silence seit 1983

Tél. 02624/30 33
Fax 02624/59 74
mail@hotel-heinz.de

22/12→26/12
Kein Ruhetag

---

95 - 178

169 - 299

inclus

40 - 85

124 - 179

153 - 203

CC AV

Depuis trois générations, l'hôtel Heinz vous accueille dans une nature magnifique, en bordure du Parc Naturel Nassau. Charme, souci du détail, grand confort dans un cadre luxueux, ferme de beauté, très bonne cuisine régionale. Tout cela dans une chaleureuse ambiance d'intimité familiale. Nombreuses activités de nature et à quelques minutes des villes historiques sur Rhin et Moselle.

Schmuckes Landhotel inmitten herrlicher Natur. Engagierte Küche, komfortables Wohnen mit einem Hauch von Luxus und Ungezwungenheit. Wiesen, Wälder, lauschige Wanderwege. Badelandschaft, Beauty-Farm, Tennis, Reiten... Wenige Minuten zu den Kulturstätten an Rhein und Mosel. Ein Paradies auch für Kinder.

Köln 80 km

Koblenz 14 km

Marvellously sited country hotel, since three generations. Very good regional cuisine ; comfortable house with a luxurious and relaxed atmosphere. Beauty farm and other activities. Near Rhine and Mosel.

Studenten-Mühle ★★★

Deutschland

D
51

Mühlenstraße
56412 NOMBORN
Familie HERZ-GÖRG
35 Zimmer - Relais du Silence seit 1997

Tél. 06485/912 20
Fax 06485/912 23 00
silencehotel studentenmühle@t-online.de

Keinen
Kein Ruhetag

90 - 120
150 - 180
inclus
35 - 75
105 - 120
120 - 135

CC AV TO

Magnifique emplacement isolé dans le plus joli vallon du Parc Naturel Nassau. Très beau réseau de pistes cyclables et de chemins touristiques. Idéal pour de courtes vacances et pour des séminaires. Dans le Westerwald, directement par l'autoroute A3.

Herrliche Alleinlage im schönsten Wiesengrunde, inmitten des Naturparks Nassau. Aber trotzdem verkehrsgünstig an der BAB A3 Abfahrt, Montabaur oder Diez. Unser Hotel, seit 1918 im Familienbesitz, bietet Ihnen bodenständige Küche von Produkten aus naturnahem Anbau und eigener Jagd. Beautyfarm, 2 Terrassen und unser rustikaler Mühlenkeller erwarten Sie.

Magnificent peaceful location in a beautiful valley. Good net of cycle tracks and footpaths. Ideal for short holiday or for seminar. In the Westerwald, directly on the motorway A3.

Frankfurt/Main 80 km
Limburg/Lahn 10 km

Hotel Waldhaus Eifel ★★★

D 52

Am Eifelpark
54647 GONDORF
Godehard SEMRAU
53 Zimmer - Relais du Silence seit 1997

Tél. 06565/92 40
Fax 06565/92 41 23

H: Durchgehend geöffnet   R: 20/11→15/12
R: Donnerstags November - April

88 - 97

146 - 164

inclus

12 - 55

100 - 109

CC AV

Réputé pour être "le poumon vert de l'Europe", le paysage du Sud Eifel est de toute beauté. Dans ce cadre magnifique, le Waldhaus Eifel est un havre de paix avec centre de beauté. Situation centrale, tout proche du triangle Treves-Luxembourg-Daun et de la Moselle, à l'entrée du "Eifelpark-Gondorf".

Harmonisches Hotel mit Schönheitsfarm in zentraler Lage zu Trier-Luxemburg-Daun und der Mosel am Eingang zum Eifelpark Gondorf gelegen. Das Hotel bietet familiengerechte mit Einzel-Doppel-3-Bettkombinationen, Appartement und Suiten. Die Küche kocht frisch und saisonal. Spezialität. Wild u. Fisch. Der Familienbetrieb gilt seit 25 Jahren als die gute Adresse der Region.

Luxemburg-Kölh

Bitburg-Erdorf

Comfortable hotel with beauty farm, in central location to Trier-Luxemburg-Daun and Mosel, close to the "Eifelpark-Gondorf".

Landhotel Kallbach ★★★

Deutschland

D
53

Simonskall 24-26
52393 HÜRTGENWALD
Peter von AGRIS
45 Zimmer - Relais du Silence seit 1978

Tél. 02429/12 74
Fax 02429/20 69

 Keinen
Kein Ruhetag

100 - 120

150 - 180

inclus

 110 - 120

 120 - 130

CC AV TO

Situé dans la vallée romantique de l'Eifel, entouré de montagnes et de forêts, Kallbach répond à toutes les exigences de l'hospitalité moderne. Vous y trouverez confort, ambiance chaleureuse, cuisine régionale soignée, service aimable. Sans oublier les plaisirs d'une magnifique nature et de nombreuses curiosités.

Kallbach liegt reizvoll in einem romantischen Eifeltal, umgeben von Wäldern und Bergen. Es entspricht mit seinem Ambiente, der feinen regionalen Küche und seinem freundlichen Service den Wünschen moderner Gastlichkeit. Erleben Sie die herrliche Natur und entdecken Sie die vielen Sehenswürdigkeiten.

Kallbach is attractively situated in a romantic Eifel valley, surrounded by forests and mountains. It meets the wish of modern hospitality with its ambiente, fine regional kitchen and friendly service. See the splendid nature and discover the sights of the region.

Köln 75 km

Düren 22 km

A4, Ausfahrt Lichtenbusch,
Richtung Monschau

304

Landhaus Sonnenhof ★★★

Deutschland

D 54

Auf dem Hirzenstein 1
53518 ADENAU
Rosemarie BELL
37 Zimmer - Neues Relais du Silence

Tél. 02691/70 34
Fax 02691/86 64

 **Durchgehend geöffnet**
Kein Ruhetag

 77 - 100

135 - 400

inclus

35 - 59

 +35

 +55

CC AV

Située juste à côté du circuit automobile Nürburgring mais "sans son bruit", une confortable maison rustique plantée dans la verdoyante Eifel. Chambres de tout confort. Grande terrasse. Salle de musculation. Piste de jeux de quilles. Salle de conférence. Brochure de notre maison sur demande.

Ganz in der Nähe des Nürburgrings, aber abseits vom Renntrubel in herrlicher Eifellandschaft gelegen. Behaglich-rustikales Landhaus. Ambiente. Zimmer mit allem Komfort. Große Terrasse. Fitness-Center. Kegelbahnen. Moderner Tagungsbereich mit kompletter Technik. Bitte kostenlosen Hausprospekt anfordern!

Close to the "Nürburgring" but away from the racing-bustle, situated in the beautiful Eifel-landscape. Comfort. Large terrace. Fitness-center. Skittle-alleys. Modern conference facilities of high-tech-standard. Please ask for our free colour folder!

Köln/Bonn

Ahrbrück

Köhlers Forsthaus ★★★

Deutschland

D 56

26605 AURICH/WALLINGHAUSEN
Klaus KÖHLER
48 Zimmer - Neues Relais du Silence

Tél. 04941/179 20
Fax 04941/17 92 17

Durchgehend geöffnet
Kein Ruhetag

88 - 140
160 - 240
18
26 - 48
28

CC AV

Magnifiquement situé en lisière de forêt dans un jardin paysagé avec étang. Ambiance chaleureuse, équipements balnéo pour votre détente et excellente cuisine... poissons de la mer du Nord fraîchement pêchés, gibier... Le "plus" pour les séjours : petit déjeuner au vin mousseux le 5e jour et 7e nuit gratuite en chambre double.

Idyllisch am Wald, parkähnlicher Garten mit Teich, Hallensprudelbad mit Whirlpool, Saunalandschaft. Köhler kocht lecker! Fangfrische Nordseefische, Wildspezialitäten. Das Bonbon für den Urlauber: Die 7. Nacht schlafen Sie im DZ umsonst. Am 5. Tag laden wir zum Sekfrühstück ein.

Idyllic location by the forest, park-like gardens with pool. Indoor swimming pool with whirl pool, sauna landscape. Köhler cooks deliciously! Freshly caught North Sea fish. A sugar topping: the seventh night is free. On the fifth day we invite you to champagne breakfast.

Emden 25 km
25 km
A31 (6) - A28 (4) Aurich

Waldhotel Ehrental ★★★

Deutschland

D
58

Im Ehrental
98574 SCHMALKALDEN
Houcine HANCHI Directeur
50 Zimmer - Neues Relais du Silence

Tél. 03683/68 90
Fax 03683/68 91 99

Durchgehend geöffnet
Kein Ruhetag

90 - 150

135 - 180

inclus

23 - 63

67,50-90 p. Person

CC AV TO

Dans le "Cœur vert de l'Allemagne", Schmalkalden, jolie ville historique et industrielle, est connue pour ses colombages du VIe siècle. Juste à côté, en pleine forêt romantique, le Waldhotel vous offre tout le confort moderne. Cuisine internationale et régionale. Chambres non fumeur. Séminaires.

Im "Grünen Herzen Deutschlands", in einer der schönsten Fachwerkstädte, gegründet im 6. Jahrh. mit historischer und industrieller Vergangenheit. Ydillisch in Wäldern, moderner Komfort, Nichtraucherräume, Rollstuhl-Lift. Haustiere willkommen. Bekannte Thüringer u. internationale Küche. Seminar-räume.

Right in "Germany's Green Heart", dating from the 6th century, medieval half-timbered houses, historic and industrial. Ydillic in forests, yet all modern comfort. Non-smoking rooms, wheelchair-accessible lift. Pets welcome. Well-known traditional and international cuisine. Hi-tech seminar-rooms.

Erfurt 70 km

Schmalkalden 3 km

Landhotel Neustädter Hof ★★★★

Deutschland

D 59

Mit Residenz Kronberg - Burgstraße 17 und 49
99762 NEUSTADT/SÜDHARZ
Erwin GRELKA und Eckhard SÜHS
47 Zimmer - Neues Relais du Silence

Tél. 036331/309 12
Fax 036331/309 16

Durchgehend geöffnet
Kein Ruhetag

 500 m

 85 - 135

135 - 290

 inclus

 28 - 90

1/2 28

 35

CC AV

Offez-vous des vacances inoubliables dans le Harz au cœur de l'Europe. Dans un cadre de verdure, hôtel de charme, accueil de tradition. Oasis de calme et de détente dans la nouvelle partie de l'Allemagne.

Machen Sie Ihren Urlaub unvergesslich... im Herzen Europas. In den Bergen des Harzes... im Luftkurort Neustadt/Südharz. Unser reizvolles Landhotel mit Tradition ist eine Oase der Ruhe und Entspannung mit Herz: im "neuen Deutschland"... Schlemmerarrangements, Sauerstoffkuren, Kultur-/Wanderreisen. Individual- und Gruppenarrangements - ganzjährig auf Anfrage!

Make your holiday unforgettable. In the middle of Europe. In the Harz-mountains... in Neustadt. Our attractive country-hotel is an oasis of silence and relaxation in the "new part of Germany"...

🚄 Leipzig 85 km
🚉 Nordhausen 7 km
🚗 A7 Göttingen Nord Richtung Braunlage B27

308

Hardtwald Hotel ★★★

Deutschland

D
60

Philosophenweg 31
61350 BAD HOMBURG v.d.H.
Familie KURZE
42 Zimmer - Relais du Silence seit 1994

Tél. 06172/98 80
Fax 06172/825 12

 3 Wochen im Winter

 115 - 185

 195 - 355

 inclus

 321 - 491

 1/2

CC AV TO

Situation privilégiée dans la forêt, loin du trafic, mais néanmoins proche de la ville et du parc de la station thermale. Les thermes, tennis, golf à 1 km. Circuit jogging sur place. A 30 km de Francfort et à proximité du Rhin, du Main et du Neckar pour de belles excursions. A 15 minutes à pied du Casino.

Behagliches ansprechendes Haus in einer der schönsten und ruhigsten Lagen von Bad Homburg, mitten im Hardtwald, jedoch nahe der Stadt und dem Kurpark. Komfortabel, rustikal eingerichtete Gasträume. Eigene Konditorei, anerkannt gute Küche. Mehrfach preisgekrönter Blumenschmuck.

Situated in the forest with no through-traffic and not far from city. 1 km from the spa, tennis and golfcourse, jogging on the premises. 30 minutes from Frankfurt, daytrips to the rivers Rhine, Main and Neckar. 15 minutes walk to the famous Casino.

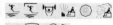
Frankfurt 25 km

Bad Homburg 3 km

A5 Ausfahrt Bad Homburg, Straße 455 Richtung Friedrichsdorf

Hotel Hubertushof ★★★

Deutschland

D
61

Hubertusweg 5
33165 LICHTENAU/HERBRAM-WALD
Werner u. Ute KASTEL
50 Zimmer - Neues Relais du Silence

Tél. 05259/800 90
Fax 05259/80 09 99

Durchgehend geöffnet
Kein Ruhetag

👤 105 - 115

👥 150 - 160

☕ inclus

✕ 30

🍽️ 85 - 95
½

🍽️ 110 - 120

 CC AV

L'hôtel Hubertushof est situé au calme, au cœur du Parc Naturel du Massif Eggegebirge et est entouré de forêts. De nombreux chemins de randonnées, dont le chemin de randonnée européenne Cap Nord-Sicile, invitent à la marche à pied. Possibilités d'excursions pour une journée.

Der Hubertushof liegt sehr ruhig, inmitten des Naturparks Eggegebirge, von Wäldern umgeben. Viele Wanderwege, darunter der Europawanderweg Nordkap-Sizilien laden zu Tagesausflügen ein.

The Hubertushof lies in a very tranquil location amidst the nature reserve of the Eggegebirge surrounded by forests. Many rambling routes, one of which is the Europe ramblig route Nordkap-Sicily etend their invitation. Sites for day trips.

⊹ Paderborn-Ahden

🚆 Altenbeken

🚗

310

Waldhaus Ohlenbach ★★★★

Deutschland

D 64

Ohlenbach 10
57392 SCHMALLENBERG - NRW
Familie SCHNEIDER
50 Zimmer - Relais du Silence seit 1980

Tél. 02975/840
Fax 02975/84 48

Mitte Nov. - Mitte Dez.
Kein Ruhetag

 700 m

👤 110 - 150

👥 220 - 350

☕ inclus

🍴 35 - 110

🛏 1/2 140 - 205

🛏 +20 - +50

CC AV

"La bonne adresse" pour un séjour dans un cadre de verdure. Vous y trouverez tous les ingrédients pour des vacances réussies : une ambiance agréable, des chambres dotées du meilleur confort, une cuisine excellente et... bien plus qu'un parc, toute une forêt.

Der Geheimtip! Hier finden Sie alles, was Urlaub so schön macht: Atmosphäre, Komfort-Zimmer, exzellente Küche. Kein Park, ein ganzer Wald.

The ideal place for a vacation in the forest. Everything you'll need for a successful holiday: a pleasant atmosphere, most comfortable rooms, excellent cuisine and a whole forest.

 Paderborn 60 km

🚂 Winterberg 7 km

🚗

Wald-Hotel Willingen ★★★

Deutschland

D 65

Köhlerhagen 3
34508 WILLINGEN
Familie BINGENER
37 Zimmer - Relais du Silence seit 1980

Tél. 05632/98 20
Fax 05632/98 22 22
wald-hotel willingen@eurohotel online.com

Keinen
Kein Ruhetag

 700 m

 80 - 160

 152 - 266

 inclus

 36 - 112

 28

 50

AV TO

Ici la nature est à vos pieds, devant la porte. Un calme de rêve au cœur de la forêt, un superbe panorama et, comme un nid accueillant dans cette réserve naturelle, le Wald Hotel Willingen, son confort, ses jolies chambres, sa cuisine créative et délicieuse, ses équipements de détente et remise en forme.

Traumhaft ruhige Waldlage mit sehr schönem Panoramablick, Naturschutzgebiet, Tennishalle, Sauna, Whirlpool, Hallenbad, Sonnenstudio. Wild-und Fischspezialitäten nach Saison, kalte Buffets, Grillabende, geführte Wanderungen, Tennisschule, Langlauf, Mountain Bike.

Dream-like tranquil forest location with a very beautiful panorama, nature reserve, tennis court, sauna, whirlpool, sun studio.

 Paderborn 40 km

Willingen 1,5 km

Landhotel Jammertal ★★★★

D
66

Redderstr. 421 - Naturpark Haard
45711 DATTELN-AHSEN
Alfons SCHNIEDER
71 Zimmer - Relais du Silence seit 1983

Tél. 02363/37 70
Fax 02363/37 71 00

✗ **Keinen**
✗ Kein Ruhetag

♟ 130 - 155

👫 155 - 390

🍹 18 - inclus

✗ 29 - 89

🍽 110 - 145
1/2
🍽
🛏

AV TO

Isolé en pleine nature, un emplacement de rêve au cœur d'un parc naturel, dans une région d'une grande richesse culturelle (près de 100 châteaux). Le Landhotel Jammertal est une grande maison de campagne calme, confortable et accueillante. Dans l'hôtel, 1000 m2 de centre balnéaire avec des programmes renouvelés chaque jour et à votre disposition des vélos de luxe pour randonnées (route et forêt).

Dortmund 30 km

Recklinghausen 15 km

🚗

Traumhafte Alleinlage im Naturpark. 100 Schlösser in der Region. Natur pur. Hoteleigene Luxusräder für Touren. 1000 qm Badecentrum, tägliches Wellnessprogramm. 1000 qm Badelandschaft mit Außen- und Innenbecken, Sauna, Solarium, Kosmetik, Massage und Wintergarten. Kreativzentrum mit Meditationsraum. Vielfach ausgezeichne Küche. Weinkarte m. 400 Pos.

Dreamlike lonely in a natural park. Pure nature. Hotel-owned luxury bicycles for tours. Aquacenter 1000 m2, daily wellnessprogram. Ca. 100 châteaux nearby.

313

Heidehotel Waldhütte ★★★

Deutschland

D 67

Im Klatenberg 19
48291 TELGTE
Familie ALTROGGE-JOANNING
31 Zimmer - Relais du Silence depuis 1988

Tél. 02504/92 00
Fax 02504/92 01 40

05/01→16/01
Kein Ruhetag

125 - 145

185 - 225

inclus

25 - 80

125 - 145
1/2

CC AV

Vous serez reçus en amis au Heidehotel, parfait refuge contre l'agitation du monde moderne. Vous trouverez repos et détente dans un cadre de rêve, en pleine forêt, à seulement 12 km de Münster. Grande terrasse jardin et restaurant de style rustique campagnard de bon goût. Spécialités régionales et gibier. Etape idéale pour randonneurs à pieds ou à vélo.

Durch die traumhafte ruhige Lage im Waldgebiet (nur 12 km bis Münster) bietet das Heidehotel seinen Gästen Erholung und Entspannung im Grünen. Rustikales Restaurant, große Kaffee- und Gartenterrasse, ideales Wander- und Radwegenetz, eigener Fahrradverleih, neuzeitliche Küche, auch münsterländische Spezialitäten, eigene Jagd und Metzgerei.

Situated in the heart of a forest, the Heidehotel offers peace and quiet in charming nature surroundings (12 km from Münster). Walking and cycling tracks. Local specialities and our own hunting and butchery. Large terrace.

✈ Münster 30 km
🚂 Telgte 3 km
🚗

Hotel Schwanenhof ★★★

Deutschland

D 75

Am Schulsee
23879 MÖLLN
Nelly und Siegfried THIELE
30 Zimmer - Relais du Silence seit 1978

Tél. 04542/848 30
Fax 04542/84 83 83

Keinen
Kein Ruhetag

 105 - 110

175 - 180

inclus

✕ 25 - 80

120 - 127,5

125 - 132,5

 AV

Situé dans un cadre reposant entre deux lacs et à proximité de circuits pour randonnées pédestres et à vélo. Cure thermale, parc d'animaux sauvages, centre ville historique. Hamburg et Lübeck à 30 km, les châteaux de Schwerin à 65 km.

Durch seine Lage zwischen zwei Seen bietet das Hotel Ruhe und Erholung und eine angenehme Atmosphäre. Restaurant mit regionalen Wild und Fischspezialitäten. Der herrliche Naturpark Lauenburgische Seen grenzt an Mölln. Durch Wälder wandern oder an Seeufern spazierengehen direkt vom Hotel aus. Hamburg 60 km, Lübeck 30 km, Schwerin 65 km.

Ideally situated in a very quiet spot between two lakes. Walking and bicycle circuits, nearby spa wildlife park, historic city, 30 km to Hamburg and Lübeck, 65 km to royal Schwerin.

Hamburg 60 km

Bundesstrasse 207 - Abfahrt Mölln Nord - Erste Ampel Links

315

Panorama Hotel Restaurant Lohme ★★

Deutschland

D 77

Dorfstraße. 35
18551 LOHME/INSEL RÜGEN
Matthias OGILVIE
32 Zimmer - Neues Relais du Silence

Tél. 038302/92 21
Fax 038302/92 34

Keinen
Kein Ruhetag

 70 - 110

 110 - 220

inclus

19 - 35

80 - 135

95 - 150

AV

Une belle villa blanche du siècle dernier dans l'un des endroits les plus pittoresques de l'île de Rügen, entre les falaises crayeuses et le célèbre cap Arkona, qui pendant des siècles, ont attiré les romantiques, les artistes et les promeneurs.

Schöne Villa aus dem vorigen Jahrhundert, an einem der schönsten Plätze auf der Insel Rügen, zwischen Kreidefelsen und dem berühmten Kap Arkona - für Jahrhunderte Anziehungspunkt für Romantiker, Künstler und Spaziergänger.

A beautiful villa from the last century, in a picturesque spot on Rügen island, between the chalk cliffs and the famous cape Arkona, which attracted for centuries artists and romanticists.

 Rostock-Laage 120 km

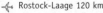 Saßnitz 10 km

B96 Richtung Saßnitz -
Richtung Nationalpark -
Lohme

Hotel Strandeck ★★★

Deutschland

D
81

Postfach 1562 - 26457 LANGEOOG
Kavalierspad 2 - 26465 LANGEOOG
Familie Armin RAUB
36 Zimmer - Relais du Silence seit 1977

Tél. 04972/68 80
Fax 04972/68 82 22
strandeck@t-online.de

15/11 - 20/02 (Ausgen.Sylveth)
Dienstag

♙	130 - 165
♟♟	195 - 320
☕	inclus
✕	49 - 65
🍽 1/2	137 - 195
🍽	

AV

🚫 ⇔ ⚚ 🐾 🧖

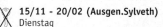

Un hôtel de villégiature situé sur l'île de Langeoog dans la mer du Nord, une île où les voitures n'ont pas accès, dans le parc national de la mer des Watten en Frise orientale. Roses rouges sauvages, sable blanc et mer bleue, bon air et climat vivifiant... vous serez sous le charme de vacances insolites dans une île, comme un autre monde.

Ein Ferienhotel auf der autofreien Nordsee-Insel Langeoog im Nationalpark Ostfriesisches Wattenmeer. Wilde rote Rosen, weißer Sandstrand und blaues Meer, saubere Luft und ein gesundes Reizklima. Genießen Sie ungewöhnliche Ferien auf einer Insel, wie in einer anderen Welt.

A holiday hotel on the traffic-free North Sea island of Langeoog in the national park of the East Friesian mudlands. Wild red roses, white sandy beaches and a blue sea, clean air and a healthy climate. Enjoy the pleasure of an unusual holiday on an island, like in another world.

✈ Langeoog 4 km

🚂 Langeoog 3 km

🚗 A29 Ausf. Wilhelmsh Kreuz - B210 (Jever/Wittmund) - Esens - Bensersiel

317

Seehotel Plau am See ★★★

Deutschland

D
90

Hermann - Niemann - Str 6
19395 PLAU AM SEE
Rolf u. Brigitte FALK-Helmut JENRICH
84 Zimmer - Relais du Silence seit 1990

Tél. 038735/84-0
Fax 038735/841 66

Keinen
Kein Ruhetag

89 - 129
158 - 178
inclus
20 - 54
27
54

CC AV

Entre Hambourg (150 km) et Berlin (140 km), dans la région des lacs encore préservée, Plau am See attire un grand nombre de visiteurs. Notre hôtel se trouve directement au bord du lac et est idéal pour les vacances ou les séminaires. Nous vous aidons à organiser vos loisirs. Soyez les bienvenus.

Zw. Hamburg (150 km) u. Berlin (140 km) liegt Deutschl. größtes Seengebiet. Die reizvolle u. intakte Natur um Plau am See zieht viele Menschen in unser Haus. Direkt am See liegt unser Domizil u. eignet sich ideal für Urlaub u. Tagungen. Freizeitaktiv. organisieren wir für Sie. Herzlich Willkommen!

You find Germany's largest area of lakes between Hamburg (150 km) and Berlin (140 km). The charming and intact countryside attracts a lot of people. Our hotel is right on the waterfront and suitable for holiday and conferences. We organize leisure time activities for you. Welcome!

✈ Parchim 30 km
🚂 Plau 5 km
🚗

Seehotel Sternberg am See ★★★

Deutschland

D 91

Johannes-Dörwald-Allee
19406 STERNBERG
Ernst MATHEIS
45 Zimmer - Relais du Silence seit 1996

Tél. 03847/35 00
Fax 03847/35 01 66
seehotel@imv.de

 Durchgehend geöffnet
Kein Ruhetag

129 - 139
178 - 198
15
27 - 81
131 - 141
158 - 168

CC AV

Dans la région des Grands Lacs, une des plus belles d'Allemagne, cette maison toute neuve vous propose, au bord du lac Sternberger, le dernier confort moderne dans une atmosphère sympathique et amicale. Toutes les chambres offrent une vue romantique sur le lac. Idéal pour séjours de repos et séminaires. Hambourg 100 km - Berlin 170 km.

Zwischen Hamburg (100 km) und Berlin (170 km), liegt Deutschl. grösstes Seengebiet. Durch die reizvolle und intakte Natur um den Sternberger See, reisen viele Menschen direkt in unser Haus am See. Ideal für Tagungen, Kurzurlaub und Erholung. Wir arrangieren uns für Sie. Herzlich Willkommen!

The recently opened "Seehotel Sternberg am See" is situated directly at the lake of Sternberg in Germany's largest area of lakes between Hamburg (100 km) and Berlin (170 km). Suitable for conferences, short holiday and recreation. One of the most beautiful landscape of Germany.

Rostock-Laage 30 km

Sternberg 1 km

A24 Abfahrt Schwerin, A19 Abfahrt Güstrow

Hôtel

Relais du Silence
Silencehotel

Quel relais pour votre passion ?

Choose your relais hotel according to your activities.

Das passende Relais für Ihre Hobbies.

Les hôtels par région
et pays avec leurs
équipements de loisirs.

*List of relais hotel by
regions and countries
with their leasure
facilities.*

Die Relais, geordnet
nach Regionen und
Ländern, mit ihren
jeweiligen
Freizeitangeboten.

pages 450 ⟹ 463

SIEMENS

Siemens présente le meilleur de Siemens.

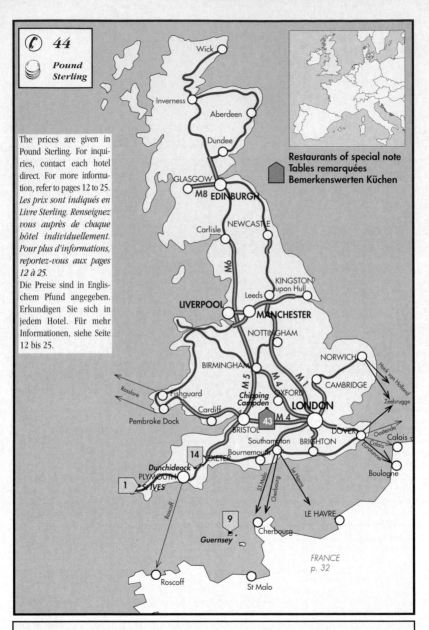

£ **44**
Pound Sterling

The prices are given in Pound Sterling. For inquiries, contact each hotel direct. For more information, refer to pages 12 to 25.
Les prix sont indiqués en Livre Sterling. Renseignez vous auprès de chaque hôtel individuellement. Pour plus d'informations, reportez-vous aux pages 12 à 25.
Die Preise sind in Englischem Pfund angegeben. Erkundigen Sie sich in jedem Hotel. Für mehr Informationen, siehe Seite 12 bis 25.

Restaurants of special note
Tables remarquées
Bemerkenswerten Küchen

Wick
Inverness
Aberdeen
Dundee
GLASGOW
M8 EDINBURGH
Carlisle NEWCASTLE
M6
KINGSTON upon Hull
Leeds
LIVERPOOL MANCHESTER
NOTTINGHAM
NORWICH
BIRMINGHAM
M5 M4 M1 CAMBRIDGE
Rosslare
Fishguard
Chipping Campden OXFORD
LONDON
Cardiff 43 M4
Pembroke Dock
BRISTOL DOVER
Southampton BRIGHTON
14 EXETER Bournemouth
Dunchideock
PLYMOUTH
St-IVES 1
St Malo Cherbourg la Havre
Roscoff
9
Guernsey Cherbourg
LE HAVRE
Roscoff St Malo
Hock van Holland
Zeebrugge
Oostende
Calais
Calais
Eurotunnel
Boulogne
FRANCE p. 32

Secretariat in Great Britain: The Garrack Hotel Burthallan Lane, Higher Ayr St-Ives, Cornwall TR26 3AA Tel. 01736-79 61 99 - Fax 01736-79 89 55

Great Britain

Grande Bretagne - Groß Britannien

The love of hospitality, everyday kindness, an unflagging sense of humour... and a country of surprising colours, poignant and stirring landscapes, a country so near and yet so far ! Towns full of history, tiny villages with their legendary pubs... wherever you go in England, expect the unexpected !

L'amour de l'hospitalité, la gentillesse au quotidien, un sens de l'humour toujours vérifié... et un pays aux couleurs étonnantes, aux paysages tour à tour poignants et attendrissants, un pays si voisin et pourtant si dépaysant ! Villes chargées d'histoire, minuscules hameaux avec leurs pubs légendaires... où que vous alliez en Angleterre, attendez-vous à l'inattendu !

Die Liebe zur Gastfreundschaft, tägliche Herzlichkeit, einen unermüdlichen Sinn für Humor... und ein Land der erstaunlichen Farben, der packenden und rührenden Landschaften, ein so nahes und doch so fernes Land ! Historische Städte, winzige Dörfchen mit ihren legendären Pubs... wo Sie auch in England hingehen sollten, stellen Sie sich aufs Unerwartete ein !

NOT TO BE MISSED.

- Westonbirt Aboretum,
- Blenheim Palace,
- Truro, Exeter, Gloucester & Hereford Cathedrals,
- St Ives Tate Gallery,
- Castle Cornet at St Peter Port, Guernsey,
- Three Choirs Festival (August),
- Shakespeare's Birthplace - Stratford on Avon,
- Universities of Oxford.

The Garrack Hotel ★★★

England

GB
1

Burthallan Lane
ST IVES CORNWALL TR26 3AA
Family KILBY
18 Rooms - Relais du Silence since 1985

Tél. 01736/79 61 99
Fax 01736/79 89 55
garrack@compuserve.com.

Open all year
Open every day

64 - 67
109 - 134
inclus
19,50
72

CC AV

Magnifiquement situé en position dominante à l'écart du bruit, le Garrack offre une vue spectaculaire sur le baie de St-Ives et la côte. C'est un hôtel intime et chaleureux, point de départ idéal pour découvrir une région d'une extraordinaire beauté. Sites archéologiques. Tate Art Gallery. Parking privé.

Individuelles Hotel mit idealen Wandermöglichkeiten. Archäologische Sehenswürdigkeiten, Tate Art Gallery. Eine Landschaft von herausragender Schönheit. Privatparkplatz. Frischer Fisch und Hummer.

Intimate hotel in ideal location for walking or touring archeological sites. Tate Art Gallery. Area of outstanding beauty. Warm friendly restaurant serving a la carte and table d'hôte menus. Locally caught fish including fresh lobsters from own storage tank. Rosette restaurant award. Interesting wine list. Bargain breaks and special offers available out of season. Private Parking.

Newquay 30 miles

St-Ives 1 mile

Leave B.3306 at mini-roundabouts, continue for 300 m, hotel entrance signs on left.

Hotel Hougue du Pommier ★★

England

GB
9

Route Hougue du Pommier - Castel
GY5 7FQ GUERNSEY, CHANNEL ISLANDS
Stephen BONE
43 Rooms - New Relais du Silence

Tél. 1481/565 31
Fax 1481/562 60

Open all year
Open every day

 28.00 - 57.20

56.00 - 108.00

inclus

14.50 - 19.00

 40.00 - 66.00

CC AV TO

Dans une vaste propriété, cette ferme du 18e siècle a été aménagée en un charmant hotel de campagne. Idéalement situé entre la superbe côte ouest et le port de St-Pierre. La salle de restaurant se trouve dans la vieille ferme. L'été, les repas sont également servis dans le jardin.

Landhaus aus dem 18. Jahrh. in fast 3 ha Grund, sorgfältig in ein Hotel umgebaut. Der Hafen St. Peter 5 km, die herrliche Westküste in Minuten erreichbar. Restaurant im alten Bauernhaus, im Sommer speisen Sie auch im Garten.

Standing in 10 acres this 18th century farmhouse has been carefully developed into a charming country hotel. The superb west coast is only 10 minutes walk away whilst St Peter port is 5 km to the east. The dining room is in the original house and during the summer meals are served in the tea garden.

Guernsey Airport 8 km

N/A

1,5 km from the west coast road ; turn inland at Cobo.

325

The Lord Haldon Hotel ★★★

England

GB
14

Dunchideock
Nr Exeter Devon EX6 7YF
Michael & Simon PREECE
19 Rooms - Relais du Silence since 1996

Tél. 01392/83 24 83
Fax 01392/83 37 65

Open all year
Open every day

42.50 - 58.50

64.50 - 85.50

7.50

17.50 - 19.75

49.75 - 62.50

59.75 - 77.50

 AV TO

Manoir de style géorgien situé dans de vastes terres dominant la belle campagne du Devon. Tout près d'Exeter et sa cathédrale et à quelques kms de la côte. Vous dégusterez une fine cuisine primée dans l'atmosphère détendue du restaurant et apprécierez la fraîcheur des jardins dans la douceur des soirs d'été.

Georgian-Style Landhaus in der schönen Devon-Gegend mit herrlichem Blick auf den Garten. Idealer Urlaubsort zur Entdeckung vom historischen Exeter und der Küste. Genießen Sie Sommerabende bei Essen und Trinken in unseren Gärten.

Georgian Country Hotel set in large grounds with views over the Devon countryside yet only 4 miles from the Cathedral City of Exeter with its many attractions and a short drive from the coast. The "AA" Red Rosette awarded Chandelier Restaurant offers fine cuisine in a relaxed atmosphere with drinks and Al Fresco meals served in the gardens on a Summer's evening.

Exeter 17 km-8 miles

St David's - Exeter 7 km

J31 off M5 to A30 signed Okehampton. Exit 1st left IDE then DUNCHIDEOCK

Cotswold House ★★★★

England

GB
43

The Square - CHIPPING CAMPDEN
GLOUCESTERSHIRE GL55 6AN
Louise & Christopher FORBES
14 Rooms - Relais du Silence since 1996

Tél. 01386/84 03 30
Fax 01386/84 03 10

24-26 December
Open every day

 55 - 70

110 - 144

 inclus

 20 - 29

 60 - 75
1/2

CC

Elégante demeure située au cœur d'un village historique, près de Stratford et Oxford. Emplacement idéal pour les randonnées pédestres, la visite des jardins renommés et édifices historiques. Cuisine fine, service attentif et chambres de grand confort au décor personnalisé.

Elegantes Hotel in einer alten Stadt. Ideal für Wanderungen und Touren durch die Cotswolds Landschaft, mit historischen Gebäuden und berühmten Gärten. In Nähe von Stratford und Oxford. Ausgezeichnetes Restaurant, köstliche Menüs, beste Produkte aus der Region und Spezialitäten. Vorzügliche Gastlichkeit, Unterkunft und Bedienung.

Elegant country house in unspoilt, ancient town. Ideal for walking and touring the Cotswolds. Historic buildings, famous gardens, Stratford and Oxford close by. Award winning restaurant, best local produce and specialities. Excellent accommodation and service.

Birmingham 50 km

Moreton in Marsh 9 km

3 km north of A44 (Oxford to Evesham) on B 4081

327

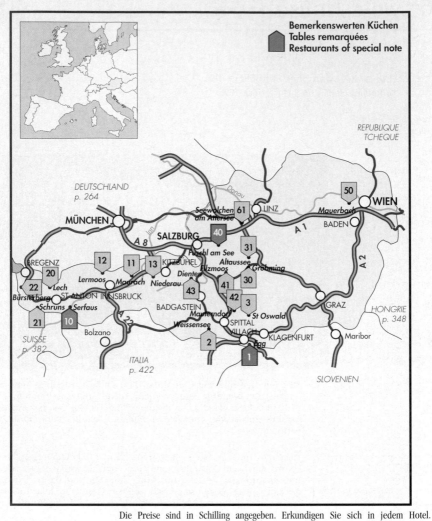

Bemerkenswerten Küchen
Tables remarquées
Restaurants of special note

Die Preise sind in Schilling angegeben. Erkundigen Sie sich in jedem Hotel. Für mehr Informationen, siehe Seite 12 bis 25.

Les prix sont indiqués en Schilling. Renseignez-vous auprès de chaque hôtel individuellement. Pour plus d'informations, reportez-vous aux pages 12 à 25.

The prices are given in Schilling. For inquiries, contact directly each hotel. For more informations, report to pages 12 to 25.

43

Schilling

Sekretariat in Österreich:	Herr Ebner
	Seepromenade, 73
	5330 Fuschl am See
	Tel. 06226-8264 - Fax 06226-8644

Österreich

Autriche - Austria

Ein Land bekannt für seine reizvolle Landschaft, seine liebenswürdigen Menschen, seine Musik und seine Kulturstätten. In den schönsten Ferienregionen finden sie ihr 4 Sterne- Relais du Silence-Silencehotel.

NICHT ZU VERPASSEN.

- Wiener Festwochen (Juni),
- Salzburger Festspiele / Ostern / Pingsten (Juli - August),
- Mozartwochen / Salzburg (Jänner),
- Carithischer Sommer / Kärnten (Juli - August),
- Bregenzer Festspiele (Juli - August),
- Schubertiade / Feldkirch - Hohenems (Juni),

Un pays réputé pour ses paysages grandioses, ses habitants chaleureux, sa musique et ses hauts-lieux culturels. Vous trouverez des hôtels Relais du Silence-Silencehotels 4 étoiles dans les plus belles régions touristiques.

A country well known for its grandiose landscapes, its welcoming population, its music and great cultural sites. You will find 4 star Relais du Silence - Silencehotels in the most beautiful tourist regions.

Hotel Karnerhof ★★★★

A
1

Karnerhofweg 10
9580 EGG/FAAKERSEE
Hans MELCHER
90 Zimmer - Relais du Silence seit 1982

Tél. 04254/21 88
Fax 04254/36 50
hotel@karnerhof.co.at

H: Ende Okt→21/12 & 6/1→30/4   R: Mitte Okt.→Ende April
R: Montag

 560 m

1200 - 1825
1000 - 1900
inclus
300 - 600
1200 - 2100
1325 - 2225

CC AV TO

Vous qui aimez le calme réparateur seulement interrompu par le chant des oiseaux ou des grillons, les grands espaces naturels, tout cela avec l'assurance d'un confort absolu et d'un accueil chaleureux, courez sans hésiter au Karnerhof. Jardin et plage sur le lac, bâteaux, surf, massages, centre de cure et de beauté.

Blühender Garten direkt am See. Herrliche Aussicht, Strandbad, Liegewiese, Boote, Hallenbad, Sauna, Whirlpool, Freischwimmbad, Massage, Kurkosmetik, Tennis, Segeln, Surfen, Spezialitäten : Lachsforellentartar, Lammrücken in der Sesamkruste.

Flowering garden directly by the lake. Magnificent view of the lake and the mountains, beach, meadowland ideal for sunbathing, boats, indoor-outdoor swimming pool, sauna, massage-parlour, tennis, sailing, surfing, whirlpool.

Klagenfurt 40 km
Villach 10 km

See-und Gartenhotel Enzian ★★★★

Österreich

A
2

Neusach 32 - Kärnten
9762 WEISSENSEE
Traudl CIESLAR
20 Zimmer - Relais du Silence seit 1991

Tél. 04713/22 21
Fax 04713/23 05

15/10→15/12 und 15/03→01/05
Kein Ruhetag

 930 m

 600 - 950

 1200 - 1900

 inclus

 190 - 360

1/2 800 - 1400

980 - 1600

AV

L'hôtel Enzian, entre lac et jardins, vraie maison de campagne, saura vous combler. Nous en conservons avec soin le charme traditionnel. Votre hôtel de reve au bord d'un lac.

Ein Haus, eingerichtet und geführt mit Stil und viel Liebe zum Detail. Geschaffen für Menschen, die Harmonie von Geist und Körper suchen. Das vielfältige Sportangebot - vom Sandtennisplatz, über alle Möglichkeiten des Wassersportes am hauseigenen Badestrand - läßt schnell Freunde finden. Gesellige Runden treffen sich gerne am offenen Kamin in der gemütlichen Almbar. "Ihr Traumhotel am See"

The country house, located between forest and the lake, with its spacious sunbathing lawns, bathhouse and terraces invites you to switch off and take a break. A fabulous hotel by the lakeside.

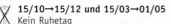

⊰ Klagenfurt 120 km

🚂 Greifenburg 10 km

🚗 A10 Ausf. Lendorf-Lienz,
B100 bis Greifenburg, abzweigung (links) Kreuzberg,
Bundersstraße

331

Hotel St. Oswald ★★★★

Österreich

A 3

St Oswald 66 - Kärnten
9546 BAD KLEINKIRCHHEIM
Reingard SCHERIAU
58 Zimmer - Relais du Silence seit 1995

Tél. 04240/59 10
Fax 04240/591 72
hotel.st.oswald@.bkk.at

 20/04→20/05 und 26/10→15/12
Kein Ruhetag

🏔 1400 m

610 - 1050
1220 - 2100
190 - 250
190 - 450
890 - 1250 (1/2)
990 - 1450

AV TO

Soyez les bienvenus dans un village idyllique au coeur du massif des "Nockberge". En toutes saisons, cet endroit est parfait pour des vacances actives ou paisibles. Et le St. Oswald vous assure une qualité cinq étoiles. L'Adriatique est à 1h30 et Venise à 3h.

Willkommen im Dorfidyll der Nockberge oberhalb des Kurortes Bad Kleinkirchheim- 4 Jahreszeiten zum " All-inclusive-Spass" für Aktiv- und Verwöhnferien! 1 Std 30 - Adria, 3 Std . Venedig. Ferien und Luxusappartements, große Badelandschaft mit Schönheitsoase, Thermalbäder, Massage, Restaurant mit Weinkeller,Bar, Kaminhalle, Kindergarten, Tennisplätze, 24 Loch Golfplatz vor Ort, Weitere 12 im Umkreis von max. 1 Std., 31 Lifte und Bahnen im Winter.

Welcome to an idyllic village situated in the picturesque "Nockberge". Ideal for active and harmonious holidays in all seasons. 1h30 -Adriatic See, 3 hrs- Venice.

Klagenfurt 60 km
Spittal/Millstättersee 35 km

Hotel Maximilian ★★★★

Österreich

A 10

Herrenanger 4
6534 SERFAUS
Familie TSCHUGGMALL
36 Zimmer - Relais du Silence seit 1983

Tél. 05476/65 20
Fax 05476/65 20 52

Oktober + November / May
R: Montag

 800 - 1600

1600 - 3200

 inclus

 490 - 980

 990 - 1910
1/2

1427 m

AV TO

Dans un environnement d'une beauté exceptionnelle, flirtant avec les cîmes, un établissement où tout se conjugue pour faire moisson de souvenirs inoubliables. Ambiance montagnarde luxueuse, raffinement d'une table excellente assortie d'une grande cave, fitness center et tous les sports de montagne.

Garten, Panoramabad, Komfortzimmer mit TV, Minibar, Telefon, Balkon, Radio, Sauna, Solarium, Dampfbad, Fitnessroom, Tennis, Gault Millau : 16/20. All dies in einer Umgebung von aussergewöhnlicher Schönheit. Hervorragende Küche und Weine.

Garden, sun terraces, swimming pool, luxury rooms, sauna, solarium, steam bath, fitness, tennis, archery facilities, excellent cuisine and great wines all this in an environment of exceptional beauty. Luxurious mountain atmosphere.

Innsbruck 100 km

Landeck 27 km

333

Sporthotel Alpenrose Residenz ★★★★

Österreich

A 11

6212 MAURACH AM ACHENSEE
Wolfgang KOSTENZER
65 Zimmer - Relais du Silence seit 1991

Tél. 05243/529 30
Fax 05243/54 66
alpenrose-residenz@netway.at

Mai und November
Kein Ruhetag

 930 m

 1070 - 1950

 2140 - 3900

 inclus

 300 - 360

 1140 - 2280

 1340 - 2420

AV

Un remarquable ensemble hôtelier, paradis aquatique intérieur et extérieur entouré de magnifiques jardins. La famille Kostenzer et ses collaborateurs seront à vos petits soins et ont préparé pour vous un large éventail d'activités d'été, d'hiver et de remise en forme dans leur "temple de vitalité". Nombreuses excursions dans les environs.

Schwimmlandschaft innen und außen, Saunalandschaft, Massage, Beautyfarm, Fit & Fun House, Raritätenweinkeller, herrliche Gartenanlage. Je 100 km bis München bzw. Salzburg, 40 km bis Innsbruck. Viele Extraleistungen inklusive. Jenbach 9 km Gratisabholung.

Indoor and outdoor swimming pools surrounded by magnificent gardens. Massage, beautyfarm. 100 km to Munich and Salzburg, 40 km to Innsbruck. Summer and winter activities, sightseeing. Rare wines.

Innsbruck 40 km

Jenbach 9 km
(Gratisabholung)

Sporthotel Zugspitze ★★★★

A 12

Innsbruckerstraße, 51
6631 LERMOOS
Irene SCHEIDERBAUER
30 Zimmer - Relais du Silence seit 1991

Tél. 05673/26 30
Fax 05673/26 30 15

30/03→20/05 & 11/10→18/12/98
Kein Ruhetag

 1000 m

 530 - 1200

 450 - 1510

inclus

 180 - 400

1/2 670 - 1730

790 - 1850

AV

La famille Scheiderbauer et son équipe vous attendent pour des vacances découverte dans une région ensoleillée aux paysages magnifiques. Cuisine régionale du Tyrol, buffet de hors d'œuvres, de salades et de desserts. Les célèbres châteaux de Louis II de Bavière à seulement 30 mn.

Ferien - Erlebnishotel, sonnige Panoramalage. Feinste Tiroler Landküche, Vorspeisen - Salat - Dessertbuffet. Weltberühmte bayr. Königschlösser /30 min. Komfortsuiten, Animation, Mountain bikes, Kinderbetreuung, Laternenwandern, Fackelrodeln, Ski-Alpin-Gletscher, 50 km Langlaufloipen. Sommerfeste - Winterfreuden, mitfeiern, aktiv u. fröhlich sein...

Holidays - adventures. Sunny panorama position, delicate tyrolien countrycuisine, hors d'œuvre - salad - and dessertbuffet. Famous Bavarian castles - only 30 min. We look after your kids while you enjoy yourself doing nothing or active winter sports and happy summer festivities.

🚆 Innsbruck 80 km
🚂 Lermoos 1 km
🚗 Garmisch u. Reutte kommend Richtung Kirche - Femgseng

335

Vital -hotel Sonnschein ★★★★

A 13

Sonnhangweg 5
6314 NIEDERAU WILDSCHÖNAU
Irmgard NEUPER
55 Zimmer - Relais du Silence seit 1991

Tél. 05339/83 53
Fax 05339/25 59

 14/04→11/05 und 25/10→20/12
Kein Ruhetag

 823 m

 750 - 1170

 1260 - 2140

 inclus

 230 - 350

 790 - 1210
1/2

CC AV TO

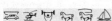

Ma place au soleil. Situé au calme dans un parc de loisirs de 20.000 m2 avec parcours de santé, tir à l'arc, minigolf, tennis, piscine, piscine couverte, sauna, hammam, solarium, massage. Bonnes possibilités de randonnées et cuisine végétarienne.

Mein Platz an der Sonne- ruhig gelegen inmitten 20.000 m2 großen Freizeitpark mit Kneipprinne, Gesundheitspfad, Bogenschießen, Minigolf, Tennis, Freibad, Hallenbad, Sauna, Dampfbad, Whirlbad, Solarium, Massagen, Naturküche und schönes Wandergebiet.

My place in the sun - located in a scenic, peaceful setting with leasure park around 20.000 m2 with kneipp grove, archery, mini-golf, tennis, outdoor pool, indoor pool, sauna, steam bath, whirlpool, solarium, massage, beautiful hiking area and vegetarian meals.

Innsbruck 60 km

Wörgl 7 km

A12 bis Wörgl - Landesstraße
- Niedereau 7 km

336

"Angela" Hotel ★★★★

Österreich

A
20

6764 LECH ARLBERG 62
Luise & Elmar WALCH
29 Zimmer - Relais du Silence seit 1983

Tél. 05583/24 07
Fax 05583/24 07 15
angela.hotel@lech.at

 Mai / Juni / Sept. / Okt. / Novem.
Kein Ruhetag

 1450 m

 2100-2545 1/2 pens.

 1790-2110 (Winter)

AV TO

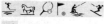

Profitez de l'ambiance, du changement, du confort et de l'atmosphère accueillante de cet hôtel de première classe situé à flanc de montagne. L'été : un séjour reposant et riche d'aventures pour toute la famille. Grand appartement de luxe pour 4-6 personnes (150 m2) : cuisine, salon, coin repas, balcon situé sud ouest avec vue sur Lech, 2 chambres - Prix sur demande. L'hiver à Lech "Best of the Alps" resort.

Genießen Sie Ambiente, Abwechslung und Komfort in gastfreundlicher Atmosphäre im First-class-Hotel auf dem Sonnenbalkon über Lech. Entspannung und Abenteuer für die ganze Familie. Großes Luxus-Apartment für 4-6 Personen.

Enjoy the surroundings, the distractions and comfort in an hospitable atmosphere in this first-class hotel on the mountain's sunny side over Lech. Relaxation and adventure for all the family. Large luxury-apartment for 4-6 persons.

Zürich-Kloten 200 km

Langen am Arlberg 18 km

Hotel Alpenhof Messmer ★★★★

Österreich

A 21

Montjola
6780 SCHRUNS
Familie MESSMER
33 Zimmer - Relais du Silence seit 1983

Tél. 05556/72 66 40
Fax 05556/761 56

Mitte April → Anfang Mai und Nov. → Mitte Dezember
Kein Ruhetag

700 m

 580 - 1680

 900 - 2200

 inclus

 150 - 350

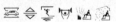 530 - 1480

AV

Séjourner à l'Alpenhof Messmer, c'est s'offrir un moment merveilleux, en toutes saisons. La situation est sans pareille, vous serez traité comme un roi mais vous vous sentirez en famille. Chambres luxueusement équipées, excellente cuisine, saine et légère. Innombrables promenades et excursions. Paradis des skieurs.

Komforthotel in traumhaft schöner Südlage. Leicht erhöht über dem Zentrum von Schruns, int. Wintersportplatz, Wanderzentrum im Sommer, Sauna, Dampfbad, Solarium, Hallenbad etc. 3000m2 Garten. Liegewiese. Nur 7 Gehminuten zum Ortszentrum. Gratis Skibustransfer zur Seilbahn.

International wintersports, summer walking center, sauna, solarium, etc., large garden (3000 m2) for sun bathing. Luxurious rooms, excellent cuisine - be spoilt like a king but with a family feeling.

 Zürich 160 km

 Schruns 1 km

338

Hotel Taleu ★★★★

A 22

6700 BÜRSERBERG/BLUDENZ
Christine und Rudi MORSCHER
30 Zimmer - Relais du Silence seit 1997

Tél. 05552/632 57
Fax 05552/63 25 74
silence@taleu.vol.at

 01/04→23/05 und 01/10→20/12
Montag

 910 m

 765 - 1115

 1240 - 1820

 inclus

 120 - 150

 710 - 980
1/2

 860 - 1130

CC AV

A 55 km du lac de Constance, juste au coeur de l'Europe, sur un plateau qui domine la ville de Bludenz. L'hôtel, au charme rustique, est idéalement situé tant pour les séjours de repos que pour les vacances actives. Chambres spacieuses, calmes et claires, cuisine très soignée et belle ambiance de montagne. Festival de musique.

Im Herzen Europas, auf einem Plateau mit Blick auf die Stadt Bludenz. Vaduz 35 km, Bodensee 55 km. Musikfestifals. Infos in deutsch / english / französisch. Entspannen oder aktiv sein : Golf und Ski zu Sonderpauschalen. Große, helle und ruhige Zimmer, gepflegte Küche, dazu die stimmunsvolle Umgebung der Berge.

In the heart of Europe on a plateau with view of Bludenz, a hotel with rustic charm, ideally placed for relaxation or activities. Vaduz 35 km, Lake Constance 55 km, music festivals. Information in English / French / German. Large rooms and fine cuisine.

Dornbim
Feldkirch
Großes — Walsertal
Bürserberg Bludenz
Brand — St Anton
Klösterle
Schruns

 Zürich 140 km

Bludenz 5 km

Autoroute Zürich - Feldkirch
vers Innsbruck - Sortie
Bürserberg-**Brandertal**

Hotel Landhaus St Georg ★★★★

Österreich

A 30

8962 GRÖBMING
Kurt LANGS
22 Zimmer - Relais du Silence seit 1986

Tél. 03685/227 40
Fax 03685/227 40 60
st.georg@computerhaus.at

1er Nov. Mitte Dez.
Kein Ruhetag

800 m

 700 - 900

 1300 - 2200

 inclus

 200 - 500

 800 - 1150
1/2

CC AV TO

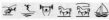

L'hospitalité familiale contribue à créer un cadre idéal pour une maison de campagne extraordinaire, très tranquille. Top-étape gastronomique.

*F*amiliäre Geborgenheit in einem aussergewöhnlichen Landhaus mit elegantem Flair. Gastronomische Top-Adresse in äußerst ruhiger Hanglage. Ausgangspunkt für herrliche Wanderungen, Dachstein-Tauern-Schi-u.LL-Gebiet mit 90 Liften/Seilbahnen, 140 km Alpinpisten, 200 km LL-Loipen, 300 km Rad-u.Mountainbikewegen, 200 Bergseen sowie 200 Gipfeln über 2.000 m, 4 Golfplätzen in max 25 km und vielen gepflegten Spazier-u. Wanderwegen; alles in/um unseren heilklimatischen Kurort Gröbming.

A feeling of well-being like at home in an exceptional country house with elegant flair. Extremely quiet location, with excellent view over the valley. Top place for a gastronomic stopover.

Salzburg 100 km

Gröbming 4 km

Salzburg - Radstadt - Schladming - Gröbming

340

Hotel Seevilla - Brahms Cafe ★★★★

Österreich

A 31

Fischerndorf 60
8992 ALTAUSSEE
Annelie und Klaus GÜLEWICZ
53 Zimmer - Relais du Silence seit 1995

Tél. 03622/713 02
Fax 3622/71 30 28

Nov. - Mitte Dez. ü Mârz
Kein Ruhetag

 730 m

 750 - 1600

1220 - 3900

inclus

350 - 480

 760 - 2000
1/2

 940 - 2180

CC AV

Vous vous sentirez chez vous dans ce paysage de poésie et vous res-
sourcerez à l'écoute de cette nature et de ses mélodies. Dans cette harmonie Johannes Brahms créa ses œuvres. Soirées littéraires et
concerts.

Wer der Melodie des Sees lauschen, der Poesie der Landschaft folgen
und den Augenblick in der Natur als Kraftquell entdecken will, der
wird sich hier bald heimisch fühlen. Inspiration und
Weltverbundenheit just an einem Ort, wo andere das Ende der Welt
vermuten würden. Genau hier erzählt die Seevilla ihre Geschichte.
Dass Johannes Brahms in der Seevilla zwei Werke uraufgeführt hat, ist
in dieser harmonischen Gegend
fast selbstverständlich. Treffpunkt
vieler Künstler.

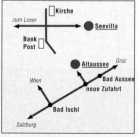

Villa in the nature reserve by the
lake. Cultural events. A fairytale
in wintertime : skating on the
lake and cross-country skiing.

Salzburg 80 km

Bad Aussee 5 km

A1-Westautobahn-Abfahrt
Thalgau-B145 Richtung Graz

Ebner's Waldhof ★★★★

Österreich

A 40

Seepromenade
5330 FUSCHL AM SEE
Herbert und Gaby EBNER
65 Zimmer - Relais du Silence seit 1982

Tél. 06226/82 64
Fax 06226/86 44
ebners@waldhof.co.at

Ende Oktober Mitte Dezember Mitte Marz - Östern
Kein Ruhetag

 670 m

 810 - 1410

 1460 - 2480

inclus

260 - 580

850 - 1360
1/2

AV

A 20 km de Salzburg tout le romantisme d'un paysage de montagne au bord du lac de Fuschl. Le Waldhof est une grande, belle et élégante maison pleine des traditions de la vieille Autriche. Vous y trouverez tous les équipements de confort et de remise en forme (bains, sauna...) et une chaleureuse ambiance. Plage privée, practice de Golf.

Das Geniesserhotel, familiär - sympathisch - Ambitioniert, direkt am Fuschlsee mit Hotelbadestrand. Zimmer meist mit Südbalkon und Panoramablick. Restaurants in gemütlichean Stuben und Seeterrasse, Piano- Zither- Abende, "Vitalschlössl" Bade- und Saunalandschaft der Superlative. Wir freuen uns Sie zu verwöhnen!

20 km from Salzburg, the romantic mountain landscape on the banks of Lake Fuschl. The Waldhotel is a big, beautiful and elegant house full of traditional old Austria. Everything for your comfort and relaxation (sauna, turkish bath...). Most rooms with balcony and panoramic view.

Salzburg 25 km

Salzburg 25 km

Autobahn Salzburg - Wien :
Abfahrt Thalgau

Hotel Unterhof ★★★★

Österreich

A 41

Golfstrasse 33
5532 FILZMOOS
Christine Schörghofer
56 Zimmer - Relais du Silence seit 1985

Tél. 06453/82 25
Fax 06453/82 50

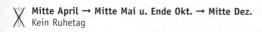
Mitte April → Mitte Mai u. Ende Okt. → Mitte Dez.
Kein Ruhetag

1057 m

650 - 950
1100 - 2080
inclus
250 - 520

650 - 1440

AV TO

Au coeur du pays de Salzburg, dans un cadre naturel unique dominé par le massif de Bischofsmütze, notre hôtel offre confort, repos, activités multiples et convivialité. La famille Schörghofer vous recevra avec grand plaisir et vous aidera à tirer le meilleur profit de votre séjour.

Idyllisch mitten im Salzburger Land gelegen, bietet unser Hotel Komfort, Erholung, Kurzweil und geselliges Miteinander. Urlaub à la carte, dort wo die Bischofs-mütze für ein einmaliges Naturschauspiel sorgt. Ein Haus für verwöhnte Ansprüche, das auch beim Rundherum Programm keine Wünsche offenläßt. - einfach Wohlfühlen. Familie Schörghofer freut sich auf einen Besuch von Ihnen.

Surrounded by charming countryside our hotel offers comfort, relaxation and many events in and around the Unterhof. Exquisite holidays beneath the imposing mountain Bischofsmütze. The Schörghofer family is looking forward to welcome you.

Salzburg 68 km
Radstadt 15 km
A10 bis Hotel 10 km

343

Vital-Hotel Elisabeth ★★★★

Österreich

A 42

5570 MAUTERNDORF 274
Isolde WIDMAYER
38 Zimmer - Relais du Silence seit 1995

Tél. 06472/73 65
Fax 06472/73 65 20

Mitte Okt. bis Anfang Dez. und Mitte April bis Anfang Juni
Kein Ruhetag

 1120 m

 880 - 1100

1920 - 2440

inclus

350

1/2 810 - 1170

960 - 1320

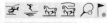

Pour des vacances idéales dans un paradis de nature : confort, qualité, accueil familial. Centre de santé avec soins de beauté, massages, conseils de santé et de beauté. Grand jardin, réductions pour des enfants. Promenades guidées.

Das Urlaubsziel im Naturparadies! Wohnlich-Gemütlich-Familiär-Qualitätsbewusst. Vitalcenter mit Kosmetik, Massage, Hallenbad, Saunen, Dampfbäder, Whirlpools geführte Wanderungen, Radtouren, Autogenes Training, Kneippanlage, großer Garten, Kinderermäßigungen.

The holiday-place in a paradise of nature! Comfortable, relaxing, familiar, high quality.
Vitalcenter with beauty department, massage, indoor-swimming-pool, sauna, steam caves, whirl-pool, guided hiking-tours, mountain-excursions, large garden, reductions for children, daily vital-programmes.

Salzburg 113 km

Radstadt 45 km

Tauernautobahnausfahrt St. Michael - Auf der Hauptstraße rechte Ortsseite

Übergossene Alm ★★★★

Österreich

A 43

Sonnberg 54
5652 DIENTEN
Familie BURGSCHWAIGER
62 Zimmer - Relais du Silence seit 1995

Tél. 064 61 230
Fax 064 61 230 62
info@alm.co.at

 Mitte April → Anfang Juni u. Mitte Okt. → Mitte Dez.
Kein Ruhetag

 1240 m

 840 - 1260

 1240 - 2400

 inclus

 240 - 480

 770 - 1350
1/2

AV TO

Au pied du mont Hochkönig, au coeur des prés des Alpes le Übergossene Alm est un havre de paix en même temps qu'un ensemble hôtelier de grand confort doté de tous les équipements sportifs et de détente. Pour des vacances actives mais aussi pour se laisser aller à la douceur de vivre. Au pied des remontées mécaniques. Bonne cuisine.

Am Fusse des Hochkönig-Massivs, inmitten bunter Almwiesen findet man Ruhe und Erholung. Aber auch für "Aktive" ist das Angebot gross oder ganz einfach faulenzen und "glücklich sein". 70 km nach Salzburg, Wander- und Golfparadies (6 Golfplätze Greenfee Ermässigung). Indoorgolf, schöne Badelandschaft, viele Ausflugsziele, "Harley-Davidson" zum Verleih. Die Hochkönig-Schischaukel begint direkt vor der Haustüre.

Near the Hochkönig mountains, amidst Alp meadows, you will find peace and cosiness. For those in search of active holidays there is a large choice. Or simply do nothing and just be happy!

✈ Salzburg 70 km

🚆 Bischofshofen 15 km

🚗 Salzburg-A12 Rich. Villach Ausfahrt Bischofshofen Rich. Mühlbach

345

Berghotel Tulbingerkogel ★★★★

Österreich

A 50

Tulbingerkogel 1
3001 MAUERBACH BEI WIEN
Familie F. BLÄUEL
38 Zimmer - Relais du Silence seit 1987

Tél. 02273/73 91
Fax 02273/73 91 73
tulbingerkogel@ins.at

Keinen
Kein Ruhetag

 500 m

👤 700 - 900
👥 1000 - 1500
☕ inclus
🍴 280 - 480
🍽 740 - 990
1/2
🛏 890 - 1140

AV TO

Dans le cadre enchanteur de la forêt viennoise (Vienne 8 km) la chaleureuse hospitalité de la famille Bläuel. Ambiance et style typiquement autrichiens. Une des meilleurs cuisines du pays. Très belle cave (800 vins) et collection de livres de cuisine anciens. Schloß Schönbrunn à 20 mn

Unser Familienhotel liegt 8 km vor Wien inmitten des Wienerwaldes auf einer großen Waldwiese mit Blick bis zu den Alpen. 20 Min von Klosterneuburg und vom Schloß Schönbrunn. Eine der besten Küchen des Landes und 800 Weine erwarten Sie im Restaurant; auch historische Gastronomie aus der Sammlung alter Kochbücher (200 Bücher ab 1580).

Family hotel situated 8 km from Vienna in a forest glade with a beautiful view to the Alps. 20 min. by car to Klosterneuburg. One of the best cuisines and 800 wines. Terraces and various restaurant rooms. Seasonal and regional specialities. Collection of antique cook books.

✈ Wien-Schwechat 35km

🚆 Wien-Hütteldorf 15 km

🚗 Ende der Westautobahn A1 in Wien-Auhof - Mauerbach (NW) - Tulbingerkogel

Gasthof Häupl ★★★★

Österreich

A
61

Hauptstraße 20
4863 SEEWALCHEN
Familie HÄUPL
33 Zimmer - Relais du Silence seit 1996

Tél. 07662/63 63
Fax 07662/63 63 62
haeupl@haeupl.co.at

Keinen
Kein Ruhetag

 500 m

 720 - 1100

1200 - 2280

 inclus

268 - 495

798 - 1498
1/2

CC AV TO

Le Häupl se présente comme un lieu de la plus haute qualité pour des séjours d'exception. Dans un cadre superbe, hospitalité, ambiance et paysages magnifiques. Le restaurant est reconnu pour sa cuisine remarquable et sa belle carte des vins. Soirées typiques. Week-end gastronomiques.

Durch unsere phantastiche Aussichtslage öffnet sich mit dem Anblick des herrlichen See- und Bergpanoramas eine Märchenidylle. Elegantrustikale Gästestudios schaffen heimelige und familiäre Atmosphäre. Almbar-Hüttenabende, Gourmetwochenenden, Bootcharter, Mountainbiking, Tauchen, Helicopter-Flüge.

In wonderful alpine setting, overlooking the lake, enjoy the peace and quiet. The gourmet restaurant celebrates Austrian cuisine and wine culture. Elegant yet rustic studios for a cosy atmosphere. Log-cabin style bar, gourmet weekends, boat trips, mountain biking, diving, helicopter flights.

Salzburg/Linz 50 km

Attnang-Pucheim 15 km

Autobahn A1, Ausfahrt Seewalchen, 500 m auf der B151

347

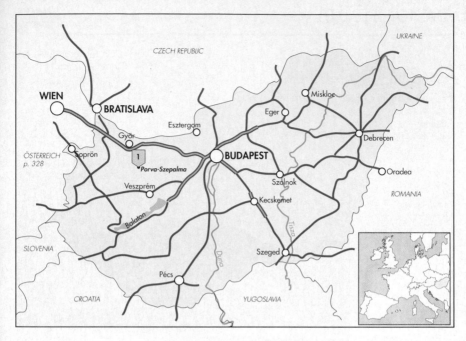

 36

 Forint

Les prix sont indiqués en Deutsch Mark. Renseignez-vous auprès de l'hôtel.
Pour plus d'informations, reportez-vous aux pages 12 à 25.
Die Preise sind in Deutscher Mark angegeben. Erkundigen Sie sich in der Hotel.
Für mehr Informationen, siehe Seite 12 bis 25.
The prices are given in Deutsch Mark. For inquiries, contact directly the hotel. For
more informations, report to pages 12 to 25.

Hongrie

Hungary - Ungarn

Fondée il y a plus de 1000 ans dans le bassin des Carpathes par des tribus Magyares, la Hongrie d'aujourd'hui, façonnée par des civilisations successives, nous invite à découvrir son histoire et ses lieux enchanteurs : Budapest la belle se mirant dans le Danube, les grandes plaines et leurs chevauchées, les rives du lac Balaton, la "douce mer" hongroise, les richesses architecturales, le folklore, la culture. C'est un pays à nul autre pareil qui bat au cœur même de l'Europe. En Hongrie la splendeur est au rendez-vous.

Founded more than 1000 years ago in the Carpathian basin by Magyur tribes, the Hungary of today, shaped by the hands of successive civilizations, invites us to discover its history and its places of enchantment: Budapest the fair, mirrored in the Danube, the great plains and their galloping horses, the shores of lake Balaton, the Hungarian "freshwater sea", the architectural treasures, the folklore, the culture. It is a country unlike any other, set in the very beating heart of Europe. In Hungary you will meet splendour face to face.

Das vor über 1000 Jahre von den Magyaren im Karpathental gegründete Ungarn wurde von vielen Zivilisationen geformt. Das Land lädt uns heute ein, seine Geschichte und seine zauberhaften Orte zu entdecken: Budapest, das sich in der Donau spiegelt, die grossen Ebenen mit den unzähligen Reitpferden, die Ufer des Plattensees, die architektonischen Reichtümer, die Folklore, die Kultur... Es ist ein Land, das keinem anderen gleicht und dennoch mitten in Europa liegt! Es erwartet Sie mit seiner ganzen Pracht

NOT TO BE MISSED.

- Concert du Nouvel An à Budapest,
- Festival de Printemps de Budapest - mars Tél.133 23 37,
- Festival de Pâques à Hollokö - Tél.32/378 066,
- Festival de Moyen Age à Diosgyör-Miskolc - fin mai Tél. 46/411 747,
- Festival culturel de Györ juin/juillet - Tél. 96/316 020,
- Festivités du Palais de Visegrad mi juillet - Tél.26/398 090,
- Festivités de Martonvàsàr - 2ème quinzaine de juillet Tél.22/460 229,
- Carnaval de fleurs à Debrecen ± 20 août Tél.52/419 812,
- Festival Equestre de Lipicia à Szilvàsvàrad - septembre Tél.36/355 133,
- Festival d'Automne de Budapest octobre Tél. 133 23 27,
- Gala et Bal du Nouvel An - Budapest Tél. 302 42 90.

Hotel Szépalma ★★★

8429 PORVA-SZEPALMA UNGARN
Familie H.-D. und S. VONTOBEL
37 Zimmer - Neues Relais du Silence

Tél. 88/468 888
Fax 88/468 889

 Ouvert toute l'année
Ouvert tous les jours

 450 m

 65 - 75 DM

 90 - 140

 inclus

⌁ 57,50 - 82,50
1/2

⌁ 70 - 95

CC AV TO

S itué au cœur du massif boisé du Haut-Bakony, l'hôtel et centre de séminaires Szépalma offre à ses hôtes tous les attraits d'un paysage idyllique et d'un climat sain et vivifiant. Loin du tumulte quotidien, il propose un séjour de travail stimulant et un lieu de repos idéal pour les amoureux de la nature.

I m Herzen des bewaldeten Hochbakony liegt das Hotel und Seminarzentrum Szépalma. Eingebettet in eine idyllische Landschaft und gesegnet mit einem gesunden Klima eignet es sich hervorragend als abgeschiedene Tagungsstätte und als Erholungsort für naturverbundene Menschen.

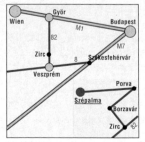

T he hotel and convention centre Szépalma is situated in the heart of the forest-covered Bakony mountains. Tucked away in an idyllic countryside and blessed with a healthy climate, it is the ideal venue for meetings away from daily routine and a place for relaxation and recovery for nature-loving people.

✈ Wien/Budapest 160km

🚆 Zirc 15 km

🚗 N82 Ausfahrt Zirc - Richtung Porva (ca. 15 km)

Les prix sont indiqués en Franc belge ou luxembourgeois. Renseignez-vous auprès de chaque hôtel individuellement. Pour plus d'informations, reportez-vous aux pages 12 à 25.

The prices are given in Belgian and Luxemburg Franc. For inquiries, contact directly each hotel. For more informations, report to pages 12 to 25.

📞 **B : 32**
L : 352

Die Preise sind in Belgischen und Luxemburgischen Franken angegeben. Erkundigen Sie sich in jedem Hotel. Für mehr Informationen, siehe Seite 12 bis 25.

 ***Franc belge***
Franc
Luxembourgeois

De prijzen zijn aangeduid in Franken. Neem inlichtingen bij het uitgekozen Hotel. Voor meer inlichtingen verwijzn wij naar pagina 12 tot 25.

België
Luxembourg

Belgique - Belgium - Belgien - Luxemburg

Belgique, Luxembourg, carrefour de l'Europe et des civilisations, Histoire, Art et Nature.

België-Luxemburg: Smeltkroes van Europese Beschavingen.

Belgium, Luxemburg, the crossroad of Europe and of civilisation, History-Art and Nature.

A NE PAS MANQUER - NIET TE MISSEN

BELGIË - BELGIQUE
- Exposition de Magritte à Bruxelles (06/03 au 28/06/98),
- Exposition de Breughel à Anvers (02/05 au 26/07/98),
- Procession du Saint-Sang à Bruges (21/05/98 et 13/05/99),
- Exposition de Memling à Pieter Pourbus à Bruges (15/08 au 06/12/98),
- Exposition de Albrecht et Isabella à Bruxelles (17/09/98 au 17/01/99),
- Exposition de Dirk Bouts à Louvain (18/09 au 06/12/98).

LUXEMBURG - LUXEMBOURG
- Festival international de musique - Echternach (mai et juin),
- Festival européen de théâtre en plein air - Wiltz (juillet),
- The family of man - Château de Clervaux

Belgien, Luxemburg, Kreuzung Europas und der Zivilisationen, Kunstgeschichte und Natur.

353

Hôtel Prinsenhof ★★★★

Belgique

B
20

Ontvangersstraat 9
8000 BRUGGE
Thierry et Katrien LEMAHIEU-SOENEN
16 Chambres - Relais du Silence depuis 1986

Tél. 050/34 26 90
Fax 050/34 23 21
prinsenhof@unicall.be

Ouvert toute l'année
Ouvert tous les jours

 3100 - 3700

 3975 - 7000

 inclus

 sans restaurant

CC AV

Ancienne maison de maître luxueusement rénovée au cœur de Bruges, à deux pas de la Grand Place, centre de la ville historique. Ambiance familiale très au calme. Les chambres personnalisées sont pourvues de TV, radio, téléphone, minibar, sèche-cheveux et presse pantalon. Petit-déjeuner buffet exceptionnel.

Im Herzen von Brügge und zwei Minuten vom Marktplatz gelegen bietet Ihnen das Hotel einen prinzlichen Aufenthalt. Im einem völlig restaurierten, herrschaftlichen Brugger Haus können sie umringt von modernem, gemütlichem Komfort, die damals herrschende Atmosphäre vollauf geniessen.

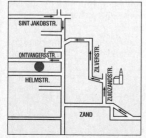

An old manor house beautifully converted into a family-run comfortable hotel. Situated in a quiet central street close to the Grand'Place and the historic towncenter. Individually decorated rooms all have TV, radio, phone, minibar, hairdryer and trouserpress. Exceptional buffet breakfast.

Oostende 30 km

Brugge 1 km

E40 exit 8
N31 exit Brugge

355

Hostellerie "Ter Heide" ★★★

B 22

Tragelstraat 2
9971 LEMBEKE
Carl VAN HECKE
9 Chambres - Relais du Silence depuis 1996

Tél. 093/77 19 23
Fax 093/77 51 34

Du 25 au 31/12
Lundi

3250
3500
450

3250

CC AV TO

Situé dans un cadre rural, en lisière des bois, l'hostellerie "Ter Heide" se trouve à une vingtaine de kilomètres seulement de Bruges, de Knokke et de Gand. Très bonne cuisine de choix au gré des saisons : Turbot au four, terrine de foie d'oie, homard au Sauvignon.

Das Hotel liegt in einer ruhigen Gegend am Rande eines schönen Waldes. Es ist nur zwanzig Kilometer von Gent, Brugge oder Knokke entfernt. Küche der Saison: Steinbutt, Gänseleberpastete, Hummer.

In a quiet setting at the edge of the Lembeke woods, the hotel and restaurant are within easy reach of Bruges, Knokke and Ghent. Seasonal cuisine : turbot, paté of goose liver, lobster.

Zaventem 80 km
Eeklo 5 km

356

Auberge du Pêcheur ★★★

Belgique

B 35

Pontstraat 41
9831 St-MARTENS LATEM/DEURLE
Johan CLAUS
26 Chambres - Relais du Silence depuis 1987

Tél. 09/282 31 44
Fax 09/282 90 58

H: 24→30/12   R: 16→30/12
R: lundi et samedi midi

2800 - 3600

3200 - 4000

350

990 - 2200

CC

Sur les bords de la Lys, à 10 km au Sud-Ouest de Gand, l'Auberge du Pêcheur bénéficie d'un superbe emplacement les pieds dans l'eau avec ponton à la disposition de la clientèle. Les chambres offrent un grand confort. Cuisine très soignée et carte des vins renommée. Organisation de réceptions.

Am Ufer der Lys, 10 km von Gent, hat die Auberge du Pêcheur eine besondere Lage mit einem Ponton am Fluss für unsere Gäste. Gepflegte Küche und eine berühmte Weinkarte.

On the banks of the Lys at 10 km from Gent the Auberge du Pêcheur benefits from a superb location with a river ponton for our clients. Our rooms offer great comfort. Refined cuisine and renowned wines. We organize your receptions.

Zaventem 55 km

Deinze 5 km

Moulin de Daverdisse ★★★★

B 41

61, rue de la Lesse
6929 DAVERDISSE
B. et J.P. DUFOUR-DENAEYER
20 Chambres - Relais du Silence depuis 1993

Tél. 084/38 81 83
Fax 084/38 97 20

 04/01→06/02/98 - 07→18/12/98 et 25→29/08
Mer. et Jeu. midi hors saison, hors vacances scolaires

 2500

  3100 - 3500

 inclus

 1150 - 1850

 1100

 2000

Au cœur de la forêt ardennaise, en Haute Lesse dans un parc de 6 ha avec rivière poissonneuse. Un lieu de séjour confortable et accueillant pour goûter l'hiver les plaisirs du ski de fond, et l'été les joies de la pêche, de la randonnée pédestre, cycliste, équestre, en liberté dans une nature somptueuse. Gastronomie et chaleureuse ambiance. Excursions et visites aux alentours.

Gelegen mitten in der Ardennen, im "Haute Lesse" in einem Park von 6 Hektar, wo ein fischreicher Fluss zu finden ist. Ski im Winter, Angeln im Sommer, Ausflüge zu Fuss, Pferd oder mit Fahrtad, Gute Gastronomie.

Situated in the heart of the Ardennes, in the "Haute Lesse" and surrounded by a 15 acre park with a river full of fish. Ski in winter, fishing in summer, walking and biking, horse riding. Good gastronomy.

 Luxembourg 100 km

Jemelle 20 km

E411 Bruxelles-Luxembourg
sortie N°23 Wellin

Hostellerie Sainte-Cécile ★★★

Belgique

B
43

Rue Neuve, 1
6820 SAINTE-CECILE/SEMOIS
Mme et M. PIERRE - DUQUENNOY
14 Chambres - Relais du Silence depuis 1995

Tél. 061/31 31 67
Fax 061/31 50 04

15/01→15/03 et 1ère sem. Sept.
Dim. soir et lun. sauf Juillet-Août et jours fériés

▲ 430 m

2300
2500 - 3950
300
1250 - 2100
2850 - 3650 (1/2)
3050 - 3850

CC

Au centre de la forêt où coule la Semois capricieuse, le petit village de Sainte-Cécile vous offre la possibilité d'un merveilleux séjour en notre hostellerie, ancienne ferme aménagée. Vaste jardin fleuri au bord de l'eau. Fine cuisine. Chambres tout confort. Balades en forêt. Bains de rivière. Canotage.

Altes restauriertes Bauernhaus am Ufer eines Flusses und im Herzen eines kleinen Dorfes, umgeben von einem Wald, in dem unzählige Spaziergänge möglich sind.

It is in the middle of a forest and by the meandering river Semois, the little village of Sainte-Cécile, and restaured farm-house. Charming garden on the banks of a river. Outstanding cuisine.

✈ Luxembourg 80 km
🚆 Florenville 8 km
🚗

"Cap au Vert" ★★★★

B 45

6840 GRANDVOIR
Colette et Pierre GEERS
12 Chambres - Nouveau Relais du Silence

Tél. 061/27 97 67
Fax 061/27 97 57

Janvier : sem. 2 et 3 - Septembre : sem. 1 et 2
H: Dimanche soir et lundi   R: Dimanche soir et lundi
(hors saison)

 420 m

2950 - 3100

 3800 - 4300

inclus

 1150 - 2250

 3100 - 3400

4050 - 4400

CC AV

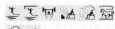

⌖ Luxembourg 80 km

🚆 Libramont 9 km

🚗 E411 sor. 26 Verlaine dir.
Grandvoir 6 km

Au cœur des Ardennes ! Caché entre sapins, étang et rivière le "Cap au Vert" un havre qui vous fait revivre. Accueil : où le mot hôte prend tout son sens et où le sourire vous est acquis. Restaurant : où l'art du palais rivalise avec le plaisir des yeux.

Im Herzen der Ardennen eine Idylle zwischen Tannen, Teich und Fluss! Der "Cap au Vert" ein Ort zum Kräftesammeln. Empfang : wo das Wort "Gast" wörtlich gemeint ist und wo man Sie mit einem Lächeln empfängt. Restaurant : wo die Gaumenfreuden mit dem Augenvergnügen wetteifert.

In the heart of the Ardennes ! Hidden amongst firtrees, near a lake and a river the "Cap au Vert" a haven that makes you feel alive again. Reception : where the word "host" takes its full meaning and the smile is taken for granted. Restaurant : where the taste vies with the visual pleasure.

Hostellerie Le Parvis ★★★★

B 56

Vieux Mont, 15
6940 PETITHAN-DURBUY
Emmanuel DE SIMPEL et Pierre MASSIN
7 Chambres - Relais du Silence depuis 1997

Tél. 086/21 42 40
Fax 086/21 43 13

2 semaines en Janvier et 2 semaines en Septembre
Ma. et Mer. hors saison et jours fériés

 3500

 3900

 inclus

 990 - 1900

 3100
1/2

CC AV TO

Au calme, au bord de l'Ourthe, dans la verdure, à 5 mn des golfs de Durbuy et de Méan. Gastronomie et confort réunis. Cuisine de produits choisis, alliance originale d'inventivité et de classicisme. Vastes chambres lumineuses et l'atmosphère paisible et raffinée d'une belle demeure.

Inmitten der Natur, am Ufer des Ourthe gelegen, 5 mn entfernt von den Golfplätzen Durbuy und Méan. Gastronomie und Komfort. Küche mit ausgewählten Produkten, hochwertige klassische Gerichte. In den komfortablen, sonnigen Zimmern Raffinesse und Ruhe.

By the banks of the Ourthe. 5 mn from Durbuy and Méan Golfcourses. Gastronomy and comfort. Its cuisine of selected products combines inventiveness and tradition. Bright and comfortably-furnished rooms guarantee the peacefulness of a beautiful home's refined atmosphere.

Bruxelles 100 km

Barvaux ou Bomal 6km

E411 sor. N4 dir. Durbuy
après virage de Petithan à
gauche, au fond du village.

Bütgenbacher Hof ★★★★

Belgique

B 60

Marktplatz 8
B4750 BÜTGENBACH
Thérèse et Norbert MARAITE-PIP
22 Chambres - Relais du Silence depuis 1991

Tél. 080/44 42 12
Fax 080/44 48 77

± 10 jours vers Pâques et début Juillet
R: lundi soir et mardi

650 m

 2000

 3000 - 4500 (suite)

inclus

600 - 2100

 2500

 3000

CC AV TO

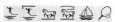

L'ambiance chaleureuse, les chambres confortables ainsi qu'une cuisine recherchée donnent à notre maison un cachet tout particulier. Notre belle terrasse avec jet d'eau et jardin d'hiver et notre tout nouveau centre de revitalisation vous assurent un séjour reposant et relaxant. Belle région pour les promenades. 2 suites.

Herzliche Ambiente, moderne Gästezimmer sowie eine anspruchsvolle Küche geben unserem Haus eine besondere Note. Eine wunderschön angelegte Terrasse und Wintergarten sowie einzigartiges Vitalcenter geben Ihnen Möglichkeit für Ruhe und Entspannung. Herrliche Wald- und Wiesenlandschaft rund um den See.

Family charme, modern guestrooms and high quality gastronomy give our house a special touch terrace with unique garden and restful wintergarden and a new saunaworld give you the moments of relaxing situated near a lake surrounding meadows and forest, ideal for walks.

Liège 50 km
Eupen 25 km

Kasteel Wurfeld ★★★

B
65

Kapelweg 60
3680 MAASEIK
Marleen et Etienne ODEKERKEN
14 Chambres - Relais du Silence depuis 1995

Tél. 089/56 81 36
Fax 089/56 87 89

Ouvert toute l'année
Ouvert tous les jours

 2350 - 2650

 2800 - 3250

 325

 940 - 1750

 2665

 3495

 AV TO

Dans un magnifique parc de 2,5 ha avec étang, l'élégant château de Wurfeld est une résidence de classe où vous trouverez charme et confort. Vous goûterez une cuisine française de haut niveau dans la jolie véranda du jardin d'hiver. Le centre historique et culturel du typique village de Maaseik est à 2 km.

Schloss Wurfeld liegt in einem wunderschönen Park (mit Teich) von 2,5 ha. Das Restaurant befindet sich in einem Wintergarten mit Sicht über den Park. Die französische Küche ist ausserordentlich. Das schöne Städtchen Maaseik an der Maas liegt 2 km entfernt und hat eine interessante Geschichte.

The Wurfeld castle is surrounded by a beautiful parc (with lake) of 6 acres. The restaurant is located in a wintergarden overlooking this garden. The "French Cuisine" is remarkable. The nice little town of Maaseik at the river "La Meuse" has an interesting cultural and historical background.

Maastricht 29 km

Genk 25 km

Près de la frontière Belgo-Néerlandaise à 29 km de Maastricht.

363

Kasteel van Neerijse ★★★

 B 70

Lindenhoflaan 1
3040 HULDENBERG-NEERIJSE
Kris BREMS
27 Chambres - Relais du Silence depuis 1991

Tél. 016/47 28 50
Fax 016/47 23 80
neerijse-castlehotel@skynet.be

 Ouvert toute l'année
R: Samedi midi (ouvert le soir)

3500 - 3950

3950 - 4400

inclus

1150 - 1800

3125

CC AV TO

Le Château de Neerijse est le lieu rêvé pour quelques jours de détente, un repas gastronomique mais aussi pour un banquet aux chandelles ou un séjour de travail en séminaire. Un superbe parc de 6 ha. avec étang et barbecue entoure le Château et invite à faire des promenades. Bruxelles (à 20 min.) et Louvain (à 10 min.) valent certainement la peine d'être visités.

Idyllisches Schloss in einem Naturpark. Feinschmeckerrestaurant und angenehme Entspannung nur 20 min von Brüssel und 10 min von Leuven entfernt.

Idyllic site surrounded by greenery with its own lake tempts one to take a walk. Brussels (20 mn) and Leuven (10 mn) are certainly worth visiting. The Château is the ideal venue for a gastronomic champagne weekend (3980 BF p.p.), but also for seminars, banquets or product presentations. Finest gastronomy and comfortable relaxation in historical settings.

✈ Bruxelles 25 km
🚗 Louvain 8 km
🚗 E40 Brussels exit 22 - E40 Liège exit Leuven - E314 exit 15 - E411 exit 3

Le Manoir de Saint-Aubert ★★★★

Belgique

B
93

14, rue des Crupes
7542 MONT SAINT-AUBERT
Anne et Pascal DUFOUR
7 Chambres - Relais du Silence depuis 1996

Tél. 069/21 21 63
Fax 069/84 27 05

1ère quinzaine de Janvier - 2ème quinzaine d'Août
Dim. soir et Lun. sauf jours fériés

 2400 - 3800

 2900 - 4300

 inclus

 990 - 2250

 2400 - 3100

CC AV TO

A 3 km de Tournai, ville d'art et d'histoire en Hainaut, un charmant manoir du 19e dans un magnifique parc avec étang, offrant un calme exceptionnel. La qualité de l'accueil, le décor élégant, l'ambiance feutrée, la cuisine raffinée sont autant d'atouts pour la réussite de votre séjour.

3 km von Tournai, Stadt der Künste und Touristenzentrum westlich von Hainaut. Das Manoir de St. Aubert heisst Sie in einem herrlichen Park mit Teich willkommen- eine aussergewöhnlich ruhige Umgebung. Geniessen Sie die feine Küche in einem der geschmackvoll eingerichteten Speiseräume.

3 km from Tournai, an art city and tourist centre in the west of Hainaut. "Le Manoir de St. Aubert" welcomes you in a splendid park with a pond, an extraordinary tranquil environment. You will undoubtedly enjoy the refined cooking in one of the tastefully furnished dining rooms.

Lille Lesquin 20 km

Tournai 3 km

E42 sortie N°33 dir. Kain-Renaix-Mont Saint-Aubert

Hôtel du Grand-Chef ★★★★

Luxembourg

36, avenue des Bains
5610 MONDORF-LES-BAINS
Marie-Jeanne et Emile BOSSELER
37 Chambres - Relais du Silence depuis 1978

Tél. 66 80 12 +66 81 22
Fax 66 15 10

L 22

De fin Novembre à mi Mars
Ouvert tous les jours

2.330 - 2.750

3.150 - 3.800

inclus

750 - 1.600

2.330 - 2.700

2.450 - 2.800

CC AV

A 17 km de Luxembourg-Ville et 10 km de l'autoroute, dans un parc privé boisé. Confort actuel et charme d'une demeure de tradition. Face au Centre thermal et balnéaire. Arrangements de séjour et de Fitness. Salons, vérandas, terrasses en verdure. Attenant au parc thermal (50 ha). Casino de jeux à 950 m.

Traditionsreiches Haus mit heutigem Hotelkomfort, im eigenen Park gegenüber dem Kur- und Fitnesszentrum (Thermal-Hallenbad, Sauna). Pauschal-Arrangements. Französiches Restaurant. 15 Autominuten von der Autobahn und 20 Minuten von Luxembourg-Stadt entfernt. Spielbank. Casino auf 950 m. Golf auf 5 km.

Quietly set in its private woodland-park. Classic elegance yet up to date comfort and amenities. Facing spa center with its recreational facilities. Special arrangements at reduced rates. Cosy lounges French kitchen, set menus and à la carte. Only 10 km distant from motorway and 17 km from Luxembourg-City.

Luxembourg 18 km

Luxembourg 17 km

A31 sor. Thionville, D1 vers Mondorf - E411-E25 sor. Hellange/Frisange

OCTAVIA

LE NOUVEAU VISAGE DE ŠKODA

à partir de
79 900 F(1)

Dès ses premiers tours de roues, la Skoda Octavia fait sensation. La presse unanime a applaudi le sans-faute : l'Octavia arbore une ligne pleine de force et un comportement qui respire la sécurité. Elle dévore les kilomètres en toute sérénité dans un environnement de confort. Et son étonnant rapport qualité/prix fait pâlir de jalousie ses concurrentes. Même réussite côté confort :

4 vitres teintées électriques, direction assistée, toit ouvrant électrique, climatisation, verrouillage centralisé portes et coffre, sièges réglables en hauteur (et, raffinement suprême, le support lombaire s'ajuste, lui aussi, à votre dos), volant réglable en hauteur et profondeur, 8 haut-parleurs, filtre anti-pollen...

Venez découvrir, vous aussi, la voiture dont tout le monde rêve. Elle vous attend tout de suite chez votre concessionnaire Skoda.

3615 SKODA(2) **. Tél. 08 36 68 08 10**(3)
h t t p : / / w w w . s k o d a - f r a n c e . c o m

ŠKODA AUTO

Groupe Volkswagen

RC PARIS B 602 025 538 - **GREY DIRECT**

(1) 79 900 F Octavia LX 1,6 l 75 ch, AM 97, hors options. Tarif au 23.05.97. (2) 1,29 F la minute. (3) 2,23 F la minute. Photo non contractuelle.

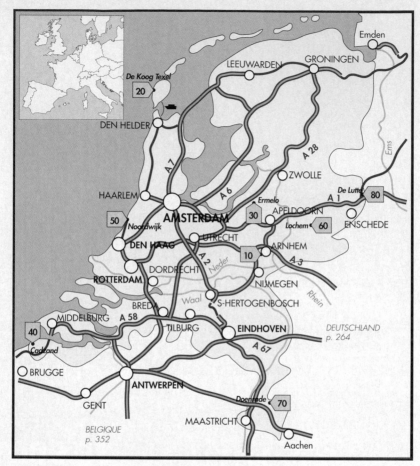

 31

 **Gulden**

De prijzen worden in guldens uitgedrukt. De logeerbelasting is niet inbegrepen. Voor meer informatie verwijzen wij U gaarne naar pagina's 12 t/m 25.

Les prix sont indiqués en Florin. Renseignez-vous auprès de chaque hôtel individuellement. Pour plus d'informations, reportez-vous aux pages 12 à 25.

The prices are given in guilders. For inquiries, contact directly each hotel. For more informations, report to pages 12 to 25.

Die Preise sind in Gulden angegeben. Erkundigen Sie sich in jedem Hotel. Für mehr Informationen, siehe Seite 12 bis 25.

Secretariaat van Nederland:	Hotel De Witte Raaf
	Duinweg 117-119 - 2204 AT Noordwijk
	Tel. 0252 37 59 84 - Fax 0252 37 75 78

Nederland

![flag]

Pays-Bas - Netherlands - Niederlande

Nederland... het landje aan de Noordzee met een geheel eigen karakter. Sterk internationaal gericht, omdat het zo klein is en dus zo veel buitenland heeft. Beroemd om zijn klompen, tulpen, windmolens en kaas.
Volhardend, vechtend tegen wind en water, omdat het land voor de helft onder de waterspiegel ligt. Zuinig op zijn historie. Een land met veel cultuur, natuur en bezienswaardigheden en een bevolking, die altijd zo vriendelijk is voor bezoekers uit alle landen.

Ce petit pays, situé au bord de la mer du Nord, est connu pour son charme et sa forte personnalité.
Tout le monde est influencé par ses traditions et son histoire. Connu pour ses sabots, ses tulipes, ses fromages, ses moulins qui surveillent et combattent jours et nuits, son vent fort et son eau turbulente, ce pays est d'abord construit par ses habitants, "Dieu a créé la terre, les hollandais ont créé la Hollande".
Un pays riche de culture, de nature, de curiosités... une population heureuse d'accueillir les visiteurs du monde entier.

The Netherlands... a small North Sea country with a strong personality. A country that has always looked outwards owing to its small size and its several borders. Famous for its clogs, its tulips, its windmills and its cheese. Persevering, fighting against wind and tide, as half of the territory is below sea-level. Discreet about its history. A country rich in culture, nature and curiosities and a population that offers its warm hospitality to visitors from all countries.

NOT TO BE MISSED.

- Keukenhof:
  A grandiose flower garden in Holland,
- Texel:
  An international style holiday island,
- Kröller-Möller museum: In the heart of an immense protected natural reserve,
- Zeeland: the province of lakes and rivers and the famous Delta dikes,
- Many typical old Dutch villages can be found in the Zuidersee area (Ijsselmeer).

Landgoed Hotel Groot Warnsborn ★★★

Nederland

NL 10

Bakenbergseweg 277
6816 VP ARNHEM
Lammert & Sjoukje DE VRIES
29 Zimmer - Relais du Silence seit 1983

Tél. 026 445 57 51
Fax 026 443 10 10
warnsborn@silencehotel.nl

01→15/01/98
Ouvert tous les jours

150 - 285

200 - 350

20

32,50 - 87,50

150 - 215

180 - 245

Jolie et claire maison dans une propriété boisée, au nord d'Arnhem. Vous apprécierez la cuisine fraîche de saison et l'ambiance du restaurant ouvert sur la nature par le jeu d'une grande verrière. En été, service sur la terrasse. Centre ville et richesses culturelles à quelques minutes en voiture.

Landgut Groot Warnsborn liegt an der Nortseite Arnheims in der Nähe von Oosterbeek und dem National Park "de Hoge Veluwe". Das Hotel ist eine idyllische Stätte für Gäste die Ruhe und Weite suchen. Es gibt Fahrratmögligkeiten. Terrassen.

This beautiful country estate is situated in the north of Arnhem. Close to Oosterbeek as well as the national park "Hoge Veluwe" groot warnsborn has conference and meeting rooms, but it is also extremely well-appointed for dinners, receptions, wedding-parties and other events (from 2 to 300 ps).

✈ Schiphol 80 km

🚆 Arnhem 5 km

🚗 Arnhem-Noord / Oosterbeek

Hotel Restaurant Opduin Texel ★★★★

NL
20

Ruyslaan 22
1796 AD DE KOOG TEXEL
Famille H.P. WUIS
99 Chambres - Relais du Silence depuis 1984

Tél. 0222 31 74 45
Fax 0222 31 77 77
opduin@pi.net

05/01→15/02
Ouvert tous les jours

 75,50 - 214

151 - 428

inclus

55 - 117,50

1/2
204 - 258

CC AV TO

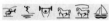

Texel est une île connue pour ses oiseaux et ses moutons au milieu des dunes : "Opduin", un hôtel 4 étoiles, le seul de Texel, créé par la famille Wuis et tenu par elle depuis 2 générations. Découverte, balades, dunes, forêts, réserves naturelles, plages... Ambiance détendue, gastronomie internationale et hospitalité chaleureuse.

Inmitten der Dünen : "Opduin", ein 4- Sterne- Hotel- das einzige auf Texel; diese Insel ist für seine Vögel und Schafe bekannt. Von der Familie Wuis gegründet und seit 2 Generationen geführt. Entdeckungen und Strände, entspannte Atmosphäre, Küche der Region und international.

A 4 star hotel in the middle of dunes the only one on Texel, an island known for birds and sheep. Founded by the Wuis family and run for 2 generations. Nature, beaches and relaxation, local gastronomy.

Texel 7 km

Den Helder 15 km

Port de Den Helder, bac vers Texel direction De Koog

371

Hotel Het Roode Koper ★★★

NL
30

Sandbergweg 82
3852 PV LEUVENUM ERMELO
Mme P.M.A. VAN DER WERF
26 Kmr - Relais du Silence sinds 1984

Tél. 0577/40 73 93
Fax 0577/40 75 61

Ouvert toute l'année
Ouvert tous les jours

 95 - 175

 175 - 330

 inclus

 60 - 125

 145 - 220

 CC

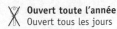

Vous vous sentirez délicieusement bien dans cette belle demeure, ancienne résidence privée du Gouverneur d'Indonésie, transformée en un charmant hôtel de campagne. Un parfum d'antan, une ambiance raffinée et une cuisine à la hauteur de la qualité des lieux. Spécialités de gibier. Parc magnifique.

Frühere Privatresidenz des Gouverneurs von Indonesien, in einem herrlichen Park, jetzt ein schönes Landhotel, in dem Sie sich sehr wohlfühlen werden. Kultivierte Atmosphäre und Gastlichkeit der Vergangenheit. Küche auf der Höhe der niveauvollen Umgebung. Wildbretspezialitäten.

Former private residence of Indonesia's Governor, in a magnificent parc, has been transformed into a charming country hotel and will give you a feeling of well-being. Refined atmosphere and memories of elegant yesterdays. Cuisine at the height of its stylish level, venison and game specialities.

✈ Schiphol 100 km

🚉 Ermelo 8 km

🚗

372

Hotel-Restaurant De Blanke Top ★★★★

Nederland

NL
40

Boulevard de Wielingen 1
4506 JH CADZAND-BAD
Familie DE MILLIANO
27 Chambres - Relais du Silence seit 1990

Tél. 0117 39 20 40
Fax 0117 39 14 27
blanketop@silencehotel.nl

Anfang Januar - Anfang Februar
Ouvert tous les jours

  132,50 - 275

 175 - 380

inclus

65 - 150

152,50 - 275

CC AV

De Blanke Top jouit d'une grande renommée à la fois pour sa situation exceptionnelle dans les dunes sur la plage, pour la qualité de son accueil et de ses équipements et pour son ambiance sympathique. La garantie d'un séjour inoubliable. Soyez les bienvenus.

In Dünen- und Strandlage befindet sich unser renommiertes Hotel-Restaurant "De Blanke Top". Gastfreiheit, Atmosphäre, das Bemühen um unsere Gäste und die optimale Qualität aller Einrichtungen bürgen für einen unvergeßlichen Aufenthalt in unserem modernen Betrieb und seiner Umgebung. Herzlich Willkommen.

In the dunes and beside the beach lies our acclaimed Hotel-Restaurant "De Blanke Top". Hospitality. Atmosphere. The care of our guests and the outstanding quality of all our facilities are your guarantee of an unforgettable stay in our modern establishment with its beautiful surroundings. A warm welcome.

Oostende 35 km

Knokke-Heist 10 km

N49 sor. Maldegem dir.
Aardenburg - Oostburg -
Cadzand-Bad

373

De Witte Raaf ★★★★

Nederland

NL 50

Duinweg 117-119
2204 AT NOORDWIJK
T.J.J. OOSTDAM
36 Kmr - Relais du Silence sinds 1989

Tél. 0252/37 59 84
Fax 0252/37 75 78
witteraaf@silencehotel.nl

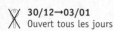
30/12→03/01
Ouvert tous les jours

 100 - 140
 170 - 240
 inclus
 39,50 - 62,50
 132,50 - 167,50

CC AV TO

Vous trouverez l'hôtel restaurant De Witte Raaf à la limite de Noordwijk, à proximité d'une magnifique région de dunes. L'ambiance élégante de cette maison est en parfaite harmonie avec la splendide nature qui l'entoure. L'emplacement de choix, le calme, le luxe, l'accueil en font tout le charme particulier.

Am Rande von Noordwijk, in der Nähe eines prächtigen Dünengebietes. Die stilvolle Atmosphäre dieses Hotels ist in Einklang mit der wunderbaren Naturlandschaft. Die schöne Lage, Ruhe, Luxus, Gastlichkeit und freundliche und fachkundige Mitarbeiter.

Located on the outskirts of Noordwijk amid a lovely dune landscape. The delightful atmosphere of this hotel is a perfect match for its glorious natural surroundings. Comfortable, personal ambiance and a beautiful location, quiet, luxury, hospitality and friendly, competent associates.

[Map: La Mer du Nord, Keukenhof, Noordwijkerhout, De Witte Raaf, Les Dunes, Duinweg, Noordwijk, N 206]

✈ Schiphol-Amsterdam 25 km
🚂 Voorhout 7 km
🚗 Richtung Den Haag -
   Noordwijk - Noordwijk Noord

374

Hotel 't Hof van Gelre ★★★

Nederland

NL
60

Nieuweweg 30
7241 EW LOCHEM
Fam. P.H. FINSTER
48 Zimmer - Relais du Silence seit 1995

Tél. 0573 25 33 51
Fax 0573 25 42 45

Ouvert toute l'année
Ouvert tous les jours

 100 - 175

 160 - 250

 inclus

 42,50 - 85

1/2 127,50 - 162,50

CC AV TO

Hôtel familial chaleureux situé à proximité de la vieille ville de Lochem et des pistes cyclables et circuits pédestres qui font la réputation de l'Achterheck. Un grand confort dans cette maison récemment rénovée. Chambres spacieuses de différentes catégories. Tous les équipements de détente.

Familiäres Hotel, warme Atmosphäre, Nähe der alten Stadt Lochem und der Fahrrad und Wanderwege, die Achterheck's Ruf bedeuten. Grosser Komfort - das Haus wurde von Kurzem renoviert. Geräumige Zimmer verschiedener Kategorien.

Family hotel, warm atmosphere, near the old town of Lochem and the cycle paths and walking circuits being Achterhock's reputation. Great comfort in this recently renovated house. Large rooms of various categories. Everything for your relaxation.

🛬 Twente 35 km

🚉 Lochem 2 km

🚗 Via A1, afslag Lochem. In Lochem borden volgen

375

Kasteel Doenrade ★★★

NL 70

Limpensweg 20
6439 BE DOENRADE
P. HELLEMAN
24 Zimmer - Relais du Silence seit 1995

Tél. 046/442 41 41
Fax 046/442 40 30

Ouvert toute l'année
Ouvert tous les jours

 170 - 190

 225 - 390

 inclus

 70 - 105

 182,50 - 265

CC AV

Kasteel Doenrade est un hôtel à l'ambiance cordiale et agréable. Erigé dans une oasis de tranquillité au cœur de la nature limbourgeoise. Que vous optiez pour la randonnée pédestre, le cyclotourisme ou l'excursion en voiture, les alentours immédiats du château regorgent de magnifiques lieux de promenade.

Kasteel Doenrade ist ein ruhiges und gemütliches Hotel. Es befindet sich in einer grünen Oase in der limburgischen Landschaft. In der unmittelbaren Umgebung können Sie wunderschöne Spaziergänge und Fahrrad- oder Autotouren machen.

Kasteel Doenrade is a comfortable and friendly hotel. It lies in Limburg in an oasis of green. Plenty of peace and quiet. The immediate environment of the castle is perfect for walking, cycling and touring by car.

Maastricht 10 km

Sittard 6 km

376

Landhuishotel Bloemenbeek ★★★★

Nederland

NL
80

Beuningerstraat 6
7587 LD DE LUTTE
Familie STRIKKER
60 Zimmer - Relais du Silence seit 1996

Tél. 0541 55 12 24
Fax 0541 55 22 85
bloemenbeek@silencehotel.nl

29/12/97→08/01/98
Ouvert tous les jours

 137,50

197,50

inclus

57,50 - 125

130

 CC AV

Avec des allures de grande maison à la lisière d'un bois, le Bloemenbeek est un hôtel charmant, au confort parfait. Belles chambres lumineuses et gaies, table renommée dans un décor intime, tous les équipements de détente et institut de beauté. Séjours gastronomiques et sportifs. Superbes promenades à pied et à vélo.

Am Waldrand, perfekter Komfort und helle freundliche Zimmer in einem Haus voll Stil. Berühmte Küche und Dekor - alles zur Entspannung und Schönheits institut. Ausflüge zu Fuss und mit Fahrrad.

A charming hotel with perfect comfort, grand style and beautiful bright rooms : renowned cuisine - everything for relaxation. Superb outings on foot or by bike.

Twente 12 km

Oldenzaal 4 km

A1 sor. NR34 dir.
Lutterzand/Beuningen

377

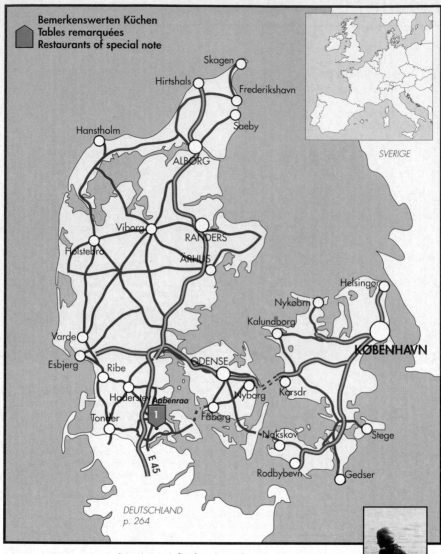

Bemerkenswerten Küchen
Tables remarquées
Restaurants of special note

Skagen

Hirtshals

Frederikshavn

Hanstholm

Saeby

ALBORG

SVERIGE

Viborg

RANDERS

Holstebro

ÅRHUS

Helsingor

Nykøbrn

Kalundborg

Varde

ODENSE

KØBENHAVN

Esbjerg

Ribe

Haderslev   Aabenraa

Nyborg   Korsdr

Tonder

Fåborg

Nakskov

Stege

Rodbybevn

Gedser

DEUTSCHLAND
p. 264

E 45

Danemark

Denmark - Dänemark

Pour traverser le Danemark de part en part dans tous les sens, il faut à peine plus d'une demi-journée de voiture et de ferry. Entre mer du Nord et mer Baltique, un petit pays dont l'histoire a tant influencé celle de l'Europe. Des Vikings à nos jours, histoire, légendes, traditions, modernité ont tramé un tissu culturel dense. Sur votre route des paysages d'eau et de verdure où terre et mer sont intimement imbriqués, innombrables palais, châteaux, musées... et l'accueil des Danois qui ont du goût pour la fête et le bonheur.

It takes hardly more than half a day to cross Denmark from one side to the other, in any direction, by car and ferry. Between the North Sea and the Baltic, a small country with a history that has deeply influenced the history of the whole of Europe. From the Vikings to the present day, history, legends, traditions and modernity have woven a dense cultural fabric. Water and greenery are the keynote of the scenery you will drive through, where land and sea are intimately interwoven, and you will find innumerable palaces, châteaux, museums... and the welcome of the Danish people, whose taste runs to festivity and happiness.

Nicht mehr als einen halben Tag braucht man, um Dänemark mit dem Auto und der Fähre zu durchfahren. Es ist ein kleines Land zwischen Nord- und Ostsee, dessen Geschichte jedoch Europa erheblich beeinflusst hat. Angefangen bei den Wikingern bis zum heutigen Tag haben Geschichte, Legenden, Traditionen, Moderne ein kulturelles Gefüge ohnegleichen geschaffen. Auf Ihrem Weg sehen Sie Wasser und Grün, hier sind Meer und Festland eng miteinander verbunden... Unzählige Burgen, Schlösser, Museen sowie der herzliche Empfang der Dänen mit ihrem Sinn für Feste feiern und Fröhlichkeit.

NOT TO BE MISSED.

- Town fete in Sønderborg on the island Als (may),
- Harbour Festival, Aabenraa (june),
- Lace festival, Tønder (june),
- Open Air Theatre in the park at Brundlund Castle, Aabenraa (june),
- Market days in Sonderborg on the island Als (june),
- The country Tilting at the ring festival (Aabenraa) (first sunday of july to thursday),
- Golf Tour Senderjylland, Royal Oack Golf Club, Jels (mid-july),
- Harbour Festival, Hejlsminde by Christianfeld (july),
- Tønder Festival, Tønder (end of august),
- Krusmelle Christmas Fair, Krusmelle by Aabenraa (end of october to end of december).

379

Sdr. Hostrup Kro ★★★★

DK
1

Østergade 21
6200 AABENRAA
Bernard MORILLON
28 Chambres - Nouveau Relais du Silence

Tél. 74 61/34 46
Fax 74 61/30 67

 Du 22 au 26/12
Ouvert tous les jours

👤 595 - 625

👥 795 - 825

☕ inclus

✕ 295 - 400

🍽 500 - 625
1/2

🍽 600 - 725

CC AV TO

Plus que centenaire, l'auberge de Sdr. Hostrup bénéficie d'une belle situation dans un parc au milieu de la charmante campagne du Jutland méridional. Notre restaurant est renommé pour sa cuisine raffinée et gastronomique ainsi que pour son accueil et son service. Homards de notre vivier à l'orange et au gingembre. Suprême de volaille farcis.

Weithin für exklusive Küche auf hohem gastronomischen Niveau sowie das freundliche und geschulte Personal bekannt. Mehr als 100 Jahre alt. In einer Parkanlage mitten in der sauberen Natur Südjütlands. Er wird laufend sorgfältig restauriert.

Known for its exquisite kitchen of high gastronomical value and its kind and efficient service. The more than 100 years old inn has been gently renovated in stages; it stands in an attractive park surrounded by the charming countryside of South Jutland.

✈ Sønderborg 30 km

🚆 Rødekro 12 km

Relais du Silence-Silencehotel sur INTERNET

http://www.relais-du-silence.com/

■ Pour vous informer sur la chaîne et les 319 Relais,

Pour voyager à travers 14 pays et les régions de France,

Pour vous promener dans les établissements,

Pour réserver vos séjours.

■ To give you information on the chain and its 319 relais,

To travel across 14 countries and the different regions of France,

To wander through the hotels,

To book your stays.

■ Um Sie über die Kette und die 319 Relais zu informieren,

Um über 14 Länder und alle Regionen Frankreichs zu surfen,

Um alle Häuser zu besichtigen,

Um Ihren Aufenthalt zu buchen.

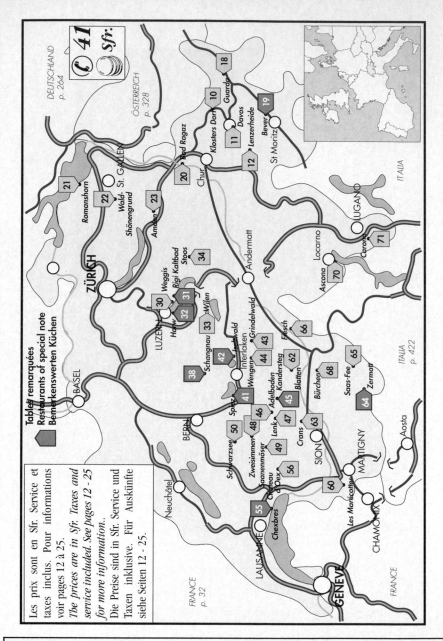

Suisse

Switzerland - Schweiz

Hautes Alpes, grands lacs, vallées charmantes et sauvages, superbes paysages..., histoire, traditions et folklore. Surprenantes possibilités pour les sports d'été et d'hiver. 36 Relais du Silence-Silencehotels suisses pour la découverte de ces 26 cantons qui vous parlent en quatre langues.

Alpenlandschaft, grosse Seen, unberührte Täler, wunderschöne Landschaften..., Geschichte, Tradition und Folklore. Überraschende Sommer- und Wintersportmöglichkeiten. 36 Schweizer Relais du Silence-Silencehotels um den 26 Kantonen mit Ihren vier Landessprachen zu entdecken.

Alpine landscape, big lakes, lovely and wild valleys, wonderful scenes..., history, tradition, and folklore. Surprising possibilities for summer and winter-sports. 36 Swiss Relais du Silence-Silencehotels to discover the 26 cantons, where people welcomes you in four different national languages.

A NE PAS MANQUER.

- **Château d'Oex** : 2ème quinzaine de janvier Semaine intern. de ballons à l'air chaud Tél.02 69 24 25 25,
- **Adelboden** : mars: Country festival Tél.03 36 73 80 80,
- **Martigny** : (juin - novembre 98) exp. Gauguin. Juin - nov. 99 exposition Tél.02 77 22 39 78,
- **Ascona** : (juin - juillet) New Orleans jazz festival Tél.09 17 91 00 90,
- **Montreux** : juillet, Festival international de jazz Tél.02 19 62 84 84,
- **Davos** : fin juillet - août, Tél.08 14 15 21 21 Young artists in concert, int. festival de musique,
- **Locarno** : août : Festival int. de cinéma Tél.09 17 51 03 33,
- **Genève** : mi août : Fêtes de Genève Tél.02 29 29 70 10,
- **Montreux** : fin août - fin septembre Festival de Musique Montreux-Vevey Tél.02 19 62 84 84.

LES ALPES SUISSES

Toit de l'Europe, la Suisse vous invite à découvrir ses paysages merveilleux, sa nature préservée, en pratiquant marches et promenades à vélo. Cheminements dans une nature intacte, parcours culturels, historiques et sportifs, vous familiariseront avec la vie suisse si diverse. Séjournez dans nos Relais du Silence, ils ont tant à vous offrir !

BATEAUX ROMANTIQUES SUR LES LACS SUISSES

Les lacs suisses, entourés pour la plupart par des montagnes, offrent d'innombrables possibilités de découvrir la patrie de Guillaume Tell sous des angles différents. Les compagnies de navigation des lacs suisses ont remis à l'honneur la riche histoire des bateaux romantiques, parfois à vapeur, qui sillonnent les lacs de villes en stations touristiques. Sportifs ou amateurs de détente, arrêtez-vous autour de nos lacs dans des coins sauvages ou sur des plages aménagées. Vous trouverez les renseignements utiles pour votre tour, groupés sur une feuille d'information.

LA SUISSE CULTURELLE

La Suisse est fière de son patrimoine historique et culturel. Des étapes dans les 36 Relais du Silence suisses sont aux portes d'innombrables musées, châteaux et curiosités architecturales à visiter tout au long de l'année. Expositions à thèmes, semaines musicales, festivals de films et de jazz, fêtes folkloriques, etc., complètent l'offre culturelle.

TRAINS D'EPOQUE

Pour les amateurs de trains d'autrefois, vous irez en Suisse de surprise en surprise. Découvrez partout le charme des trains d'époque, locomotives à vapeur, wagons panoramiques, trains à crémaillère, funiculaires, etc., faisant de la Suisse un pays unique. Habilement rénovés par des spécialistes, ces trains sont pour le visiteur source de joie au cours de leur voyage dans les régions alpines.

SPORTS D'HIVER

Les 2/3 des Relais du Silence suisses se trouvent dans des régions de renommée internationale où se pratiquent les sports d'hiver : ski alpin, de fond et de randonnée, ski acrobatique, snowboard, bob et luge, patinage, tours en traîneau, promenades, etc., dans l'air vivifiant, vous séduiront.

T.G.V. DES NEIGES

Les TGV directs Paris-Lausanne-Martigny-Sion-Brigue vous permettront d'arriver rapidement cet hiver à proximité de votre destination en Suisse romande et en Valais, sans changer de train.

DIE SCHWEIZER ALPEN

Die atemberaubende Schweizer Berglandschaft- das Dach Europas - lädt Sie ein, während einer erholsamen und abenteuerlichen Wander- oder Radtour, ihre Vielfalt an natürlichen Reichtümern zu entdecken. Speziell angelegte Rundwege und Lehrpfade geben genaueren Einblick in die verschiedensten Themen, wie Kultur, Geschichte, Sport, Botanik, Zoologie, oder Allgemeinbildung. Auf diese Weise eröffnen sich dem Besucher ungeahnte Möglichkeiten Leben un Mentalität der Schweizer näher kennenzulernen.
Alle Relais du Silence in der Schweiz bilden einen idealen Ausgangspunkt für Ihre Reise.

ALTE DAMPFSCHIFFE AUF SCHWEIZER SEEN

Die Schweizer Seen, welche grösstenteils von Bergen umgeben sind, bieten unzählige Möglichkeiten das Land von Wilhelm Tell einmal aus einem ganz anderen Blickwinkel zu betrachten. Die Schiffahrtsgesellschaften unserer Seen haben die bewegte Geschichte der alten Dampfschiffe wieder neu aufleben lassen. Auf allen grösseren Schweizer Seen verkehren diese nostalgischen Transportmittel zwischen bekannten Städten und touristisch, oder historisch bedeutungsvollen Orten.

SCHWEIZER KULTUR

Die Schweiz ist reich an vielfältigen kulturgütern. Während einer Reise von einem Schweizer Silencehotel zum andern öffnen sich Ihnen während des ganzen Jahres Tür und Tor zu Museen, Schlössern und sonstigen architektonischen Sehenswürdigkeiten. Themenausstellungen, Musikfestwochen, Film- und Jazzfestivals, folkloristische Anlässe, Freilichtspiele, usw.. runden das vielseitige Kulturangebot ab.

EISENBAHNEN AUS FRÜHEREN ZEITEN

Für die Liebhaber von nostalgischen Eisenbahnen ist die Schweiz ein Land voller Ueberraschungen. Der spezielle Charme der Züge aus früheren Zeiten ist überall zu entdecken. Dampflokomotiven, Salonwagen, Zahnradbahnen und alles was im weitesten Sinne damit verbunden ist, wurden von geradezu fanatischen Eisenbahnnarren mit viel Liebe zum Detail restauriert. Mit all dem zurückgewonnenen Glanz erfreuen diese Bahnen die Besucher unseres Landes während ihrer abenteuerlichen Reise durch die alpine Landschaft.

WINTERSPORT

Rund zwei Drittel der Schweizer Silencehotels befinden sich in international bekannten Wintersportorten. Den sich dort bietenden Möglichkeiten Wintersport zu betreiben sind praktisch keine Grenzen gesetzt : Alpinskifahren, Langlauf, Skiwandern, Snowboarden, Winterwandern, Schlittschuhlaufen, Bob- oder Schlittenfahren, Ausflüge mit von Pferden oder Hunden gezogenen Schlitten.

ALPINE SCENERY

The breath-taking swiss mountain scenery, the roof of Europe, invites you to discover their variety of natural richesses during a relaxing and adventurous biking or cycling-tour. Special routes are informing you on different themes, such as culture, history, sports, zoology, botany and other educative items. These offers you interesting possibilities to get acquainted with the Swiss way of live and mentality.

STEAMERS ON SWISS LAKES

The Swiss lakes, surrounded by the majestic alps offer you unique possibilities to have a look at the country of William Tell from a complete other point of view. The shipping-companies have revived the old days of the steamers and on all the big lakes these nostalgic vessels will bring you to interesting historical and tourist sites on their shores.

CULTURAL SWITZERLAND - Swiss culture

Switzerland has a very rich social-cultural history and during your journey along the 36 Silencehotels of Switzerland you will find open doors all the year round to museums, castles and other architectural curiosities. The wide cultural variety is completed by the famous music, jazz, and filmfestivals, as well as by traditional Swiss presentations.

NOSTALGIC TRAINS

Switzerland is a country full of surprises for the amateurs-students of nostalgic trains. Everywhere you can discover that special charm of trains from the days gone by. Steam-engines, saloon-cars, rack-railways and everything which has to do with it are renovated by amateurs with a great love for the details. These old trains allow you adventurous trips through the alpine scenery.

WINTERSPORTS

Two thirds of our Silencehotels of Switzerland are situated in the internationally well-known wintersports-resorts as well as in smaller familiar ski-areas.
All kinds of winter activities can be practised, such as alpine-ski, ski-walking, snowboarding, snow-walking, winter-walking, skating and sleigh-rides.

INFORMATION - INFORMATIONEN

Afin de vous aider à planifier votre voyage en Suisse, vous pouvez, bien entendu, toujours demander les renseignements supplémentaires auprès de notre secrétariat suisse.

Um Ihnen bei der Gestaltung Ihrer schweizer Reise behilflich zu sein dürfen Sie immer zusätzliche Auskünfte bei unserem Sekretariat in der Schweiz verlangen.

In order to assist you to prepare your Swiss holiday, you can always call upon our Swiss Office for supplementary information.

RELAIS DU SILENCE/SILENCEHOTELS SUISSE
CH-1923 Les Marecottes
Tél. 027-761 1667 - Fax . 027-761 1600
or at all Relais du Silence hotels in Switzerland.

Hotel Rätia ★★★

Suisse

CH 10

7252 Klosters-Dorf
A. & L. BURKHARD-PETTET
22 Zimmer - Relais du Silence seit 1978

Tél. 081/422 47 47
Fax 081/422 47 49

15/04→15/06 & 15/10→15/12
Kein Ruhetag

 1120 m

 75 - 110

 80 - 180

 inclus

1/2 60 - 120

CC AV

Maison de famille, calme et confortable, l'Hôtel Rätia vous charmera par sa chaude ambiance de chalet montagnard. Le bois, omniprésent dans la décoration intérieure, vous enveloppe de sa chaleur. Dans un très beau paysage de montagnes, les pistes de ski de fond passent devant l'hôtel et les stations téléphériques sont à proximité.

Gediegenes Familienhotel in idealer Lage für Ruhesuchende. Ski-und Wanderloipe vor dem Hause. Nähe Bergbahnen. Kinderfreundliches Haus. Im heimeligen Bündnerstübli verwöhnen wir Sie mit hausgemachten Spezialitäten. Eigener Forellenteich. Im Juni, September und Oktober 10% Rabatt für Pensionierte.

Our quiet and comfortable family hotel is situated in peaceful and beautiful mountain surroundings. Cross-country and skiing area in front of the house. Cable cars nearby.

Zürich 150 km
Klosters-Dorf 300 m
Autobahn Zürich-Chur,
Ausfahrt Landquart

Waldhotel Bellevue ★★★★

Suisse

CH 11

Buolstrasse 3
7270 DAVOS-Platz
Joe F. et Barbara THEILER-ZEHNDER
53 Zimmer - Relais du Silence seit 1996

Tél. 081/415 37 47
Fax 081/415 37 99

13/04→10/06 et 11/10→05/12
Kein Ruhetag

1600 m

103 - 224
206 - 448
inclus
35 - 75
123 - 244
143 - 264

CC AV

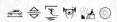

Situé à la lisière de la forêt, au-dessus de Davos, hôtel de grande classe qui vous offre tous les conforts. Ambiance de charme, détails chaleureux et l'agrément d'une piscine d'eau salée à 34 °. Massages, solarium, salle de jeux pour les enfants. Chiens bienvenus.

Am Waldrand über Davos gelegen. Hotel mit Sole-Hallenbad (34°), Massage, grosser Sonnenterrasse, Wald-Café-Restaurant, Kinder-spielzimmer, Hunde willkommen. Geniessen Sie wohlverdiente Ferien im persönlich geführten, ehemaligen "Zauberberg-Sanatorium" Thomas Mann's. Aktive finden Wanderwege und Skipisten direkt hinter dem Hotel. Kostenloser Hotelbus zu den Bahnhöfen und Bergbahnen.

Located on the sunny edge of the wood above Davos. Hotel with indoor salt water pool (34°), massage, sun terrace, café-restaurant, playroom for kids, dogs welcome.

 Zürich-Kloten 150 km

Davos-Dorf 2,5 km

Hotel La Palanca ★★★

Suisse

CH 12

Val Sporz
7078 LENZERHEIDE
Ursula u. Giuliano VALSECCHI
32 Zimmer - Relais du Silence seit 1996

Tél. 081/384 31 31
Fax 081/384 53 64
la palanca@swissonline.ch

Mai + November
Kein Ruhetag

 1500 m

 110 - 170
 160 - 280
 inclus
 30 - 90
 1/2 110 - 172

Plein de charme, l'hôtel La Palanca bénéficie d'une superbe situation ensoleillée, bien au calme, dans un très beau paysage de montagnes. Il se trouve situé au départ des chemins pédestres et de la région de ski Lenzerheide-Valbella. Cette maison accueillante vous propose 32 chambres rénovées dans le style élégant et intime de la tradition Suisse.

Ruhige, sonnige Lage in idyllischer Berglandschaft. Am Tor zum Wander- und Skiparadies Lenzerheide-Valbella. 32 renovierte Zimmer, elegant-rustikal in Schweizer Tradition eingerichtet.

Situated in an idyllic mountain area, quiet and sunny. Just a few steps from the hotel you will find marvellous walking routes and skiing slopes. 32 rooms, cosy and charmingly refurnished in Swiss tradition.

Zürich-Kloten 100 km
Chur 16 km

388

Piz Buin ★★★

Suisse

CH 18

7545 GUARDA
Natalia & Hans-Peter RUBI
22 Zimmer - Relais du Silence seit 1991

Tél. 081/862 24 24
Fax 081/862 24 04

 November und Mai
R: Mittwoch nur im Winter

 1653 m

 78 - 80

 132 - 168

 inclus

 12 - 45

 83 - 104
1/2

 CC AV

Hôtel familial et rustique situé à l'extrémité de Guarda, bijou de village de l'Engadine sur un plateau ensoleillé. Chambres tout confort. L'atmosphère intime de notre restaurant, qui offre un impressionnant panorama sur les montagnes de la Basse Engadine, vous invite à un délicieux repas.

Am Dorfende auf einer Sonnenterasse im Unterengadin weitab von jeglichem Verkehr. Rustikale Zimmer mit allem Komfort. Zu einem feinen Essen (Bündner Spezialitäten, Fisch und vegetarische Geriche usw.) lädt unser gemütliches Restaurant mit wunderschöner Aussicht auf die Unterengadiner Dolomiten und der einmaligen Alpenflora.

At the very end of Guarda, one of the most picturesque villages of the Engadine on a sunny plateau, you'll find our traditional family hotel. Our rooms offer all comfort and our cosy restaurant with view on the impressive skyline of the mountains will invite you to delicious meals.

Zürich-Kloten 190 km

Guarda-Staziun 3 km

Engadiner Haupstr. - Abzweigung in Giarsun - durchfahrt durchs Dorf letztes Haus links

Hotel Chesa Salis ★★★

CH 19

7502 BEVER
Carlos JÖSLER
17 Zimmer - Relais du Silence seit 1993

Tél. 081/852 48 38
Fax 081/852 47 06

 Mitte April→Mitte Juni und Mitte Okt.→Mitte Dez.
Kein Ruhetag

 1714 m

123 - 147

186 - 290

inclus

50 - 70

141 - 193

CC AV

Ancienne demeure de la famille des Salis, soigneusement transformée en un hôtel au cachet exceptionnel. Ambiance gaie et reposante, tout près des centres touristiques de la Haute Engadine. Dans un cadre intime et élégant, la carte propose une cuisine de saison et des spécialités régionales avec un superbe choix de vins des Grisons et de la Valteline. Beau jardin pour se détendre à la belle saison.

Patrizierhaus der Familie von Salis, sorgfältig umgebaut in ein charmantes Hotel mit zeitgemässem Komfort. Ruhige Lage in unmittelbarer Nähe der Oberengadiner Urlaubszentren. Fröhlich-behagliche Gastlichkeit mit dem Charme des späten ländlichen Barock.

Samedan 2 km

Bever 0,7 km

St Moritz - Samedan - Bever

Carefully restored patrician house of the Salis family, now a charming small hotel near the big resorts of the Engadine. Intimate and elegant, seasonal dishes and regional specialities, superb choice of wines. Beautiful garden to relax in summer.

Schloss Ragaz ★★★

CH
20

Alte Kantonsstrasse
7310 BAD RAGAZ
Barbara und Patrick ZETTEL
58 Zimmer - Relais du Silence seit 1990

Tél. 081/302 23 55
Fax 081/302 62 26

 21/11/98 → 20/12/98
Kein Ruhetag

520 m -

 92 - 130

170 - 250

inclus

34 - 50

 120 - 155
1/2

149 - 184

CC AV

Situation exceptionelle dans un parc magnifique à proximité du parcours de golf et du centre thermal. Belles chambres au château ou dans pavillons. Toutes les chambres avec bain/douche/wc. Cuisine traditionelle et vins de la région. A l'hôtel : massages et autres traitements de cure.

Herrliche Lage in grossem Park, angrenzend an Golfplatz und Kuranlagen. Schönes Wohnen im Schloss oder in Pavillons im Park. Alle Zimmer mit Bad/Dusche/WC. Gepflegtes aus Küche und Keller. Im Hotel: Massagen und weitere Kuranwendungen.

Located in a wonderful park close to the golfcourse and thermal centre. Rooms in the castle or in pavillons in the park area. All rooms with shower/bath/wc. Traditional cooking and good wines from the region. Massagescellulite and fango treatments available at the hotel.

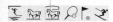

✈ Zürich-Kloten 120 km
🚃 Bad-Ragaz 2 km
🚗 Autobahn ZH-Chur Ausfahrt
Bad-Ragaz/Maienfeld

391

Park-Hotel Inseli ★★★★

Suisse

CH 21

Thurgau-Bodensee
8590 ROMANSHORN
Anton STÄGER
39 Zimmer - Relais du Silence seit 1984

Tél. 071/463 53 53
Fax 071/463 14 55

Das ganze Jahr geöffnet
Kein Ruhetag

 400 m

 118 - 165
 182 - 228
 inclus
 15 - 95
 137 - 158

Sur les rives du Bodensee, idéalement situé pour les excursions en bâteau ou voiture vers Meersburg, Lindau, Bregenz, etc, le Park-Hotel Inseli assure la tranquillité, loin des bruits de la route, au cœur d'un parc magnifique avec accès direct au lac. Chambres confortables avec balcon ou terrasse, tous les équipements de remise en forme, restaurant panoramique et rôtisserie. Pour vos vacances et excursions, vos congrès, vos séminaires.

Schönste Lage direkt am Bodensee abseits der Strasse, mitten im Seepark. Idealer Ort für Ferien, Ausflüge, Familienanlässe, Tagungen, Seminare. Fisch, Fleisch und FlambéSpezialitäten, sowie Fischmenu Bodenseerundgang in der Rôtisserie. Fischgerichte und regionale Spezialitäten im Panoramarestaurant.

Located directly on the lake, away from the noise, admit the beautiful park along the shore. Holidays, excursions, conferences, seminars.

Kloten 80 km

Romanshorn 0,8 km

Gasthaus Chäseren ★★★

Suisse

CH
22

9105 WALD-SCHÖNENGRUND
Thomas BETTLER
18 Zimmer - Relais du Silence seit 1993

Tél. 071/361 17 51
Fax 071/361 17 59

Das ganze Jahr geöffnet
Kein Ruhetag

 960 m

🚶	115 - 140
👫	190 - 220
🍽	inclus
🍴	20 - 70
🛏 1/2	117 - 132
🛏	127 - 142

CC AV 10

Dans un paysage de hautes collines vallonnées et ensoleillées, la "Chäseren" jouit d'une vue étendue sur le massif du Säntis et les Alpes glavoises. La maison et la cuisine reflètent le style particulier et charmant de la région d'Appenzel. Décoration raffinée. Chambres tout confort. Nombreuses activités. VTT.

Sonnig, abseits vom Verkehr in malerischer Hügellandschaft mit einmaligem Blick auf das Säntismassiv und Glarner Alpen. Im gemütlichen Appenzellerstil, zum Verweilen und Geniessen. Unser Appenzeller Restaurant und die heimelige Stube sowie die Panoramaterrasse eignen sich bestens für eine fröhliche Tafelrunde. Für Ihren Mountainbike-Plausch stehen Ihen 25 modernste Fahrräder zur Verfügung.

A sunny place away from the traffic roads surrounded by lovely hills with unique view on the Säntis, the highest mountain of the area.

✈ Zürich-Kloten 100 km

🚆 Waldstatt+Bus Schönengrund

🚗 In Wald auf der Hauptstr. bleiben gegen Ende des Dorfes recht hoch fahren bis zum Gasthaus

393

Hotel Arvenbüel ★★★

Suisse

CH
23

Arvenbüelstr 47
8873 AMDEN
Silvia und André RÜEDI
21 Zimmer - Relais du Silence seit 1994

Tél. 055/611 12 86
Fax 055/611 21 01

April + 50. und 51. Woche
Kein Ruhetag

 1256 m

100 - 120

180 - 194

 inclus

 30 - 70

127 - 134

 AV

Hôtel de villégiature situé sur le plateau ensoleillé qui domine le lac de Walenstadt. Du balcon des vastes chambres bien équipées votre regard embrasse un magnifique panorama montagneux. Délicieux petits déjeuners avec différents pains faits à la maison. Accueil charmant de Silva et André Rüedi.

Persönlich geführtes Ferienhotel im Wandergebiet auf dem Sonnenplateau hoch über dem Walensee. Sehr grosse komfortable Zimmer mit Sitzgruppe, TV, Telefon, Dusche, WC und Balkon mit herrlichem Berg-Panorama. Reichhaltiges Frühstücksbuffet mit täglich 4-5 hausgebackenen Broten. Das Motte unserer Küche: frisch und hausgemacht.

Family owned and operated holiday-hotel in the hiking area on the sunny plateau high above the lake of walenstadt. Very spacious comfortable and cosy rooms with TV, telephone, private bath and balcony with a beautiful panoramic view. Rich breakfast buffet with homemade breads.

Zürich Kloten 75 km

Ziegelbrücke 10 km

Autobahn N3 Zürich-Chur.
Ausfahrt Amden-Weesen, 10
km AB Autobahnausfahrt

Park-hotel Weggis ★★★★

Suisse

CH 30

Herfensein Str 34
6353 WEGGIS
Verena und Jürg H. Günther
62 Zimmer - Relais du Silence seit 1992

Tél. 041/390 13 13
Fax 041/390 16 18
jguenther@access.ch

Anfang Okt. - Ende April
Kein Ruhetag

 440 m

 130 - 160

260 - 320

inclus

28 - 68

150 - 190

CC AV

Depuis 85 ans, la famille Günther peaufine son art du bien recevoir dans sa superbe propriété baignée par les eaux du lac des Quatre-Cantons. Vaste parc, grand calme, vue imprenable, confort extrême, et une cuisine de tradition toute en fraîcheur.

Qualität und Tradition prägen den Stil des Park-Hotels, welches fern vom Verkehr in sehr ruhiger Lage liegt. Grosser Park und Liegewiese am See. Grosse Restaurations-Terrasse mit Blick auf die Berge und den See. Eigener Kunststoff-Rasen-Tennisplatz. Günstige Tennis-und Wanderwochen ab Mitte September bis Mitte Oktober.

Zürich-Kloten 55 km

Luzern 22 km

For 85 years, quality and tradition have determined the Park-Hotel's style, far away from traffic quietly situated with a big park and laws by the lake. Large restaurant terrace with view to the mountains and lake. Own artificial lawn tenniscourt. Special rates for tennis and hiking mid-sept to mid-oct.

Hotel Bergsonne ★★★

CH
31

Nähe Luzern
6356 RIGI KALTBAD
Familie Dorly und Willy CAMPS
19 Zimmer - Relais du Silence seit 1992

Tél. 041/397 11 47
Fax 041/397 12 07

April/Mai und November bis 15. Dezember
Kein Ruhetag

🔺 1450 m

 85 - 100

160 - 190

inclus

25 - 95

115 - 135
1/2

140 - 160

CC AV TO

☼

Superbe situation plein sud. Rigi Kaltbad est un village de vacances piétonnier à 1000 m d'altitude au-dessus du lac des Quatre Cantons. Cuisine gastronomique renommée. Suites et appartements tout confort, mobilier suisse.

Ein gastronomisches Kleinod, stilvolle, heimelige Räume, unverfälscht innerschweizerisch eingerichtet. Mitglied der Gilde, Schweizerische Gilde etablierter Köche. Suiten und Appartements mit jeglichem Komfort, schönste Südhanglage, mit Blick auf die gesamte Alpenkette, autofreies Bergferiendorf. 1000 m über dem Vierwaldstättersee. Zentraler Ausgangspunkt vieler Höhen-Wanderwege und Ausflüge.

◄ Basel Bern
▲ Zürich
Zug
Luzern
Rigi Kaltbad
Arth
Schwyz
Weggis Vitznau
Vierwaldstätter
Stans E 36
Altdorf
Milano Gotthard ▼
▼ Interlaken

Zürich-Kloten 80 km
Luzern 25 km
Bâteau Luzerne 10 km

Magnificently situated in a Southern facing location. Rigi Kaltbad is a car-free mountain holiday village, 1000 m above the lake. Breathtaking view of the entire chain of Alp mountains. Suites and apartments with modern comfort furnished in Swiss style. Renowned gastronomic cuisine.

Hotel Waldhaus ★★★

Suisse

CH 32

Oberrüti
6048 HORW
Fam. GALLIKER (Roger GALLIKER)
16 Zimmer - Relais du Silence seit 1993

Tél. 041/349 15 00
Fax 041/340 27 29

Das ganze Jahr geöffnet
Kein Ruhetag

 598 m

👤	90 - 140
👥	170 - 320
☕	inclus
🍴	38 - 89
🛏 1/2	140 - 210
🛏	

CC AV

Près de Lucerne, vous voici au cœur de la Suisse, dans une oasis de paix et de silence parmi les plus belles que l'on puisse trouver. Sous vos yeux, le spectacle grandiose d'une perspective incomparable sur les Alpes et le lac des Quatre-Cantons. La demeure a l'élégance rustique et raffinée d'une ancienne maison de campagne. Cuisine et service se veulent d'excellence. Un endroit rêvé pour faire moisson d'impressions inoubliables.

Das Hotel Waldhaus Oberrüti liegt inmitten einer Oase der Ruhe in der Nähe der Stadt Luzern. Ein unvergessliches Panorama wartet auf Sie! Wir verbinden Kochkunst und gepflegten Service in schönster Ambiance. Herzlich Willkommen !

Hotel Waldhaus lies amidst an oasis of tranquility near the city of Lucerne. An unforgettable panorama awaits you. Our cultured ambiance, excellent cuisine and first-class service are all designed to give you a feeling of well-being.

✈ Zürich-Kloten 50 km

🚂 Luzern 6 km

🚗 N2 Ausfahrt Horw -
Landstrasse Richtung Horw-
Felmis-Oberrüti

Hotel Waldheim au Lac ★★★

CH 33

6062 WILEN AM SARNERSEE
Alexandra & Maurizio GENONI-TOWNEND
30 Zimmer - Relais du Silence seit 1996

Tél. 041/660 13 83
Fax 041/660 23 83

November
Kein Ruhetag

 420 m

👤	94 - 104
👥	147 - 167
☕	inclus
🍴	28 - 56
🍽 1/2	+ 28
🍽	+ 54

CC AV

Dans un endroit tranquille entre Lucerne et Interlaken, une pittoresque maison adossée à la montagne, dans un vaste parc qui descend vers sa plage, au bord du lac Sarnersee. Lieu idéal pour sportifs et promeneurs épris de calme et d'air pur. Tradition, qualité et chaleur d'un accueil familial.

Traditionsreicher Familienbetrieb, direkt am See, grosszügige Parkanlage und Liegewiese. Der stille Ort zwischen Luzern und Interlaken. "Acquarello" cucina italiana und Sprotzil-Steak in der "Pinte" am Kaminfeuer. Eigene Bikes, Motor-, Ruder- und Fischerboote. Golf 30 km.

A traditional family business directly on the lake with extensive lawns and its own park. The peaceful spot between Lucerne and Interlaken. Ideal place for sport and walks. Tradition, quality and a warm family welcome.

✈ Zürich-Kloten 50 km
🚂 Sarnen 3 km
🚗

398

Sporthotel Stoos ★★★★

Suisse

CH 34

Ringstrasse
6433 STOOS
Carola u. Marc-André PETER
52 Zimmer - Relais du Silence seit 1997

Tél. 041/810 45 15
Fax 041/811 70 93
sporthotel-stoos@bluewin.ch

 Mitte April→Mitte Mai und Ende Nov.→Mitte Dez.
Kein Ruhetag

 1300 m

 115 - 185

 200 - 290

 inclus

 25 - 65

 140 - 185

 163 - 208

CC AV TO

Hôtel idéal pour familles et séminaires dans un village piétonnier au-dessus du lac des Quatre Cantons. Région exceptionnelle pour se promener et skier. Ecole de snowboard, mountainbikes, jardin d'enfants, restaurant montagnard a 1922 m. Arrangements forfaitaires pour 3 et 7 jours.

Bevorzugtes Familien- und Seminarhotel in autofreiem Ort hoch über dem Vierwaldstättersee. Herrliches Wander- und Skigebiet. Snowboardschule, eigene Mountainbikes, Kinderbetreuung. Gipfelrestaurant 1922 m ü. M. Attraktive Pauschalangebote für 3 und 7 Tage.

Preferred hotel for families and conferences in carfree resort high above the lake of Lucerne. Exceptional region for hiking and skiing. Snowboard school, mountainbikes, nursery for children, restaurant at the summit of Fronalpsteck 1922 m. above sea-level. Special packages for 3 and 7 days.

 Zürich-Kloten 70 km

Schwyz 5 km

N4 nach Brunnen/Mositunnel links nach Mohrschach - Talstation der Luftseilbahn

399

Kemmeriboden Bad ★★★

Suisse

6197 SCHANGNAU
Elisabeth & Heiner INVERNIZZI
28 Zimmer - Relais du Silence seit 1982

Tél. 034/493 77 77
Fax 034/493 77 70
hotel@kemmeriboden.com

 CH 38

 12-27/12
R: Montag (nur November bis Mai)

 976 m

89 - 99

161 - 173

inclus

15 - 65

117 - 127
1/2

130 - 140

CC AV TO

Une maison historique au fond de la région de l'Emmental qui regorge de sources minérales et dont le nom évoque d'exquises spécialités culinaires. A la table du Kemmeriboden Bad on vous servira les produits frais de la ferme de la maison, les spécialités aux différents fromages, les truites des ruisseaux environnants... Nombreuses activités et sports d'été ou d'hiver, promenades en calèche ou traineau selon la saison.

Historisches Haus im Emmental. Oase für Erholungssuchende. Im Winter Langlauf und Alpin. Im Sommer schönstes Wandergebiet. Emmentaler Spezialitäten von unserem eigenen Bauernhof. Große Käseauswahl. Forellen von hier. Kutschen- und Schlittenfahrten.

Historic Inn in the Emmental. Leisure and walking in summer. Cross country and alpine skiing in winter. Exquisite culinary specialities, fresh produce from our own farm, our world-famous cheeses, and trout. Coach or sleigh rides, horse-drawn.

✈ Bern-Belp 50 km

🚆 Wiggen 18 km

Strandhotel Belvédère ★★★★

CH 41

Schachenstrasse 39
3700 SPIEZ
H. REINHARDT Dir.
29 Zimmer - Relais du Silence seit 1982

Tél. 033/654 33 33
Fax 033/654 66 33

Anfang November - Anfang März
R: So - Abend + Montag (Vorsaison)

 628 m

 100 - 155

 220 - 320

 inclus

 42 - 58

 45

90

 CC

De votre chambre au Belvédère vous découvrez toute l'étendue du lac de Thoune et son environnement de montagnes, au milieu d'arbres séculaires et de fleurs. C'est magnifique. Ici, confort, courtoisie et hospitalité ne font qu'un pour vous faire savourer votre séjour dès les premiers instants. La cuisine est délicieuse, les distractions sont innombrables.

Über der malerischen Spiezer Bucht, mit prächtiger Aussicht auf den Thunersee und die Berge, inmitten alter Bäume und bunter Blumen. Die liebenswerte, stimmige Oase für ganzheitliche Bedürfnisse. Exquisite Küche in unserem traditionellen, gepflegten Restaurant, fernab vom Verkehr, mit einzigartiger Parkanlage am See.

Overlooking Spiez's picturesque bay with magnificent views on the lake of Thoune and mountains, surrounded by old trees and colorful flowers. Comfort and hospitality, delicious cuisine, and more innumerable distractions.

Bern-Belpmoos 20min.

Spiez 15 min. (zu Fuß)

Ausfahrt Spiez - Strasse
Richtung Zentrum -
Kathclische Kirche

401

Hotel Bellevue ★★★

Suisse

CH 42

Am Brienzersee
3807 ISELTWALD
Romy u. Hanspeter KINNER
11 Zimmer - Relais du Silence seit 1980

Tél. 033/845 11 09 u. 10
Fax 033/845 12 77

05/01/98→15/02/98
Kein Ruhetag

565 m

 72 - 76

144 - 164

 inclus

 35 - 70

1/2 104 - 114

CC

A 10 mn d'Interlaken, sur les rives du lac de Brienz, Iseltwald, pittoresque village de pêcheurs, vous offre sa quiétude et tous les plaisirs du bord de l'eau. Dans cet environnement charmant l'hôtel Bellevue est une chaleureuse maison typique et traditionnelle. Magnifiques promenades balisées, grandes ascensions ou petites excursions.

Abseits vom Durchgangsverkehr, 10 Autominuten von Interlaken entfernt, liegt Iseltwald, das malerische Fischerdörfchen am Brienzersee. Iseltwald bietet dem Gast : Strandbad, Seerundfahrten, grössere und kleinere Bergtouren sowie Wanderwege.

Secluded from through-traffic, 10 minutes from Interlaken by car, you will find the picturesque fishing village of Iseltwald on the shore of Lake Brienz. Iseltwald offers its guests : beach, lake cruises, mountaineering or short excursions.

Bern-Belp 60 km

Interlaken-Ost 8 km

402

Hotel Kirchbühl ★★★★

Suisse

CH 43

3818 GRINDELWALD
Familie Christian BRAWAND
47 Zimmer - Relais du Silence seit 1987

Tél. 033/853 35 53
Fax 033/853 35 18
churchill@grindelwald.ch

November
Kein Ruhetag

 1100 m

 155 - 175

220 - 360

inclus

20

1/2 145 - 215

165 - 235

CC AV TO

Sur les hauteurs du village avec vue fantastique sur les montagnes et les glaciers. Terrasse, grand jardin, équipements de remise en forme et exquises spécialités du restaurant "La Marmite". Proche de l'Ecole de Ski et de la nouvelle télécabine du First. Appartements dans chalets.

Hotel auf einer sonnigen, ruhigen Anhöhe oberhald der Kirche. Wunderbare Aussicht auf die Berge und Gletscher. Sauna, Dampfbad, Whirlpool, Solarium im Haus. Restaurant "La Marmite" mit vielen auserlesenen Spezialitäten. Schöne Terrasse mit Gartenanlage. In der Nähe der Skischule und der Firstbahn. Appartements in Chalets.

On a sunny quiet hill overlooking the village. Beautiful view to mountains and glaciers. Sauna, Turkishbath, whirl-pool, solarium. Restaurant "La Marmite" with specialities. Nice terrace with garden. Close to the ski-school and Firstbahn-gondola. Apartments in chalets.

✈ Bern 60 km

🚉 Grindelwald 5 min

🚗 Autobahn bis Interlaken. Wegweiser folgen

403

Hotel Wengener Hof ★★★★

Suisse

CH 44

3823 WENGEN
Harald und Therese ZINNERT
40 Zimmer - Relais du Silence seit 1993

Tél. 033/855 28 55
Fax 033/855 19 09
wengener hof@wengen.com

Ende Marz → 30/05 27/09 → 20/12
Kein Ruhetag

▲ 1250 m

87 - 137

162 - 286

86 - 143

111 - 168

111 - 168

CC AV TO

D'allure contemporaine, le Wengenerhof est pourtant centenaire. Entouré d'une forêt qui lui appartient, l'hôtel offre une vue saisissante sur le massif de la Jungfrau, la chaîne de Breithorn et la vallée de Lauterbrunnen, ainsi qu'un confort de toute première catégorie avec, en plus, l'ambiance privilégiée du village piétonnier de Wengen.

Obwohl ein Jahrhundert alt, ein zeitgenössisches gepflegtes erster Klasse-Haus in schönster Aussichtslage mit Blick auf das Jungfrau-Massiv, die Breithorn-Kette und das Lauterbrunnen-Tal. Hoteleigener Garten und Wald. Stilvoll und geräumige Zimmer mit jedem Komfort. Kreative Küche. Ein privilegiertes Dorf für Fußgänger.

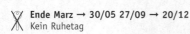

Although century old, a contemporary well maintained first-class-hotel with excellent views, own garden and wood. Stylish and generously furnished rooms with all comfort. Creative cuisine. A privileged village with no traffic.

✈ Bern 60 km

🚉 Wengen 500 m

🚌 Bis Lauterbrunnen,
Lauterbrunnen - Wengen nur
per Zug

Waldhotel Doldenhorn ★★★★

Suisse

CH 45

3718 KANDERSTEG
Familie R. MAEDER
25 Zimmer - Relais du Silence seit 1981

Tél. 033/675 81 81
Fax 033/675 81 85

November
Dienstag

1200 m

👤 90 - 110

👥 160 - 250

🛏 inclus

✕ 25 - 90

½ 110 - 160

🛏 125 - 175

CC AV TO

Situé dans un parc magnifique, loin de la route. Chambres très confortables, quelques unes avec balcon. Excellente cuisine, 3 restaurants. Choix de 4 menus pour la demi-pension, menu gastronomique une fois par semaine. Grande prairie avec chaises longues, jardin d'hiver, piste de ski de fond devant la porte.

Idyllisch, in einem grossen Park, für Verwöhnte, komfortable Zimmer vier Sterne-Standart, teilweise Balkon, Excellente Küche, 3 Restaurants. Bei HP: 4 Menus zur Auswahl, Menu Gastronomique 1x pro Woche. Grosse Liegewiese. Winter-garten, Langlaufloipe direkt vor der Haustür.

Set in a magnificent park, far from traffic, high standard, comfortable rooms (four stars), some with balcony. Excellent cuisine, 3 Restaurants, half-board: 4 menus to choose from, once a week menu gastronomique. Winter-garden, large lawn with deck-chairs, cross-country skiing just outside.

[Map showing: Basel, Bern, Thun, Spiez, Kandersteg, Blatten, Goppenstein, Lötschental, Sion, Sierre, Gampel, Visp, Grimsel, Furka, Nufenen, Lausanne, Genève, Bürchen, Täsch, Brig, Zermatt, Saas-Fee, Milano, Simplon]

✈ Bern 60 km

🚂 Kandersteg 5 min

🚗

405

Parkhotel Bellevue ★★★★

Suisse

CH 46

3715 ADELBODEN
Familie RICHARD, Prop.
50 Zimmer - Relais du Silence seit 1993

Tél. 033/673 40 00
Fax 033/673 41 73
parkhotel adelboden@bluewin.ch

Mitte April-Anfang Juni - Mitte Okt.-Mitte Dez.
Kein Ruhetag

 1400 m

 100 - 175

180 - 330

 inclus

 20 - 70

 115 - 200

AV

Situation tranquille, légèrement au-dessus du centre, entouré d'un parc aménagé avec pelouse. Wellness-Centre "Aqua vitalis" avec piscine couverte (16 x 7 m) et thermes romains, whirlpools et solarium. Chambres personnalisées, junior-suites et suites. Cuisine soignée et variée. Ambiance chaleureuse.

Sehr ruhige, leicht erhöhte Lage am Sonnenhang über der Dorfmitte, inmitten eines großen, gepflegten Parkes. Wellness-Center "Aqua vitalis" in römischem Stil mit Hallenbad 16 x 7 m, Laconicum, Caldarium, Saunas, Whirlpools, etc. Ein Haus mit viel Ambiance: Gepflegte Küche. Exklusiv ausgestattete Zimmer, Junior-Suiten, Suiten und Familienappartements.

Situated above the center in a large garden, Wellness-Centre "Aqua vitalis" with indoor swimming-pool (16x7 m), Roman therms. Individually furnished rooms, excellent cuisine.

Bern-Belp 70 km

Frutigen 16 km

A6 über Bern, Thun, Ausfahrt Spiez, Frutigen, Adelboden

Kurhotel Lenkerhof ★★★★

CH 47

3775 LENK IM SIMMENTAL
Jörg SCHWEIZER / Hans STÄUBLI
74 Zimmer - Relais du Silence seit 1993

Tél. 033/736 31 31
Fax 033/733 20 60
lenkerhof@spectraweb.ch

Ende Oktober - Mitte Dezember
Kein Ruhetag

 1100 m

 105 - 195

210 - 390

 inclus

 40 - 60

 135 - 225

 160 - 250

CC AV TO

Elégant hôtel de cure et de vacances entouré d'un parc privé au cœur d'un panorama exceptionnel. Vue imprenable sur la vallée et les sommets. Piscine couverte d'eaux minérales à 34° C. Accès direct depuis la chambre au centre thermal Bad Lenk. Promenades et randonnées. Splendide domaine skiable.

Gepflegtes, einzigartiges Kur- und Ferienhotel in eigenem Park vor eindrucksvoller Bergkulisse. Mineralhallenbad 34° C. Direkter Zugang vom Zimmer aus zum Kurzentrum Bad Lenk.

Set in its own spacious park, this elegant and unique resort is overlooking an impressive mountain range. Own covered mineral pool 34° C. Direct access from the room to the spa center Bad Lenk.

Bern 80 km

Lenk 1km

A1 Rg. Spiez, Ausfahrt Zweisimmen

Hotel Sonnegg ★★★

Suisse

CH 48

3770 ZWEISIMMEN
K. IMOBERSTEG
10 Zimmer - Relais du Silence seit 1986

Tél. 033/722 23 33
Fax 033/722 23 54
sonnegg@spectraweb.ch

November
Ouvert tous les jours

 1000 m

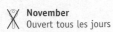 90 - 140

130 - 180

inclus

25 - 45

 95 - 110

 100 - 125

CC AV

En plein cœur de l'Oberland Bernois, sur la route d'Interlaken à Montreux, Zweisimmen est connu pour son climat sain et tempéré. Notre petit hôtel est admirablement situé à l'orée de la forêt. C'est une jolie maison avec de belles chambres, des salons, un restaurant-terrasse et un agréable jardin. Belle vue panoramique sur les Alpes.

Unser Familienhotel liegt am Waldrand, in schönstem Ski- und Wandergebiet. Zimmer mit Blick auf die Berge. Terrassenrestaurant und Liegewiese. Verlangen Sie unsere "Sieben Tage Sommer und Winterferien Pauschalarrangementspreise". Bekannt für gesundes und wohltemperiertes Klima. Schöne Zimmer und Salons.

You will find our family hotel at the most beautiful sites near the fringe of the woods. Panoramic view to the Alps. Terrace-restaurant and garden. Known for healthy and pleasant climate. Beautiful rooms, salons.

✈ Bern 60 km
🚉 Zweisimmen 500 m

Hotel Hornberg ★★★★

Suisse

CH 49

3777 SAANENMÖSER
Elisabeth und Peter VON SIEBENTHAL
40 Zimmer - Relais du Silence seit 1996

Tél. 033/744 44 40
Fax 033/744 62 79
hornberg@bluewin.ch

Mitte April - Mitte Mai/November
Kein Ruhetag

 1300 m

 135 - 205
 270 - 410
 10 - 18
 40 - 75
 155 - 225

CC AV

Elisabeth et Peter Von Siebenthal vous accueillent comme à la maison. Vous goûterez la chaleureuse intimité d'un chalet confortable avec tous les services de l'hôtel le plus proche du Golf Club de Gstaad, dans un magnifique parc naturel.

Elisabeth und Peter Siebenthal werden Sie wie daheim willkommen heißen. Genießen Sie die warme Gemütlichkeit eines komfortablen Chalet mit allen Dienstleistungen eines Hotels- dem nächstgelegenen am Golfclub und in einem herrlichen Park.

Elisabeth and Peter Siebenthal will welcome you just like at home. Enjoy the warm cosiness of a comfortable chalet with all the services of a hotel, the closest to the Gstaad golf club, and situated in a magnificent park.

Belp-Bern 80 km

Saanenmöser 100 m

Sporthotel Primerose au Lac ★★★★

Suisse

CH 50

Lac Noir - Fribourg
1711 SCHWARZSEE
Fam. NOURI, Prop. et Direction
50 Zimmer - Relais du Silence seit 1990

Tél. 026/412 16 32
Fax 026/412 12 66
nouri@com.mcnet.ch

01→20/12/98
Kein Ruhetag

1050 - 2200 m

 105 - 140

 185 - 220

inclus

 133 - 150

163 - 180

CC AV TO

Le Sporthôtel est situé au bord du lac, en campagne. Charmant, idyllique, tranquille et pittoresque. Infrastructure moderne pour votre confort et votre plaisir. Salles pour séminaires et réceptions. Spécialités régionales et internationales au restaurant et au jardin d'hiver panoramique. Superbes promenades à pieds et à vélo.

Das Sporthotel liegt direkt am See in einer malerischen Bilderbuchlandschaft. Im rustikalen Stil gebaut, mit moderner Infrastruktur. Beste Voraussetzungen für erholsame Ferien. Regionale und internationale Spezialitäten im Restaurant und Panorama-Wintergarten.

The Sporthotel on the lake in a picturesque landscape offers traditional hospitality and modern conveniences for a relaxing and unforgettable vacation. Rooms for seminars and receptions. Regional and international specialities in the restaurant and panoramic winter-garden. Superb walks and bikerides.

✈ Bern 50 km
🚆 Fribourg 25 km
🚗

Hôtel du Signal ★★★★

Suisse

CHEXBRES - Lavaux - Lac Léman
1604 PUIDOUX-GARE
Famille R. de GUNTEN
78 Chambres - Relais du Silence depuis 1986

Tél. 021/946 05 05
Fax 021/946 05 15

De Novembre à mi Mars
Ouvert tous les jours

 650 m

100 - 170	
180 - 280	
inclus	
35 - 80	
120 - 170	
140 - 190	

CC AV

Magnifique propiété dominant le Léman, à 15 km de Lausanne et Montreux. Autoroute/rail à 1 km. Piscine de 25 m, grand jardin, installations wellness. Divers menus au restaurant et sur la terrasse. Visite du vignoble, excursions lac et montagne. Musées, monuments historiques et évènements culturels.

Wunderbare Lage über Genfersee, 15 km von Lausanne und Montreux. Auto-/Eisenbahn 1 km. Schwimmbad 25 m, grosser Garten. Wellness-Einrichtungen. Verschiedene Menüs im Restaurant oder auf der Terrasse. Wanderungen durch den Weinberg, Ausflüge zu Berg und See, Museen, Denkmäler, kulturelle Ereignisse.

Superb location above Lake Geneva, 15 km from Lausanne and Montreux, 1 km from rail/highway. 25 m pool, big garden. Wellness facilities. Restaurant and terrace with fine dishes. Walks through the vineyards, excursions to lake and mountains. Museums, monuments, exhibitions and other cultural events.

▲ Berne
Station
Puidoux
Chexbres
● Puidoux
$E4$
◄ Genève
Lausanne
Hôtel du
Signal
$E4$ Montreux ►
Chexbres
Cully
Corniche
Lac Léman
Vevey ►

✈ Genève-Cointrin 80km

🚂 Puidoux-Chexbres 1km

🚗 A 1 km de la sortie Chexbres de l'autoroute du Léman, voir flèches ou panneaux

411

Hostellerie Bon Accueil ★★★

Suisse

CH 56

La Frasse
1837 CHATEAU D'ŒX
Marianne E. BON
20 Chambres - Relais du Silence depuis 1993

Tél. 026/924 63 20
Fax 026/924 51 26

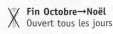
Fin Octobre→Noël
Ouvert tous les jours

1000 m

 90 - 140
 140 - 220
 inclus
 35 - 85
 115 - 158

CC AV

Un hôtel de charme dans un chalet du 18e siècle au-dessus du village. Situation calme, idéale pour un séjour de détente. Restaurant chaleureux, excellente cuisine. Belle terrasse face à un magnifique paysage de montagnes.

Charmantes Hotel in einem Châlet des 18. Jahrhunderts. Äusserst ruhige Lage oberhalb des Dorfes. Ideal für Erholung und Entspannung. Gepflegtes Restaurant, ausgezeichnete Küche. Schöne Terrasse mit Blick auf die Berge.

Charming hotel in an 18th century chalet situated above the village. Very calm location, ideal for a stay of leisure and relaxation. Cosy restaurant, excellent cuisine. Beautiful terrace facing the mountains.

✈ Saanen 14 km
🚊 Château d'Oex 1,5 km
🚗

Hôtel Aux Mille Etoiles ★★★

Suisse

CH 60

1923 LES MARECOTTES
Famille BERNER-MOL
24 Chambres - Relais du Silence depuis 1988

Tél. 027/761 16 66
Fax 027/761 16 00

Mi-Avril→mi-Mai - mi-Nov.→mi-Déc.
Lundi et Mardi (ouvert le soir pour clients de l'hôtel)

 1100 m

 95 - 111

150 - 272

inclus

16 - 45

  107 - 179

CC AV TO

Un village adorable, typique et intouché, une nature sauvage, un panorama magnifique, et les "Mille Etoiles" où les familles Berner et Mol vous accueillent avec une grande gentillesse dans leur confortable chalet. Au départ des chemins pédestres et de la région de ski. Piscine couverte (8 x 16 m - 30° C). Excursions, golf à 28 km, bonne route d'accès.

Inmitten faunareichster und unberührter Berglandschaft. Ausgangspunkt der Wanderwege und des Skigebietes. Gute Zufahrt ab Autobahnausfahrt Martigny-Salvan, (8 km), Bahn: Mont Blanc Express. Von der Familie geführt. Komfortable Zimmer, Junior Suiten, (Hallenbad 8 x 16 m - 30° C), Ausflüge, Golf 28 km.

For an individual holiday in an unspoiled mountain-landscape. Walks, excursions and ski from the hotel. Excellent road from Motorway, exit Martigny-Salvan, (5 miles). Managed by the family. Indoor pool (30° C), excursions, golf at 18 miles.

Genève 150 km

Les Marecottes 600 m

Autoroute sortie Martigny-Salvan 8 km

413

Hotel Edelweiss ★★★

3919 BLATTEN-LÖTSCHENTAL
Lydia & Stefan KALBERMATTEN-BÜHLER
22 Zimmer - Relais du Silence seit 1994

Tél. 027/939 13 63
Fax 027/939 10 53

 CH 62

 Suisse

20/11→10/12
Donnerstag

▲ 1550 m

90 - 125
140 - 210
inclus
15 - 50
102 - 137
128 - 158

cc AV TO

Le Lötschental est situé dans un paysage magnifique et marqué d'une tradition indépendante. Un merveilleux point de départ pour excursions, promenades et alpinisme. Région de ski et 30 km de pistes pour ski de fond. Vue superbe. Spécialités Valaisannes. Ambiance familiale.

Das Lötschental liegt in herrlicher Landschaft und lebt eine selbständige Tradition. Ein idealer Ausgangspunkt für Ausflüge, Wanderungen und Bergtouren. Schneesicheres Skigebiet und 30 km Langlaufloipe. Hotel mit wunderbarer Aussicht und Walliser Spezialitäten. Familiäre Atmosphäre.

The Lötschental nestles in a very beautiful landscape and retains an independant tradition. It's an ideal starting point for excursions, hiking and climbing tours. Skiing region and 30 km cross-country ski trails. Hotel with marvellous view and regional specialities. Family atmosphere.

✈ Sion 41 km

🚉 Goppenstein 9 km

🚗 Lausanne-Sion-Sleg-
Lötschental Bern-Spiez-
Kandersteg-Lötschental

Le Mont Blanc ★★★

Suisse

CH 63

Les Plans Mayens
3963 CRANS-MONTANA
Jean-Pierre GASSER
17 Chambres - Relais du Silence depuis 1979

Tél. 027/481 31 43
Fax 027/481 31 46

 Mai et Novembre

1700 m

 85 - 125

 160 - 200

 inclus

 34 - 75

 140 - 160

 150 - 180

CC AV

Bienvenue au Mont Blanc : cadre montagnard élégant, ambiance décontractée, joies des vacances et plaisirs de la gastronomie. A l'écart du bruit, en pleine nature, devant un panorama unique, vous goûterez pleinement un séjour paisible et reposant. Les promenades et les pistes de ski sont à deux pas de l'hôtel. Service de bus régulier en saison. A 5 mn en voiture de Crans-Montana.

Weit weg von Lärm in der freien Natur bietet das Mont Blanc nebst einem einmaligen Walliser Alpenpanorama einen ruhigen und erholsamen Aufenthalt. Spazierwege und Skipisten ein paar Schritte vom Hotel.

Far away from noise, in open country, the Mont Blanc offers you, in addition to a unique panoramic view over the Valaison Alps, a quiet and restful stay. Walks and ski-runs are within a few steps of the hotel.

Genève 150 km

Sierre 13 km

Autoroute - Lausanne - Sierre

Hotel Mirabeau ★★★★

Suisse

CH 64

3920 ZERMATT
Fam. Sepp u. Rose JULEN
44 Zimmer - Relais du Silence seit 1987

Tél. 027/9662660
Fax 027/9662665
mirabeau.zermatt.ch@recontine.ch

H Nov. und Mai   R:15/09-08/12 und 20/04-15/07
R: Montag

▲ 1620 m

- 105 - 180
- 198 - 370
- inclus
- 48 - 90
- 124 - 210

CC AV TO

En face de l'impressionnant Cervin, le village de Zermatt, entièrement libre de voitures, a su conserver son charme de jadis. Dans ce beau décor, l'Hôtel Mirabeau vous offre une hospitalité de grand standing : confort feutré, belles chambres personnalisées, décoration raffinée, cuisine délicieuse du "Corbeau d'Or", bar avec pianiste, équipements de sport et de détente.

Erstklasse-Hotel : Persönliche Note mit Liebe zum Detail, komfortable Gästezimmer, Schwimmbad, Römisches Thermarium, Sauna, Massage, Tennis. Restaurant "Le Corbeau d'Or" Gourmetküche in hoher Qualität.

Firstclass-Hotel : Personal note with love to details, comfort and atmosphere, swimminig-pool, roman thermarium, sauna, massage, tennis court. Restaurant "Le Corbeau d'Or" gourmet experience in a tastefully decorated environment.

✈ Genf oder Zürich

🚆 Zermatt

🚗 Autobahn Bern-Spiez- Autoverlad Kandersteg- Goppenstein- Richtung Visp- Zermatt

Hotel Allalin ★★★★

Suisse

CH 65

3906 SAAS-FEE
Sandra & Tobias ZURBRIGGEN-POZZI
27 Zimmer - Relais du Silence seit 1993

Tél. 027/957 18 15
Fax 027/957 31 15
hotel-allalin@saas-fee.ch

 R: 01/05→15/06 und 20/10→30/11
Kein Ruhetag

 1800 m

96 - 155

192 - 280

inclus

25 - 49

125 - 170
1/2

150 - 195

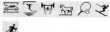
CC AV TO

La famille Zurbriggen dirige l'hôtel Allalin depuis 3 générations. Elle vous attend dans des lieux rénovés, entourés des plus hauts sommets des Alpes, pour des vacances inoubliables. Décoration typique de cette haute vallée valaisanne, copieux petits déjeuners et raffinement des dîners du soir.

Die Familie Zurbriggen, welche das traditionelle Hotel Allalin bereits in 3 Generationen führt, garantiert für Atmosphäre, Qualität und Behaglichkeit. In sonniger Lage, in der Nähe der meisten Saaser Aktivitäten. Unsere Mitarbeiter werden Sie wie im 7. Himmel verwöhnen!

Welcome to the new Allalin in sunny "Lomatte", close to most Saas-Fee activities and surrounded by the highest peaks in Europe. The Zurbriggen family has owned and managed the hotel for 3 generations. Eating and drinking are an important part of the culture which you can enjoy in our bar and restaurant.

Sion 55 km

Stalden 19 km

Bern/Lötschberg/Visp/Saas-Fee - Milano / Simplon / Brig / Visp / Saas-Fee -

Hotel Christania ★★★

Suisse

CH 66

3984 FIESCH
Livia u. André-Louis ALLET-GRANDI
22 Zimmer - Relais du Silence seit 1990

Tél. 027/970 10 10
Fax 027/970 10 15

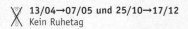
13/04→07/05 und 25/10→17/12
Kein Ruhetag

 1050 m

 80 - 120
 130 - 170
 inclus
✗ 28 - 48
 95 - 120

CC AV TO

Des vacances libres de tout souci constituent bien le meilleur moyen d'oublier le stress quotidien. Notre propre recette - dont nous ne faisons pas mystère - consiste à vous accueillir chaleureusement et à vous assurer un service attentif dans une atmosphère familiale. Notre cuisine a été distinguée pour sa qualité et nous faisons tout pour en maintenir l'excellence.

Inmitten einer wunderschönen Natur, Wander- und Skiregion bietet dieses Ferienhotel im Chalet-Stil. Gastlichkeit, Komfort und familiäres Ambiente. Eine sehr ausgewogene und gepflegte Küche erwarten den Gast und Feinschmecker. Die "Blau-Goldene Tafel" für Fischküche mit Auszeichnung sowie der ehren-volle Titel "Maître Rôtisseur-Restaurateur" stehen für Qualität.

The sunny and mild climate offers relaxation and the many-faceted landscape in the vicinity of mountains and glaciers. High quality cuisine.

✈ Sitten/Sion
🚂 Fiesch 800 m
🚗

418

Hotel -Restaurant Bürchnerhof ★★★

Suisse

CH 68

Ronalpstr. 86
3935 BÜRCHEN Wallis/Valais
Fam. Regula & Hubert LEHNER
19 Zimmer - Relais du Silence seit 1991

Tél. 027/934 24 34
Fax 027/934 34 17

Mai + November
Kein Ruhetag

1500 m

98 - 133

146 - 206

inclus

18 - 79

109 - 144

134 - 169

 AV TO

Au cœur des Alpes, ambiance soignée et sympathique dans un chalet tout confort. Excursions à discrétion en été et en hiver. Cuisine créative renommée. Spécialités régionales de saison, servies devant une vue panoramique sur les Alpes. Soirées de raclettes, menu astrologique, vins du Valais.

Sympathisches Wohlfühlhotel mit allem Komfort (u.a. Schwimmbad mit Sauna und Solarium) inmitten der Alpen, ideal für Ausflüge im Sommer und im Winter. Kreative, gute Küche. Saisonale Spezialitäten in unserem Panorama-Restaurant mit herrlichem Ausblick auf die Alpen. Raclette-Abende, Sternstunden-Menu, grosse Auswahl an Spitzenweinen aus der Region.

Cosy châlet-style inn with all confort f.e. indoor swimming pool, sauna. Ideally located amidst the Alps for excursions and walks in summer and winter. Creative cooking ! Seasonal specialities in our panorama-restaurant with grand vue over the Alps.

Sion 55 km

Visp 10 km

Visp - Bürchen - Zenhäusern
- Richtung - Moosalp

419

Hotel Casa Berno ★★★★

Suisse

CH 70

6612 ASCONA
Pierre GOETSCHI
60 Chambres - Relais du Silence depuis 1990

Tél. 091/791 32 32
Fax 091/792 11 14

De novembre à mars
Ouvert tous les jours

 190 - 215

 340 - 420

inclus

35 - 60

190 - 230

210 - 250

CC AV

Un emplacement de rêve sur le versant du lac Majeur. Vue exceptionnelle, climat subtropical, calme, détente, confort et gastronomie. Que vous soyez tenté par la douceur du dolce farniente, le romantisme sauvage de la campagne tessinoise ou la vie trépidante d'Ascona, Casa Berno sera votre paradis de vacances.

Das Hotel liegt mitten in einer subtropischen, üppigen Vegetation mit aussergewöhnlicher Panoramasicht auf See und Berge. Dieses Ferienparadies bietet sanftes Nichtstun ebenso wie die wilde Romantik der Tessiner Landschaft oder das aufregende Stadtleben in Ascona und Casa Berno.

Our hotel lies in the midst of subtropical, luxurious vegetation with an exceptional view of the lake and mountains. This holiday paradise offers quiet romantic country life or the more exciting one of Ascona and Casa Berno.

 Agno-Lugano 45 km

Locarno 6 km

Hotel Villa Carona ★★★

Suisse

CH 71

6914 CARONA
Carlo WIRTH
18 Zimmer - Relais du Silence seit 1997

Tél. 091/649 70 55
Fax 091/649 58 60

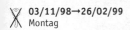 03/11/98→26/02/99
Montag

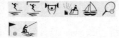 602 m

 90 - 105

 170 - 220

CC AV

La Villa Carona est une maison patricienne, située dans un village d'une grande valeur historique, sur la colline de l'Arbostora, offrant une vue magnifique sur les montagnes. Un très beau jardin botanique et de larges chemins merveilleux au cœur des forêts de châtaigniers.

Ein 200-jähriger Patrizierbesitz mit viel Geschichte, umrahmt von einem reizvollen Künstlerdorf, in dem einst Herrmann Hesse viele schöne Stunden verbrachte. Unsere Zimmer sind sehr individuell eingerichtet. Unser Garten- ein Paradies- Frühstück im Freien, Sonnenliegen, Tischtennis, Kinderpool, Traubenpergola und ein Restaurant zum Wohlfühlen.

The Villa Carona is a patrician house in a village of great historical interest, perched on the Arbostora hill with a magnificent view of the mountains. All within 10 minutes of Lugano, the large commercial and cultural centre of the area.

Lugano-Agno 12 km

Lugano 8 km

A2, Ausfahrt Lugano Sud, Richtung Lugano, Wegweiser Carona

421

39

Lire

I prezzi sono indicati in Lire. Informatevi singolarmente presso ogni albergo. Per ulteriori informazioni riportatevi alle pagine 12 a 25.

Les prix sont indiqués en Lire. Renseignez-vous auprès de chaque hôtel individuellement. Pour plus d'informations, reportez-vous aux pages 12 à 25.

The prices are given in Lire. For inquiries, contact directly each hotel. For more informations, report to pages 12 to 25.

Die Preise sind in Lire angegeben. Erkundigen Sie sich in jedem Hotel. Für mehr Informationen, siehe Seite 12 bis 25.

Italia

Italie - Italy - Italien

Montagne famose per le loro piste di sci, città forgiate da secoli di storia campagne dove i paesini sono pittoreschi e ricchi di tradizioni, mari e coste da dove son partiti grandi esploratori e viaggiatori, vulcani con i loro pennacchi infuocati, isole per sentirsi davvero "altrove"… e… tanta cortesia, ospitalità, gioia di vivere, gentilezza, eleganza… quanto fascino e quante meraviglie possiede l'Italia !

DA NON MANCARE.

- Venice Carnival (february),
- Explosion of the Cart (april),
- Historical Regatta of the four "Repubbliche Marinare", Venice (june),
- Feast of San Gennaro, Napoli (september),
- Feast of San Francesco, Assisi - Perugia (october),
- Palio of Siena (august),
- Stresa Musical Weeks (august - september),
- Musical May in Florence (may).

Des montagnes réputées pour leurs pistes de ski, des villes forgées par des siècles d'histoire, des campagnes aux petits villages chargés de pittoresque et de tradition, des mers d'où partirent de grands voyageurs, des montagnes crachant le feu, des îles dépaysantes… et… courtoisie, hospitalité, gaieté, prévenance, élégance… que d'atouts et de charme possède l'Italie !

Mountains known for their ski slopes, cities forged by centuries of history, a countryside of small, traditional and picturesque villages, seas which where the departure point of great travellers, volcanoes, exotic islands… and… courtesy, hospitality, gaiety, kindness, style… all the assets and charms of Italy !

Berge, die für ihre Skipisten berühmt sind, Städte mit über die Jahrhunderte geformten Besonderheiten, ländliche Gegenden voller traditioneller und malerischer Dörfer, Meere, auf denen einst große Entdecker in die Ferne segelten, Berge, die Feuer speien, einsame Inseln… und… Höflichkeit, Gastfreundschaft, Fröhlichkeit, Zuvorkommenheit, Eleganz… welche Trümpfe, welche Reize besitzt Italien !

Hotel Verbano ★★★

Italia

I 10

Via Vue Ara n°2 - Isola Pescatori
28838 STRESA
Alberto ZACCHERA
12 Chambres - Relais du Silence depuis 1985

Tél. 0323/304 08 - 32 534
Fax 0323/331 29
hotel verbano@gse.it

06/01→28/02
Ouvert tous les jours

 220.000 - 240.000

 inclus

 50.000 - 75.000

1/2 170.000 - 190.000

 220.000 - 240.000

CC AV

Face à Stresa, sur le lac Majeur, la pittoresque île des Pêcheurs. Dans ce décor extraordinaire, l'hôtel Verbano, récemment restauré, vous attend pour un séjour hors du temps, comme un rêve. Canotage, bains, pêche. Liaison avec Stresa et Baveno par bâteau privé en haute saison.

Sull'isola dei Pescatori, il piacere di un soggiorno in un piccolo e famoso albergo, recentemente restaurato dove anche la cucina contribuisce a rendervi una vacanza indimenticabile.

Ihr Traumhotel auf der Fischerinsel. Kürzlich restauriert, bietet dieses Haus ein aussergewöhnlich schönes Panorama, Rudern, Schwimmen, Angeln. In der Hochsaison Verbindungen nach Stresa und Baveno durch unsere privaten Boote.

On Fishermen island, the hotel of your dreams, recently restored. Outstanding panorama. Rowing, bathing, fishing. During high season connection with Stresa and Baveno with our privat boats.

✈ Mi-Malpensa 70 km
🚂 Stresa 1 km
🚗

Parkhotel Sole Paradiso ★★★★

I
11

Via Sesto-Sextnerstraße 13
39038 SAN CANDIDO - INNICHEN
Maria & Linda ORTNER
43 Zimmer - Relais du Silence seit 1993

Tél. 0474/91 31 20
Fax 0474/91 31 93
parkhotel@sole-paradiso.com

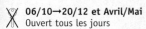 **06/10→20/12 et Avril/Mai**
Ouvert tous les jours

🏔 1175 m

👤 100.000 - 175.000

👥 190.000 - 350.000

☕ inclus

🍴 55.000 - 75.000

🍽 120.000 - 195.000
1/2

🍽 150.000 - 225.000

CC AV TO

L'hôtel situé sous les hauteurs mouvementées des Dolomites, dans une clairière du bois, semble sorti d'un conte. La famille Ortner depuis cinq générations, s'occupe personnellement de ses hôtes.

L'Albergo si trova a San Candido, una splendida località nelle Dolomiti, in mezzo ad un bosco di conifere. La gestione diretta dai proprietari garantisce un trattamento molto curato e familiale. Cucina sana, allegra e naturale.

Die Lichtung am Waldrand von Innichen, unterhalb der zackigen Gipfel der Sextner Dolomiten in Südtirol, auf die das traditonsreiche Hotel blickt, ist wie der Schauplatz eines Märchens.

✈ Innsbruck 130 km

Venise aéroport 190 km

🚆 San Candido Innichen 1 km

This Hotel, steeped in history and tradition, enjoys a wonderful setting in an open meadow, fringed by the imposing and jagged Dolomite peaks. Five generations of Ortners have taken exquisite care of their guests.

Schlosshotel Mirabell ★★★

Italia

I
12

Laranzweg 1
39040 SEIS AM SCHLERN
Alexander EGGER
36 Zimmer - Relais du Silence seit 1993

Tél. 0471/70 61 34
Fax 0471/70 62 49
mirabell@dnet.it

H: 15/04→20/05/98   R: 15/10→20/12/98
Ouvert tous les jours

 1050 m

 80.000 - 140.000

120.000 - 260.000

20.000 - 30.000

 30.000 - 50.000

 80.000 - 150.000
1/2

 120.000 - 170.000

Hôtel familial, paysages pittoresques et calme assuré aux portes du parc naturel "Sciliar", à proximité du plus grand alpage d'Europe : "l'Alpe di Siusi", atmosphère chaleureuse, cuisine raffinée.

Albergo familiare in posizione tranquilla e soleggiata, vicino al Parco Naturale dello Sciliar, l'Alpe di Siusi dista 8 km, cucina leggera e raffinata curata dalla Signora Egger stessa, punto di partenza ideale per numerose passeggiate.

Gepflegtes Familienhotel in verkehrsfreier Panoramalage, am Naturpark Schlern gelegen, am Fuße der größten Hochalm Europas, "Der Seiser Alm", für eine anspruchsvolle und bekömmliche Küche sorgt Frau Egger selbst, idealer Ausgangspunkt für zahlreiche Wanderungen.

Comfortable family hotel situated in quiet surroundings, near the "Natural Park Sciliar" and the biggest alpine plateau of Europe : "The Alpe di Siusi", homely atmosphere, fine cuisine.

Innsbruck 100 km

Bozen 23 km

Brennerautobahn - Ausfahrt
Klausen - Waidbruck -
Schlerngebiet - Seis

Hotel Castel Fragsburg ★★★★

Italia

I 13

Fragsburgerstrasse 3
39012 MERAN-LABERS
Renate & Alexander ORTNER
16 Zimmer - Relais du Silence seit 1993

Tél. 0473/24 40 71
Fax 0473/24 44 93
info@fragsburg.com

Anfang November - Ostern
R: Montag

750 m -

 90.000 - 150.000

 180.000 - 280.000

inclus

 40.000 - 90.000

 130.000 - 200.000

 150.000 - 220.000

CC AV

Ancien pavillon de chasse du château voisin, le Castel Fragsburg offre une vue fantastique sur Meran et les montagnes qui l'entourent. Vous aimerez l'ambiance de la terrasse et de la véranda "Belle Epoque" où sont servis les repas. Calme absolu, raffinement et caractère. Un endroit romantique par excellence.

Traditionsreiches Haus, einst Jagdschlößchen, hoch über Meran. Mahlzeiten auf der Aussichtsterrasse und Jugendstilveranda. Persönliche, individuelle Betreuung - ausgezeichnete Küchenkunst. Uralter subtropischer Baumbestand.

Built for lodging participants of noble shooting-parties, the feudal lord's guests. Meals are served on the terrace with a special atmosphere and veranda in "Liberty"-style, with wonderful view on mountains and Meran. Personal & individual attention, exquisite cuisine.

Innsbruck 120 km

Meran 8 km

A22 Ausfahrt Bolzano Sud -
Schnellstrasse nach Meran
Ausfahrt Meran Süd

427

Albergo Relais I Due Roccoli ★★★★

Italia

I
14

Via S. Bonomelli - strada per Polaveno
25049 ISEO (Brescia)
Guido ANESSI
13 Rooms - Relais du Silence since 1993

Tél. 030/982 29 77
Fax 030/982 29 80

01/11→15/03
Ouvert tous les jours

🏔 500 m

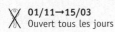

🧍 140.000 - 150.000

👫 180.000 - 210.000

☕ 16.000

✕ 50.000 - 80.000

🍽 145.000 - 170.000
1/2

🍽 180.000 - 200.000

CC AV

🚗 ⊘ ⇔ ☀ 🚌 ⚓

🔍

🐎 ⛵ 🎣 🎿

Dans un parc merveilleux, à 500 mètres d'altitude, avec une vue charmante sur le lac d'Iseo, une villa et une ancienne ferme abritent un hôtel de grand confort et un restaurant de haute gamme. Possibilité de cocktails et de réceptions très soignés.

Antica villa con splendida terrazza che domina il lago. Raffinata cucina regionale con pesce di lago, pasta fresca, funghi.

In einem wunderschönen Park in 500 m Höhe liegen eine Villa und ein altes Bauerngehöft, in denen ein komfortables Hotel und ein sehr gutes Restaurant untergebracht sind. Elegant ausgerichtete Empfänge bei festlichen Gelegenheiten auf den Panoramaterrassen.

In a splendid park at 500 m of altitude, with a beautiful view of the Iseo lake, a villa and an old farmhouse give hospitality to a very comfortable hotel and a high quality restaurant. Possibility of elegant parties and receptions on the panoramic terraces.

✈ Linate Milano 100 km

🚉 Iseo 5 km

🚗 Da Iseo seguire le indicazioni per il paese di Polaveno

Leon d'Oro ★★★

 I 20

Via Canonici, 3
30035 MIRANO - VENEZIA
Margherita & Gianni FORZUTTI
12 Zimmer - Relais du Silence seit 1995

Tél. 041/43 27 77
Fax 041/43 15 01

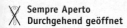 **Sempre Aperto**
Durchgehend geöffnet

 110.000 - 150.000
 160.000 - 190.000
 inclus

 110.000 - 135.000

 CC AV TO

❄ 12

Charmante demeure de campagne avec chambres climatisées et piscine, à 20 mn de Venise. Trains pour Venise et Padoue. Bicyclettes et parking. Chambres non-fumeurs. Cuisine régionale et végétarienne.

Antica meravigliosa cascina del 1860 con camere confortevoli, aria cond. parco e piscina. 20 min da Venezia e Padova comodo collegamento ferroviario. Parcheggio privato. Giochi bambini, biciclette. Cucina regionale e varieta vegetariane.

Liebevoll eingerichtetes Landhaus mit klimatisierten Zimmern und Pool, 20 Min von Venedig. Bahnverbindung nach Venedig und Padua. Privater Parkplatz und Leihfahrräder. Zimmer für Nichtraucher. Regionale Küche, vegetarische Menüs.

Charming country house with airconditioned guest rooms and swimming pool. 20 mn from Venice. Trainconnections to Venice and Padua. Bicycles and parking. Non smoker rooms. Local food, vegetarian menus.

✈ Marco Polo 35 km
🚆 Mira-Mirano 1 km
🚗 A4 Venezia - Padova Ausfahrt
Dolo-Morano 4 km

Villa Campestri ★★★

Italia

Via di Campestri, 19
50039 VICCHIO-FIRENZE
Paolo PASQUALI
21 Cam - Relais du Silence da 1996

Tél. 055/849 01 07
Fax 055/849 01 08

 15/11→01/03

 170.000 - 200.000
 210.000 - 270.000
 inclus
 50.000 - 90.000
 150.000 - 195.000

CC AV

Villa du 13e siècle, complètement restaurée, entourée par la très belle et verte campagne de la Toscane, à seulement 35 km de Florence. A proximité les lieux des Médicis et les maisons natales de Giotto et de Beato Angelico. Chiens acceptés à l'hôtel sur demande uniquement.

Parco 140 ettari. Piscina con vista sulla vallata. Maneggio 2 Km. Golf 18 buche a 15 Km. Nel cuore della terra dei Medici, per chi ama l'incontro tra natura e cultura.

Villa aus dem 13 Jahrhundert, vor kurzem vollkommen renoviert. Eingebettet in der ruhigen, grünen Landschaft der Toskana, nur 35 km von Florenz entfernt. Dogs allowed in the hotel on request only.

Villa of the 13th century, completely restored, surrounded by the peaceful green Tuscan landscape, only 35 km from Florence.

Florence 35 km
Vicchio 5 km
From Florence......

Hotel Viticcio ★★★

I 45

Località Viticcio
57037 PORTOFERRAIO
Gilio VIANA
31 Chambres - Nouveau Relais du Silence

Tél. 0565/939058-939059-939032
Fax 0565/939058-939059-939032
hviticcio@elbalink/it

03/10/97→10/04/98
Ouvert tous les jours

 90.000 - 110.000

 150.000 - 210.000

 inclus

 25.000 - 55.000

 78.000 - 167.000
1/2

 98.000 - 187.000

CC

Situé au cœur de l'île d'Elbe, entouré d'un délicieux jardin, à 50 m de la plage, l'hôtel Viticcio dispose de 31 chambres avec douche et vue sur la mer. Restaurant avec terrasse panoramique et cuisine typique Toscane. Le calme et la nature sauvage font de ce lieu l'endroit idéal pour des vacances de tout repos.

Im Herzen der Insel Elba, 50 m vom Strand, alle Zimmer mit Blick aufs Meer. Restaurant mit Panorama Terrasse und typische Küche der Toscana. Ruhe und wilde Natur bieten ideale Bedingungen für entspannende Ferien.

In the heart of Elba Island, 50 m from the beach, all rooms with view to the sea. Restaurant with panoramic terrace and typical Toscana cuisine. Ideal relaxing holidays in quiet unspoilt nature.

 Pila 10 km

Piombino (Ferry) 1h

Dir. Piombino - (embarquement) arrivée Portoferraio - dir. Viticcio (5 km)

431

Relais du Silence
Silencehotel

Quel relais pour votre passion ?
Choose your relais hotel according to your activities.
Das passende Relais für Ihre Hobbies.

Les hôtels par région
et pays avec leurs
équipements de loisirs.

*List of relais hotel by
regions and countries
with their leasure
facilities.*

Die Relais, geordnet
nach Regionen und
Ländern, mit ihren
jeweiligen
Freizeitangeboten.

pages 450 ⟹ 463

PISA PROOF

Bagage Ultra Transporter

Los precios indicados en Pesetas. El servicio està includio, impuesto aparte. Para mayores informationes, remìtase a las páginas 12 a 25.

Les prix sont indiqués en Pesetas. Renseignez-vous auprès de chaque hôtel individuellement. Pour plus d'informations, reportez-vous aux pages 12 à 25.

The prices are given in Pesetas. For inquiries, contact directly each hotel. For more informations, report to pages 12 to 25.

Die Preise sind in Pesetas. Erkundigen Sie sich in jedem Hotel. Für mehr Informationen, siehe Seite 12 bis 25.

Secretariado en España : Almadraba Park Hotel
Playa de la Almadraba 17480 Rosas
Tel. (9) 72 25 65 50
Fax (9)72 25 67 50

España

Espagne - Spain - Spanien

Un clima generoso, playas que se pierden en el horizonte o incrustadas ensenadas protectoras, pueblos típicos de pescadores. Paisajes extraordinarios en segundo plano de sierras montañosas, pueblos blancos de cal y de luz. Pueblos de arte, castillos grandiosos, fortalezas de piedra o palacios moriscos.

Un climat généreux, des plages à perte de vue ou lovées dans des anses protectrices, des villages typiques de pêcheurs. Des paysages superbes en arrière-plan de sierras montagneuses, des villages blancs de chaux et de lumière.Des villes d'art, des châteaux grandioses, des forteresses de pierre ou des palais mauresques.

A generous climate, long beaches or small coves, typical fishing villages. Superb landscapes with the mountainous sierras providing the backdrop to whitewashed and sun-drenched villages. Cities of art, grandiose castles, stone fortresses or Moorish palaces.

Ein Land mit einem großzügigen Klima, mit Stränden, soweit das Auge reicht, verborgenen Sandbuchten, und typischen Fischerdörfern. Wunderschöne Landschaften mit den bergigen Sierras als Hintergrund, von Sonne und Hitze gebleichte Dörfer. Kunststädte, grandiose Schlösser, Festungen oder maurische Paläste.

NO DEJE DE ASISTIR.

- Fallas de Valencia y fallas de Xátiva (15 - 20 Marzo) Tél.(9)6 227 33 46,
- Feria de la Castaña (Octubre) Tél.(9)6 886 20 91,
- Fiestas Patronales de Tossa de Mar (fin Junio - principios Julio) Tél.(9)72 340 108,
- Fest. Inter. de Música de Perelada (Julio - Agosto) Tél.(9)72 503 155,
- Fiestas Patronales de Rosas (15 de Agosto) Tél.(9)72 503 155,
- Fiesta Patronales de Gerona con el mercado típico y folklore antiguo (29 Octubre) Tél.(9)72 503 155,
- Semana Santa (Pâques) en Sevilla Tél.(9)5 422 14 04.
- Romería de la Virgen de Gracia en Carmona (Septiembre) Tél.(9)5 422 14 04
- Fiesta de Ntra. Sra. de los Remedios en Yaiza (fin Agosto - principios Septiembre) Tél.(9)28 83 01 02

Andorra

Andorre

Principado situado en pleno corazón de los Pirineos, Andorra posee emplazamientos naturales y obras maestres de la arquitectura. La montaña está omnipresente con sus contrastes de grandes picos y de sus valles profundos, sembrada de pueblos apasibles en harmonia total con la naturaleza. Naturaleza, Cultura y tradición, dicha de vivir. Andorra es el país de los Pirineos.

NO DEJE DE ASISTIR.

- Fiesta de San Antonio (Enero)
- Carnaval (Febrero)
- Festival de Jazz en Escaldes (Julio)
- Concurso de perros de pastor en Canillo (Sept.)
- Festival de Musica clásica en Ordino (Sept.)
- Festival de Musica y Danza en Andorra la Vella (Octubre)
- Museo Nacional del Automóvil en Encamp
- Museo casa tipica d'Areny-Plandolit en Ordino.

Principauté nichée au cœur des Pyrénées, Andorre regorge de sites naturels et de chefs-d'œuvre d'architecture. La montagne est omniprésente avec ses contrastes de grands pics et ses vallées profondes, parsemées de villages paisibles en totale harmonie avec la nature. Nature, culture et traditions, joie de vivre. C'est Andorre, le pays des Pyrénées.

A principality nestling in the heart of the Pyrenees, Andorra has a wealth of naturals sites and architectural masterpieces. The mountains are omnipresent with their contrasting tall peaks and deep valleys, scattered with peaceful villages in total harmony with nature. Nature, culture and tradition, a joy of living. Andorra, the country of the Pyrenees.

Andorra, das Fürstentum im Herzen der Pyrenäen, strotzt vor natürlichen Landschaften und archetektonischen Chefs-d'œuvre. Das Gebirge mit seinen Kontrasten, wie hohe Bergspitzen und tiefe Täler, ist allgegenwärtig und verstreut treten friedliche Dörfer in völliger Harmonie mit der Natur auf. Natur, Kultur, Tradition, Lebensfreude. Das alles ist Andorra, das Land der Pyrenäen.

Andorra Park Hotel ★★★★

Andorra

AND
1

Les Canals, 24
 ANDORRA LA VELLA
Toni CRUZ
40 Chambres - Relais du Silence depuis 1995

Tél. 82 09 79
Fax 82 09 83
hotels@hotansa.com

Ouvert toute l'année
Ouvert tous les jours

▲ 1029 m

👤	362 - 777 FF
👥	452 - 970 FF
☕	70 - 75 FF
🍴	248 - 300 FF
🍽 1/2	555 - 792 FF
🛏	726 - 969 FF

CC AV TO

Au cœur d'Andorra-la-Vella à l'écart de l'agitation, Andorra Park est l'hôtel le plus remarquable de la Principauté. Tout y concourt au dépaysement total dans le plus grand confort. Chambres personnalisées, claires et spacieuses, salons élégants, salle à manger lumineuse ouverte sur le parc. On vous y servira une délicieuse cuisine internationale et du marché. Terrain de golf idéal pour améliorer le jeu court ou pour s'initier. Piscine creusée dans la roche entourée de jardins.

Quelle der Ruhe und der Schönheit der Natur, in bester kommerzieller, eleganter Lage der Fürstentums. Große helle Zimmer. Internationale Küche mit frischen Marktprodukten.

Source of silence and natural beauty in the best commercial and social zone of the principality. Bright and spacious rooms. Delicious international cuisine and with local produce.

✈ Barcelone 150 km
🚆 L'Hospitalet 40 km
🚗

437

Almadraba Park Hotel ★★★★

España

E
13

Playa Almadraba
17480 ROSAS
Jaume SUBIROS
66 Chambres - Relais du Silence depuis 1993

Tél. (9) 72 25 65 50
Fax (9) 72 25 67 50

 01/01→08/04/98 et 13/10→31/12/98
Ouvert tous les jours

 6.700 - 11.000

12.000 - 18.000

1.300

4.500

 11.300 - 14.700
1/2

CC AV

66

Sur la Costa Brava, au Nord-Est du Golfe de Rosas, l'hôtel bénéficie d'une vue exceptionnelle, dans un endroit tranquille, à 20 m de la plage, avec accès direct à la mer. Il offre confort, service et équipement 4 étoiles. Restaurant gastronomique et spécialités régionales. Grill restaurant au bord de la piscine. A 4 km du centre ville. Bus pour Rosas toutes les 1/2 h.

Im Nordosten der Costa Brava gelegen. Ungewöhnlich schönes Panorama. Ruhige Lage. Direkt am Meer. Schwimmbad. Squash. Tennis. Gourmet-Restaurant und regionale Spezialitäten wie auch Grill beim Schwimmbad. 4 km zum Stadtzentrum, halbstündlich Busverbindung.

Gerona 45 km

Figuéras 24 km

Frontière française, Rosas + 4 km de côte.

Situated on the northeast of Costa Brava. A delightfull panoramic view. Tranquil surrounding. Direct access to the sea. Swimming-pool. Squash. Tenniscourt. Gourmet restaurant and regional specialities as well as grill near the swimming pool. 4 km to town center, bus every half hour.

Hotel Can Borrell ★★

 España

 E 15

Retorn n°3
17539 MERANGES
Antonio FORN ALONSO
8 Chambres - Relais du Silence depuis 1997

Tél. (9) 72 88 00 33
Fax (9) 72 88 01 44

 Dim. soir à Jeu. inclus du 06/01 au 30/04
(sauf sem. de Pâques)
Lu. soir et Ma. du 01/05 au 05/01 (sauf jours fériés)

1550 m

 6000 - 7000

 8000 - 9000

 700 - 850

 3000

 7500 - 8000

 10000 - 10500

 CC

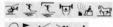

Vieille maison paysanne, restaurée avec soin, située dans une splendide vallée des pyrénées catalanes, bien connue par sa cuisine raffinée et traditionnelle. Charme, caractère rustique et confort moderne. Randonnées pédestres et excursions, ski de montagne et promenades en raquettes.

In einem hohen Bergtal steht dieser 200 Jahre alte Bauernhof berühmt für seine regionale und abwechslungsreiche Küche. Familiär geführtes Haus, wo sich Gemütlichkeit und rustikale Tradition vereinen. Wanderwege direkt am Haus. Herrliche Ausflugsziele, Langlauf und Skiwandern.

Tucked away high in a mountain valley is this 200 year old farmhouse with a widespread reputation for its country style cooking. The rooms are simple but in absolute keeping with modern comfort and a traditional and cosy atmosphere.

✈ Perpignan 125 km

🚉 Puigcerdà 18 km

🚗 N116 Perpignan-Puigcerdà /
E9 Barcelona - Tunel del Cadí

Hotel Sant Marçal ★★★

España

E 16

Carretera de Sant Celoni a Sant Marçal, Km 28
08460 MONTSENY
Marta SANAHUJA / Jorge TELL
10 Chambres - Relais du Silence depuis 1997

Tél. (9) 38 47 30 43
Fax (9) 32 00 85 00
tellhotels@arquired.es

Ouvert toute l'année
Ouvert tous les jours

🔺 1000 m - 🏘

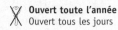

👤	11000 - 12000
👥	12500 - 16500
☕	1350
🍴	2650
🍽 1/2	11000 - 13000
🍽	12000 - 14000

CC AV TO

🚗 🚫 ☀ 🔧 🧺 💿

🐎 🛋 🔍 ⛱ 🎿

La jonquera - França
Girona
Vic   Sortida   Eix Transversal
Espinelves
Tona Viladrau
Sortida   N152
Seva
Terrassa   Montseny
Arbúcies
Sabadell
Sta. F.
Barcelona   St. Celoni   Hostalrich
Sortida
B30
Aartorell   A7   Sortida 11
Lleida   Arenys de Mar
Madrid

✈ Barcelona 80 km
🚂 Sant Celoni 28 km
🚗 Autopista A7, salida 11

Monastère du 11e siècle, reconverti en adorable hôtel de montagne, à 1000 m d'altitude dans un superbe parc naturel déclaré par l'Unesco "Réserve de la Biosphère". Caractère, raffinement et les soins attentifs de la famille Tell qui veille à votre bonheur.

El Monasterio de Sant Marçal (S : XI) tras su total renovacion, acoge un precioso hotel de montana, con modernas instalaciones.

Kloster aus dem 11 Jh. umgebaut zu einem entzückenden Berghotel, in 1000 Meter Höhe gelegen, in einem beeindruckenden Naturpark, von der Unesco als "biosphärisches Reservat" deklariert.

11th century monastery, now in a charming mountain hotel, at 1000 m altitude, situated in a natural parc, declared by Unesco as "Biosphere reserve".

Hotel Diana ★★

E 17

Place d'Espagne, 6
17320 TOSSA DE MAR
Mrs OSORIO GOTARRA - ESTEVE CLIMENT
21 Chambres - Relais du Silence depuis 1997

Tél. (9) 72 34 18 86/34 11 16
Fax (9) 72 34 18 86/34 11 03

Beginning November - Easter
Ouvert tous les jours

 4750 - 7500

 6550 - 11800

 1000

1/2

CC AV

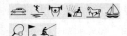

Dans un édifice de style "Art Déco" protégé par la Mairie de Tossa de Mar, l'hôtel Diana propose des chambres calmes, coquettes et bien équipées, quelques unes avec vue sur mer. Terrasse panoramique face à la baie aux eaux transparentes avec les murailles du château en fond de paysage. Accès direct à la plage.

2 Sterne Hotel, im Jugendstil, gegenüber der Stadmauer und der Bucht von Tossa de Mar mit seinem kristallklaren Wasser gelegen. Ruhige Lage. Panorama-Terrasse mit Blick aufs Meer.

A 2 star Hotel in "Art Déco" style, located in front of the Castle walls of Tossa de Mar and its emerald clear water bay. Quiet position. Panoramic view of the sea from the terrace.

Girona 40 km

Blanes 20 km

A9 sortie 9 dir. Lloret de Mar de suite GI-682 dir. Tossa de Mar.

441

Hosteria de Mont Sant ★★

España

E
18

Carretera del Castillo S/N
46800 XATIVA (Valencia)
Javier Andrés CIFRE
7 Chambres - Relais du Silence depuis 1997

Tél. (9) 62 27 50 81
Fax (9) 62 28 19 05
montsant@servidex.com

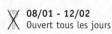
08/01 - 12/02
Ouvert tous les jours

 12500

15000

inclus

✕ 5000

1/2 11500

15500

CC AV TO

7

Au 12e siècle, les arabes alcaïdes construisent un palais sur les hauteurs de Xàtiva. 200 ans plus tard, le roi Jaime II fait édifier à cet endroit un monastère cistercien "Mont Sant". Aujourd'hui, l'hôtel est un paisible paradis historique qui offre un jardin méditerranéen de 17000 m2 entouré des murailles du monumental château de Xátiva.

Ubicada sobre las ruinas de un harén arabe del siglo X. Azahar y jazmin en sus 17000 m2 de jardín mediterráneo rodeados por la muralla del monumental castillo de Xátiva.

Auf den Ruinen eines arabischen Harems aus dem 12 Jahrhundert. 17000 m2 grosser mediterraner Garten umgeben von den Mauern der Burg Xàtiva.

Situated on the ruins of a 12th century Arab Harem. 17000 square metres of Mediterranean gardens surrounded by the walls of the monumental castle of Xátiva.

✈ Valencia 60 km

🚄 Xátiva 1 km

🚗 From the city of Xátiva take the "Castle road" and left after St José

Casa de Carmona ★★★★★

E
30

Plaza de Lasso, 1
41410 CARMONA (SEVILLA)
Felipe GUARDIOLA MEDINA
33 Chambres - Nouveau Relais du Silence

Tél. (5) 419 10 00
Fax (5) 419 01 89
reservations@casadecarmona.com

Ouvert toute l'année
Ouvert tous les jours

 17.000-29.000

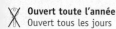 18.000-39.000

 1.500

 4.000-6.000

 5.500

 9.500

CC AV 10

Dans le centre historique de Carmona, à 30 mn de Séville, un des plus exceptionnels et plus charmants hôtels du monde, aménagé dans un palais du 16e siècle. Ambiance de la vieille aristocratie espagnole, cadre élégant, délicieuse cuisine internationale et andalouse. Très bien équipé pour séminaires.

Eines der schönsten Hotels der Welt, aus dem 16. Jh, bietet Ihnen aristokratischen Komfort im Herzen der historischen Stadt Carmona, eine halbe Autostunde von Sevilla. Das elegante Restaurant verwöhnt Sie mit bester internationaler und andalusischer Küche. Ausgezeichnete Tagungsmöglichkeiten.

One of the world's most exquisite and charming hotels, the 16th century Casa-Palacio de Carmona provides you with aristocratic comfort in the heart of the pristine Carmona, half an hour's drive from Seville. The elegant restaurant offers you finest international and Andalusian cuisine. Very well prepared to host meeting.

✈ Sevilla San Pablo 20 km

🚊 Sevilla Santa Justa 30 km

🚗 N IV de Sevilla par Cordoba après 30 km sortie Carmona.

443

Hotel Rural Finca de las Salinas ★★★

España

Carretera general Yaiza - Arrecife, n°17
35570 LANZAROTE (ISLAS CANARIAS)
D. CARDENES/D. ESPADA
19 Rooms - New Relais du Silence

Tél. (9) 28 83 03 25 et 26
Fax (9) 28 83 03 29

Open all year
Open every day

 11.000 - 18.500

8.500 - 14.500

inclus

2.500

 11.000 - 17.000

CC AV TO

Dans le charmant village de Yaiza, près du Parc National de Timanfaya, tout le confort et les services d'un hôtel 4 étoiles aménagé dans un manoir du 18e siècle. Paysages magnifiques et calme parfait. A 20 mn des belles plages de Papagayo et 15 mn de Puerto del Carmen.

Situado en el bello pueblo de Yaiza y frente al parque nacional del Timanfaya, una vieja mansión del S. XVIII localizada en un entorno rural tranquilo y apacible pero con las comodidades y el confort de un hotel de cuatro estrellas.

Im wunderschönen verträumten Dorf Yaiza, am Fusse des Naturparks Timanfaya, ein alter Wohnsitz des 18. Jahrh. In einer ruhigen, ländlichen Umgebung, jedoch mit allen Bequemlichkeiten und dem Komfort eines 4-Sterne-Hotels.

An old mansion of the 18th century, situated in Yaiza, next to the national park of Timanfaya, surrounded by a calm and peaceful landscape but provided with all the facilities and comfort of a four-star hotel.

⊶ Guacimeta 20 km

🚌 Carreta general - Yaiza a arrecife - n°17

**L'ABUS D'ALCOOL EST DANGEREUX POUR LA SANTE.
CONSOMMEZ AVEC MODERATION.**

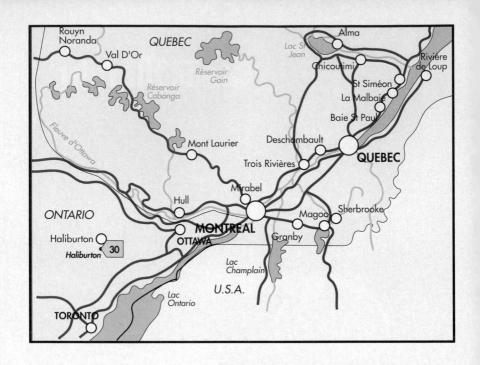

  1

 Canadian Dollar

Les prix sont indiqués en Dollar Canadien. Renseignez-vous auprès de l'hôtel. Pour plus d'informations, reportez-vous aux pages 12 à 25.

The prices are given in Canadian Dollar. For inquiries, contact directly the hotel. For more informations, report to pages 12 to 25.

Die Preise sind in canadischen Dollar angegeben. Erkundigen Sie sich in der Hotel. Für mehr Informationen, siehe Seite 12 bis 25.

Canada

Kanada

Le Canada est devenu l'une des destinations privilégiées de voyage, de découverte et de dépaysement. La randonnée, la voile et le ski, la pêche, la chasse, le traîneau à chiens et la motoneige ont élu pour royaume ce pays aux 36 parcs nationaux. Sur une étendue couvrant le quart des fuseaux horaires de la planète, l'exceptionnel est le naturel…

Canada has become one of the priviliged international destinations for travel, discovery, and getting away from it all.
Canada, with its 36 national parks, is the realm of hiking, sailing and skiing, fishing, hunting, husky team and snow scooters.
In a country which covers a quarter of the world's time zones, the exceptional is always natural…

Kanada ist das privilegierte Ziel für die Reise, Entdeckungen und der Flucht vor dem alltäglichen Leben. Wandern, Segeln, Skifahren, Angeln, die Jagd, Hundeschlittenfahrten und Monoski haben das Land der 36 Nationalparks zu ihrem Königreich auserwählt.
In dem Land, das ein Viertel der Zeitzonen der Welt besitzt, ist das Aussergewöhnliche normal…

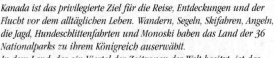

A NE PAS MANQUER.

- Toronto Jazz Festival (july),
- Toronto International Film Festival (september),
- Niagara Falls,
- Winter Canal Skating - Rideau Canal, Ottawa (patinage),
- Muskoka Antique & Classic Boat Show - Bâteaux de plaisance depuis les années 20 (july),
- Minden Sled Dog Derby, - Course de traineaux à chiens (january),
- Haliburton Rodeo (july),
- Haliburton Blue Grass Festival (August Civic Holiday Weekend) Country Music,
- Haliburton Artisan's Studio Tour (october),
- Winterfest, Haliburton - Motoneige, Ski Nordique (February).

447

Domain of Killien

C 30

P.O box 810 Carroll road
KOM 150 HALIBURTON - ONTARIO
Jean-Edouard LARCADE
12 Chambres - Relais du Silence depuis 1994

Tél. 705-457 11 00
Fax 705-457 38 53
killien@halhinet.on.ca

Ouvert toute l'année
Ouvert tous les jours

X 45

132 - 192

Au sud du parc des Algonquins, un vaste domaine de forêts et de lacs et, nichée dans cette beauté, une auberge, charmante, confortable, chaleureuse, pour savourer à loisirs les plaisirs d'une fine cuisine et la paix que seule la nature peut procurer. Un élixir pour citadins fatigués.

Im Süden des Algonquin Parks, auf einem grossen Landgut inmitten von Wäldern und Seen, geniessen Sie den Charme und Komfort einer freundlichen Herberge. Die feine Küche und der Frieden der Natur sind gerade recht für den müden Städter.

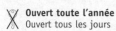

South of Algonquin Park, discover the charm and warm comfort of an intimate inn on a 5000 acre estate of forests and lakes. Enjoy the fine cuisine and the peace of the countryside, just right for tired city-dwellers.

Toronto 220 km

Hôtellerie
Champêtre
Auberges et Hôtels du Quebec

LE RÉSEAU NATURE.

Manoirs historiques, auberges du charme, hôtels de villégiature, le réseau Hôtellerie
Champêtre fait le tour complet du Québec champêtre, gourmand et sportif.
Situé à la grandeur du Québec, notre réseau est votre meilleur guide de voyages.

QUÉBEC'S FINEST NETWORK
OF COUNTRYSIDE RESORTS & INNS

HÔTELLERIE CHAMPÊTRE
455, rue Saint-Antoine Ouest, bureau 114
Montréal (Québec) Canada H2Z 1J1

Tél. :   (514) 861-4024
Télec. : (514) 861-4032
http://www.hotelleriechampetre.com
hotellerie.champetre@sympatico.ca

Veuillez me faire parvenir gratuitement
un exemplaire de la brochure
GUIDE D'HÉBERGEMENT 1997-1998

Nom : ....
Prénom : ....
Adresse : ....
Ville : .... Code postal : ....
Pays : ....
(RS97-98)

LES RELAIS DU SILENCE

EN EUROPE ET AU CANADA

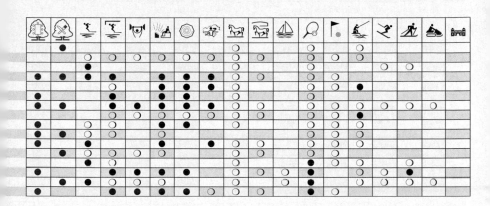

● à l'hôtel, at the hotel, im Hotel
○ rayon de 20 km, radius of 20 km, im Umkreis von maximal 20 km.

1	2	3	4	5	6	7	8	9	10	11	12	13	14	15	16	17
	●										○	○	○			
●			○	●							○	○	○			
●			○						○		○	○				
●	●	●	○	○	○		○	○	○		●	○	●			●
●		○						○	○		●	○	○			●
								○	○		○	○	○			●
●	●	○	○	○		●		○		○	○	○	●			
●		○	○					○			○	○	●			
●	●	○	○	○				○		○	●	○	○			
	●	○										○				
●	●	○	○					●	●		●	○	○			

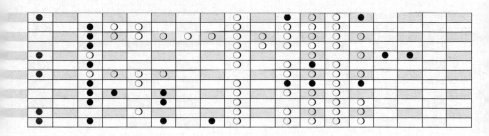

1	2	3	4	5	6	7	8	9	10	11	12	13	14	15	16	17
●								○		●	○	○	●			
		●	○	○				○		○	○	○				
		●	○	○	○	○	○	○	○	○	○	○	○			
		●						○	○	○	○	○				
●		○						○			○			○	●	●
		●						○		○	●	○				
●		○	○	○	○					○	●	○	○			
		●		○				○		●	●	○	●			
		●	●		●			○		○	○	○	○			
		●		●				○		○	○	○	○			
●		●	○					○		○	○	○	○			
●		●		●		●		○		○	○	○	○			

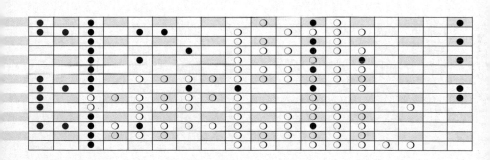

1	2	3	4	5	6	7	8	9	10	11	12	13	14	15	16	17
●		●							○		●	○				●
●	●	●		●	●		○			○	○	○	○			
		●					○	○	○		●	○				●
		●		●		●	○	○	○	○	●	○	○			
		●		●			○				○		●			●
		●					○	○	○		○	○	○			
●		●		○	○	○	○	○	○	○	○	○	○			●
●	●	●				●	●				●		○			●
●		○	○	○	○	○	○				○					●
●		○		○	○	○	○	○			○	○	○		○	
		●					○		○	○	○	○	○			
●	●	●	○	●	○	○	○	○	○	○	●	○	○			
		●	○	○	○		○	○	○	○	○	○	○			
		●					○		○		○	○	○	○	○	

1	2	3	4	5	6	7	8	9	10	11	12	13	14	15	16	17
●		●	○	○			○	○		○		●				
●		●		○			○			● ○	○	●			○	
●	●	●		○	●	●				○		○				
	●	○							○	○	○	○				
	●						○			○	○	○				
●		●	○	○	●		○	○	○	●	○	○				

● à l'hôtel, at the hotel, im Hotel
○ rayon de 20 km, radius of 20 km, im Umkreis von maximal 20 km.

453

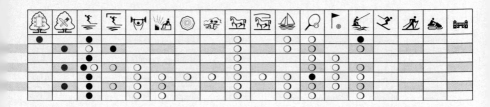

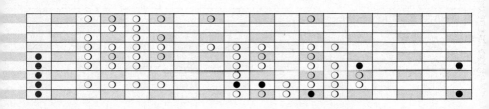

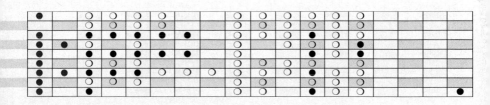

● à l'hôtel, at the hotel, im Hotel
○ rayon de 20 km, radius of 20 km, im Umkreis von maximal 20 km.

455

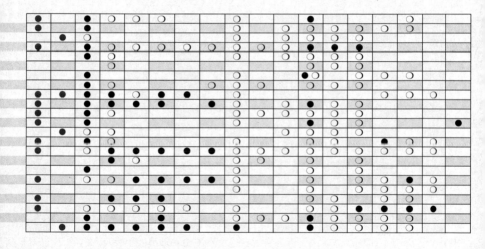

● à l'hôtel, at the hotel, im Hotel
○ rayon de 20 km, radius of 20 km, im Umkreis von maximal 20 km.

LES RELAIS DU SILENCE

DÉPARTEMENT	LOCALITÉ		N°	ÉTABLISSEMENT	PAGE

DEUTSCHLAND - ALLEMAGNE - GERMANY   Voir Carte page 264

78345	Moos	D	1	HOTEL-RESTAURANT GOTTFRIED	268
88633	Heiligenberg	D	2	BERGHOTEL BAADER, RESTAURANT	269
79410	Badenweiler	D	3	FÖRSTERHAUS LAIS	270
79874	Breitnau-Hinterzarten	D	4	HOTEL FALLER	271
79286	Glottertal	D	6	HOTEL HIRSCHEN	272
79859	Schluchsee	D	7	HEGER'S PARKHOTEL FLORA	273
77709	Wolfach-St Roman	D	8	HOTEL LANDGASTHOF ADLER	274
75334	Straubenhardt	D	9	LANDHOTEL ADLERHOF	275
75323	Bad Wildbad	D	11	KURHOTEL VALSANA AM KURPARK	276
72285	Pfalzgrafenweiler	D	12	HOTEL WALDSÄGMÜHLE	277
79295	Sulzburg	D	14	WALDHOTEL "BAD SULZBURG"	278
78120	Furtwangen	D	15	GOLDENER RABE	279
89233	Neu ulm/Reutti	D	17	LANDHOF MEINL	280
83707	Bad Wiessee	D	20	LANDHAUS HOTEL SAPPLFELD	281
83242	Reit im Winkl	D	21	HOTEL STEINBACHER HOF	282
87561	Oberstdorf	D	22	HOTEL NEBELHORNBLICK	283
94505	Bernried-Rebling	D	30	HOTEL REBLINGERHOF	284
69502	Hemsbach	D	34	DER WATZENHOF	285
87474	Luftkurort Buchenberg	D	35	HOTEL SCHWARZER BOCK	286
97980	Bad Mergentheim	D	36	HOTEL BUNDSCHU	287
91541	Rothenburg ob der Tauber	D	37	BURG-HOTEL	288
82435	Bad Bayersoien am See	D	38	PARKHOTEL BAYERSOIEN	289
87459	Pfronten-Dorf	D	39	HOTEL BAVARIA	290
76863	Herxheim-Hayna	D	40	HOTEL "KRONE"	291
76829	Leinsweiler	D	41	LEINSWEILER HOF	292
67454	Hassloch	D	42	HOTEL SÄGMÜHLE	293
66482	Zweibrücken	D	43	HOTEL "EUROPAS ROSENGARTEN"	294
66869	Blaubach	D	44	HOTEL REWESCHNIER	295
55606	Rudolfshaus	D	45	HOTEL FORELLENHOF	296
55743	Hüttgeswasen-Allenbach	D	46	GETHMANNS HOCHWALDHOTEL	297
55469	Klosterkumbd bei Simmern/Hunsrück	D	47	HOTEL BIRKENHOF	298
55758	Kempfeld	D	48	HOTEL HUNSRÜCKER FASS	299
56812	Cochem/Mosel	D	49	MOSELROMANTIK HOTEL WEIßMÜHLE	300
56203	Höhr-Grenzhausen	D	50	HOTEL HEINZ	301
56412	Nomborn	D	51	STUDENTEN-MÜHLE	302
54647	Gondorf	D	52	HOTEL WALDHAUS EIFEL	303
52393	Hürtgenwald	D	53	LANDHOTEL KALLBACH	304
53518	Adenau	D	54	LANDHAUS SONNENHOF	305
26605	Aurich/Wallinghausen	D	56	KÖHLERS FORSTHAUS	306
98574	Schmalkalden	D	58	WALDHOTEL EHRENTAL	307
99762	Neustadt/Südharz	D	59	LANDHOTEL NEUSTÄDTER HOF	308
61350	Bad Homburg V.d.H.	D	60	HARDTWALD HOTEL	309
33165	Lichtenau/Herbram-Wald	D	61	HOTEL HUBERTUSHOF	310
57392	Schmallenberg-NRW	D	64	WALDHAUS OHLENBACH	311
34508	Willingen	D	65	WALD-HOTEL WILLINGEN	312
45711	Datteln-Ahsen	D	66	LANDHOTEL JAMMERTAL	313
48291	Telgte	D	67	HEIDEHOTEL WALDHÜTTE	314
23879	Mölln	D	75	HOTEL SCHWANENHOF	315
18551	Lohme/Insel Rügen	D	77	PANORAMA HOTEL RESTAURANT LOHME	316
26465	Langeoog	D	81	HOTEL STRANDECK	317
19395	Plau Am See	D	90	SEEHOTEL PLAU AM SEE	318
19406	Sternberg	D	91	SEEHOTEL STERNBERG AM SEE	319

GREAT BRITAIN - GRANDE BRETAGNE - GROß BRITANNIEN   Voir Carte page 322

TR 26 3AA	St Ives Cornwall	GB	1	THE GARRACK HOTEL	324
GY 5 7FQ	Guernsey-Channel Islands	GB	9	HOTEL HOUGUE DU POMMIER	325
EX 6 7YF	Exeter-Devon	GB	14	THE LORD HALDON HOTEL	326
GL 55 6AN	Gloucestershire	GB	43	COSTWOLD HOUSE	327

🌲	⚔	🚡	🚤	🏋	⛱	◯	🐟	🐎	🐎	⛵	🎾	⛳	🎿	🎿	🎿	🛥	🏰
	●	○	●		●				○	○	○	●	○	○			
	●	○	●	○	●						○	○	○	○			
		○	●	●	●		○	○	○			○	○	○			
		○	○	●	●		●				○	○	○	○			
	●	○	○	●	●	●		○	○	○		○	○	○			
●			●	●		●		○	○		○	●	○	○	○	○	
●		○	○	○	●	○	○	○	○		○	●	○			●	
●		○	○		○	○	○	○	○		○	●	○		○	○	
●	●		●		●			○	○	○	○	●	○	○		●	
●			●		●			○			○	●	○		○	○	
		○	○	○	●	○	○	○	○	○	○	○			○	●	○
		○	●	●	●	○		○	○	○	○	○	○				
		○	●○	●	●	○	○	○	○		○	○	○	○	○	○	
●		○	●		●	○	○	○	○	○	○	○	○	○	○	○	
		○	●	●	●	●	●○	○	○	○	○	○	○	●	○	○	
		○	●	○	●			○	○		○	●	○	○			
●	●	○	○	○	○	○		○			○	○	○				
●			●		●			○	○		○	●	○	●	○	●	
●			○	○	○		○	○	○		○	○	○				
		○	○	●	●	●	●	○			○	○	○	○	○	●	
●		●	●	●	●	●	●	○			○	○	○		○	○	
	●	○	●		●	●	●	○	○		●	○					
	●	○	●		●			○			●	○					
●		○	○	○	○	○		○	○		○	○					
●		○	○	○	●	○	○	○	○		○	○	○				
●		○	○	○	●	○	○	○	○		○	○	○				
●	●	○	○					○	○		○	○	●				
			●	●	●			○	○	○	○	○	○	○	○		
●		○	●		●	○	○	○	○		○	○	○	○	○		
●	●	○	●	●	●	○	●	○	○		○	○	○				
		○	○	○	●	○	●			○	○	○	●				
		●○	○	●	●	●	●	●	●	○	○	●	●				
●		○	○	●	●	○	●	○			○	○	○				
●		○	●○	●	●	●	●	○	○		○	○	●○				
●			●		●			○			○	○	○		○		
●			●		●			○			●	○	●	○	○		
			●		●	●	●	○	●		●				○		
●		○		●	●			○	○		○				○		
●		○		●	●	●		○	○						○		
●		○	○	●	●	○	○	○			○	○					
●		○	○	●	●	●	○	○	○		○	○	○				
	●		●	●	●		●	○	○		●	○	○	○	○	○	●
●		○	●	○	●	●	○	○	○	○	●	○	○	●	●		
●		●	●	○	●	●	●	○	○	○	●	○	○				
●		○	○		●						○	○					
●		●			●						○	○	●				
●			○	○	○	○	○			●○	○		●				
	●		●	●	●			○	○	○	○		○				
●		●	●		●	●		○	○	○	○		○				
		●	●		●			○			○	○	○				

🌲	⚔	🚡	🚤	🏋	⛱	◯	🐟	🐎	🐎	⛵	🎾	⛳	🎿	🎿	🎿	🛥	🏰
			●	●	●	●			○		○	○	○	○			
		●		●		●			○		○	○	○	○			
									○		○		○	○			
	●	○	○	○					○	○		○	○	○			

ÖSTERREICH - AUTRICHE - AUSTRIA   Voir Carte page

DÉPARTEMENT	LOCALITÉ	N°		ÉTABLISSEMENT	PA
9580	Egg/Faakersee	A	1	HOTEL KARNERHOF	
9762	Weissensee	A	2	SEE-UND GARTENHOTEL ENZIAN	
9546	Bad Kleinkirchheim	A	3	HOTEL SAINT OSWALD	
6534	Serfaus	A	10	HOTEL MAXIMILIAN	
6212	Maurach am Achensee	A	11	SPORTHOTEL ALPENROSE RESIDENZ	
6631	Lermoos	A	12	SPORTHOTEL ZUGSPITZE	
6314	Niederau Wildschönau	A	13	VITAL-HOTEL SONNSCHEIN	
6764	Lech Arlberg 62	A	20	"ANGELA" HOTEL	
6780	Schruns	A	21	HOTEL ALPENHOF MESSMER	
6700	Bürserberg / Bludenz	A	22	HOTEL TALEU	
8962	Gröbming	A	30	HOTEL LANDHAUS ST GEORG	3
8992	Altaussee	A	31	HOTEL SEEVILLA-BRAHMS CAFE	3
5330	Fuschl am See	A	40	EBNER'S WALDHOF	3
5532	Filzmoos	A	41	HOTEL UNTERHOF	3
5570	Mauterndorf 274	A	42	VITAL-HOTEL ELISABETH	3
5652	Dienten	A	43	ÜBERGOSSENE ALM	3
3001	Mauerbach bei Wien	A	50	BERGHOTEL TULBINGERKOGEL	3
4863	Seewalchen	A	61	GASTHOF HÄUPL	3

HONGRIE - HUNGARY - UNGARN   Voir Carte page 3

DÉPARTEMENT	LOCALITÉ	N°		ÉTABLISSEMENT	PA
8429	Porva-Szepalma Ungarn	H	1	HOTEL SZÉPALMA	3

BELGIË - BELGIQUE - BELGIUM - BELGIEN - LUXEMBOURG - LUXEMBURG   Voir Carte page 3ᵉ

DÉPARTEMENT	LOCALITÉ	N°		ÉTABLISSEMENT	PA
8000	Brugge	B	20	HÔTEL PRINSENHOF	35
9971	Lembeke	B	22	HOSTELLERIE "TER HEIDE"	35
9831	St Martens Latem/Deurle	B	35	AUBERGE DU PÊCHEUR	35
6929	Daverdisse	B	41	MOULIN DE DAVERDISSE	35
6820	Sainte Cécile sur Sémois	B	43	HOSTELLERIE SAINTE-CÉCILE	35
6840	Grandvoir	B	45	"CAP AU VERT"	36
6940	Petithan-Durbuy	B	56	HOSTELLERIE LE PARVIS	36
4750	Bütgenbach	B	60	BÜTGENBACHER HOF	36
3680	Maaseik	B	65	KASTEEL WURFELD	36
3040	Huldenberg-Neerijse	B	70	KASTEEL VAN NEERIJSE	36
7542	Mont St-Aubert	B	93	LE MANOIR DE SAINT-AUBERT	36
5610	Mondorf-les-Bains	L	22	HÔTEL DU GRAND CHEF	36

NEDERLAND - PAYS-BAS - NETHERLAND - NIEDERLAND   Voir Carte page 368

DÉPARTEMENT	LOCALITÉ	N°		ÉTABLISSEMENT	PA
6816	Vp Arnhem	NL	10	LANDGOED HOTEL GROOT WARNSBORN	37
1796	Ad De Koog Texel	NL	20	HOTEL RESTAURANT OPDUIN TEXEL	37
3852	Pv Leuvenum Ermelo	NL	30	HOTEL HET ROODE KOPER	372
4506	Jh Cadzand-Bad	NL	40	HOTEL RESTAURANT DE BLANKE TOP	37
2204	At Noordwijk	NL	50	DE WITTE RAAF	374
7241	Ew Lochem	NL	60	HOTEL'T HOF VAN GELRE	375
6439	Be Doenrade	NL	70	KASTEEL DOENRADE	376
7587	Ld De Lutte	NL	80	LANDHUISHOTEL BLOEMENBEEK	377

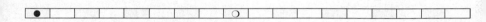

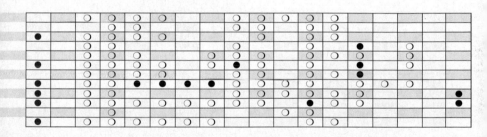

● à l'hôtel, at the hotel, im Hotel
○ rayon de 20 km, radius of 20 km, im Umkreis von maximal 20 km.

FRANCE - FRANKREICH			32
F 112	ANNE DE BRETAGNE	44770 La Plaine-sur-Mer	88
F 486	ARÈNE Hôtel	84100 Orange	227
F 365	ARÈS Hôtel	75015 Paris	181
F 57	ARGI-EDER	64250 Ainhoa	64
F 424	ARGOUGES Hôtel d'	14400 Bayeux	197
F 198	ARPAILLARGUES Château d'	30700 Uzès	134
F 479	ARQUIER Hôtel-Restaurant	13290 Les Milles	222
F 324	ASSIETTE CHAMPENOISE L'	51430 Tinqueux	171
F 217	ATALAYA L'	66800 Llo	145
F 188	AUGUSTIN La Ferme d'	83350 Ramatuelle	127
F 209	AYRES Château d'	48150 Meyrueis	139
F 275	BARRY Le	31150 Gratentour	160
F 32	BAS-RUPTS ET CHALET FLEURI Host.	88400 Gérardmer	52
F 154	BEAULIEU Château de	37300 Tours/Joué-les-Tours	104
F 525	BEAU RIVAGE Hostellerie	69420 Condrieu	250
F 47	BEAUSÉJOUR Hôtel	40150 Hossegor	62
F 179	BEAU SOLEIL Hôtel	06220 Golfe Juan	121
F 539	BECS ROUGES Les	74400 Chamonix-Mont-Blanc	258
F 82	BELLECROIX Château de	71150 Chagny	73
F 430	BELLE-ISLE SUR RISLE	27500 Pont-Audemer	200
F 485	BELLERIVE Hôtel	84110 Rasteau	226
F 41	BELLERIVE Manoir de	24480 Le Buisson de Cadouin	59
F 187	BELLE-VUE Hôtel	83980 Le Lavandou-St-Clair	126
F 116	BÉNÉDICTINS Clos des	49400 Saumur	92
F 516	BÉRANGÈRE Hôtel La	38860 Les Deux Alpes	246
F 10	BERGERIE La	57640 Rugy	39
F 530	BERGERONETTES Hôtel des	73240 Champagneux	253
F 443	BERTELIÈRE La	76160 Saint Martin du Vivier	203
F 283	BERTHIOL Domaine du	46300 Gourdon-en-Quercy	162
F 540	BOIS JOLI Le	74500 Evian	259
F 376	BONDONS Château des	77260 La Ferté s/Jouarre	185
F 469	BORGHESE Villa	04800 Gréoux-les-Bains	219
F 96	BRÉLIDY Château Hôtel de	22140 Brélidy	78
F 110	BRETESCHE Hôtel de la	44780 Missillac	86
F 104	BRITTANY Hôtel	29681 Roscoff	83
F 31	BUTTES Hôtel des	88310 Ventron	51
F 159	CAILLÈRE La	41120 Candé/Beuvron	106
F 42	CAMIAC Château	33670 Creon/Bordeaux	60
F 177	CANTEMERLE Relais	06140 Vence	119
F 510	CAPITELLE La	26270 Mirmande	243
F 214	CASA PAIRAL Hôtel	66190 Collioure	142
F 490	CASSAGNE Auberge de	84130 Le Pontet Avignon	231
F 213	CASTEL EMERAUDE	66112 Amélie-les-bains	141
F 221	CHALET Le	03000 Coulandon	148
F 499	CHAPON FIN Au	01140 Thoissey	240
F 518	CHARPINIÈRE La	42330 Saint-Galmier	247
F 17	CHASSEUR Au	67440 Birkenwald	43

LES RELAIS DU SILENCE EN EUROPE ET AU CANADA

N° Guide	Nom des Hôtels	Villes	Pages
F 225	MARONNE Hostellerie de	15140 Saint Martin-Valmeroux	149
F 111	MASCOTTE la	44500 La Baule	87
F 514	MIDI Hôtel du	38780 Pont-Evêque (Vienne)	245
F 241	MISTOU Moulin de	43500 Craponne sur Arzon	150
F 103	MOËLLIEN Manoir de	29550 Plonevez Porzay	82
F 522	MONT JOYEUX Le	69330 Meyzieu - Grand Large	248
F 268	MUSE ET DU ROZIER Grand Hôtel de la	12720 Peyreleau	158
F 14	NEUHAUSER Hôtel	67130 Schirmeck	40
F 5	ORÉE DU BOIS A L'	55120 Clermont-en-Argonne/Futeau	38
F 528	ORÉE DU BOIS L'	73550 Méribel	251
F 33	OREE DU BOIS L'	88800 Vittel	53
F 210	ORFEUILLETTE Château d'	48200 La Garde	140
F 113	ORVAULT Le Domaine d'	44700 Nantes/Orvault	89
F 531	PACORET La Tour de	73460 Grésy-sur-Isère	254
F 15	PARC Hôtel Le	67210 Obernai	41
F 108	PEN'ROC	35220 Saint-Didier	84
F 26	PÈRE FLORANC Auberge du	68920 Wettolsheim	49
F 513	PERVENCHES Les	38580 Allevard	244
F 185	PETITE AUBERGE La	83690 Tourtour	125
F 180	PETIT PALAIS Le	06000 Nice	122
F 488	PHÉBUS Hostellerie Le	84220 Gordes-Joucas	229
F 523	PIZAY Château de	69220 Saint-Jean d'Ardières	249
F 242	PLACIDE Hostellerie	43190 Tence	151
F 97	PORTES Manoir des	22400 Lamballe	79
F 184	POTINIÈRE La	83700 Saint-Raphaël	124
F 134	PRATEAUX Les	85330 Noirmoutier en l'Ile	94
F 243	PRÉ BOSSU Le	43150 Moudeyres	152
F 115	PRIEURÉ Le	49350 Gennes	91
F 454	PRIMAVERA	17420 Saint Palais s/Mer	213
F 509	PRINTEMPS Le	26200 Montélimar	242
F 142	QUAI FLEURI Le	28150 Voves	101
F 84	RECONCE Rest. de la Poste La	71600 Poisson	74
F 69	REVERMONT Le	39230 Passenans	71
F 284	RIC Hôtel	46400 Saint-Céré	163
F 204	RIEUMÉGÉ Domaine de	34390 Olargues	137
F 78	RIGNY Château de	70100 Gray-Rigny	72
F 162	RIVAGE Le	45160 Olivet	108
F 434	ROCHE TORIN Manoir de La	50220 Courtils	201
F 453	ROHAN Résidence de	17640 Vaux-sur-Mer	212
F 38	ROSERAIE Domaine de la	24310 Brantôme	58
F 489	ROY SOLEIL Hostellerie Le	84560 Ménerbes	230
F 202	SAINT-ALBAN Hostellerie de	34120 Pézenas	135
F 425	SAINT-GATIEN Le Clos	14130 Saint-Gatien-des-Bois	198
F 143	SAINT-JACQUES Le	28220 Cloyes/le Loir	102
F 248	SAINT-MARTIN Hostellerie	63170 Perignat-les-Sarlière	153
F 457	SAINT-MARTIN Le Logis	79400 Saint-Maixent-l'École	215
F 429	SAINT-PIERRE Hostellerie	27430 Saint-Pierre-du-Vauvray	199
F 270	SÉNÉCHAL Le	12800 Sauveterre de Rouergue	159
F 482	SOLEIL Le Mas du	13300 Salon de Provence	225
F 532	SOLEIL Hôtel du	73500 Aussois	255

LES RELAIS DU SILENCE EN EUROPE ET AU CANADA

N°Guide	Nom des Hôtels	Villes	Pages
F 138	SOLOGNOTE La	18410 Brinon-sur-Sauldre	100
F 494	SOURCES Le Clos des	84240 Grambois	235
F 65	TAILLARD Hôtel-Restaurant	25470 Goumois	69
F 215	TERRASSE AU SOLEIL La	66400 Céret	143
F 158	TERTRES Château des	41150 Onzain	105
F 98	TI AL LANNEC	22560 Trébeurden	80
F 153	TORTINIÈRE Domaine de la	37250 Montbazon	103
F 66	TROIS ÎLES Hôtel des	25220 Chalezeule	70
F 178	TROIS VALLÉES Les	06440 Col de Turini	120
F 285	TROUBADOUR Le	46500 Rocamadour	164
F 351	TUILERIES Hôtel des	75001 Paris	180
F 168	U BENEDETTU	20137 Lecci de Porto Vecchio	116
F 493	VAL DE SAULT Hostellerie du	84390 Sault	234
F 481	VALLON DE VALRUGUES Hostellerie du	13210 St-Rémy-de-Provence	224
F 383	VERBOIS Domaine du	78640 Neauphle-le-Château	188
F 536	VIEUX MOULIN Le	74360 La Chapelle d'Abondance	256
F 62	VIEUX MOULIN Hostellerie du	21420 Bouilland	68
F 375	VIEUX REMPARTS Hostellerie Aux	77160 Provins	184
F 114	VILLENEUVE Abbaye de	44840 Les Sorinières	90
F 23	VIOLETTES Les	68500 Jungholtz-Thierrenbach	46
F 19	WANTZENAU Le Moulin de La	67610 La Wantzenau	45

LES RELAIS DU SILENCE EN EUROPE ET AU CANADA

N° Guide	Nom des Hôtels	Villes	Pages
DEUTSCHLAND - ALLEMAGNE - GERMANY			**264**

D 8	ADLER Hotel Landgasthof	77709 Wolfach-St Roman	274
D 9	ADLERHOF Land Hotel	75334 Straubenhardt	275
D 2	BAADER Berghotel	88633 Heiligenberg	269
D 14	BAD SULZBURG Waldhotel	79295 Sulzburg	278
D 39	BAVARIA Hotel	87459 Pfronten-Dorf	290
D 38	BAYERSOIEN Parkhotel	82435 Bad Bayersoien am See	289
D 47	BIRKENHOF Hotel	55469 Klosterkumbd bei Simmern	298
D 36	BUNDSCHU Hotel	97980 Bad Mergentheim	287
D 37	BURG-HOTEL	91541 Rothenburg ob der Tauber	288
D 58	EHRENTAL Waldhotel	98574 Schmalkalden	307
D 52	EIFEL Hotel Waldhaus	54647 Gondorf	303
D 43	EUROPAS ROSENGARTEN Hotel	66482 Zweibrücken	294
D 4	FALLER Hotel	79859 Schluchsee	271
D 7	FLORA HERGER'S Parkhotel	79874 Breitnau	273
D 45	FORELLENHOF Hotel	55606 Rudolfshaus	296
D 46	GETHMANNS HOCHWALDHOTEL	55743 Hüttgeswasen-Allenbach	297
D 15	GOLDENER RABE	78120 Furtwangen	279
D 1	GOTTFRIED Hotel Restaurant	78345 Moos	268
D 60	HARDTWALD Hotel	61350 Bad Homburg	309
D 67	HEIDEHOTEL WALDHÜTTE	48291 Telgte	314
D 50	HEINZ Hotel	56203 Höhr Grenzhausen	301
D 6	HIRSCHEN Hotel	79286 Glottertal	272
D 61	HUBERTUSHOF Hotel	33165 Lichtenau/Herbram-Wald	310
D 48	HUNSRÜCKER FASS	55758 Kempfeld	299
D 66	JAMMERTAL Landhotel	45711 Datteln-Ahsen	313
D 53	KALLBACH Landhaus	52393 Hürtgen Wald	304
D 56	KÖHLERS Forsthaus	26605 Aurich/Wallinghausen	306
D 40	KRONE Hotel	76863 Herxheim Hayna	291
D 3	LAIS Hotel Försterhaus	79410 Badenweiler	270
D 17	LANDHOF MEINL	89233 Neuulm/Reutti	280
D 41	LEINSWEILER HOF	76829 Leinsweiler	292
D 77	LOHME Panorama Hotel Restaurant	18551 Lohme/Insel Rügen	316
D 49	MOSELROMANTIK HOTEL WEIßMÜLHLE	56812 Cochem/Mosel	300
D 22	NEBELHORNBLICK	87561 Oberstdorf	283
D 59	NEUSTÄDTER Hof Landhotel	99762 Neustadt/Südharz	308
D 64	OHLENBACH Waldhaus	57392 Schmallenberg Ohlenbach	311
D 30	REBLINGERHOF	94505 Rebling Bernried bei Deggendorf	284
D 44	REWESCHNIER Hotel	66869 Blaubach/Kusel	295
D 42	SÄGMÜHLE Hotel	67454 Hassloch	293
D 20	SAPPLFELD Landhaus Hotel	83707 Bad Wiessee	281
D 75	SCHWANENHOF Hotel	23879 Mölln	315
D 35	SCHWARZER Bock Hotel	87474 Luftkurort Buchenberg/Allgäu	286
D 90	SEEHOTEL Plau am See	19395 Plau am See	318
D 54	SONNENHOF Landhaus	53518 Adenau	305
D 21	STEINBACHER HOF	83242 Reit im Winkl	282
D 91	STERNBERG AM SEE SeeHotel	19406 Sternberg	319
D 81	STRANDECK Hotel	26465 Langeoog	317

GREAT BRITAIN - GRANDE BRETAGNE - GROß BRITANNIEN   322

ÖSTERREICH - AUTRICHE - AUSTRIA   328

HONGRIE - HUNGARY - UNGARN   348

LES RELAIS DU SILENCE EN EUROPE ET AU CANADA

N° Guide	Nom des Hôtels	Villes	Pages

BELGIË - BELGIQUE - BELGIUM - BELGIEN - LUXEMBOURG -LUXEMBURG			**352**

B 60	BÜTGENBACHER HOF	4750 Bütgenbach	362
B 45	CAP AU VERT	6840 Grandvoir	360
B 41	DAVERDISSE Moulin de	6929 Daverdisse	358
B 70	KASTEEL VAN NEERIJSE	3040 Huldenberg-Neerijse	364
B 56	PARVIS Le, Hostellerie	6940 Petithan-Durbuy	361
B 35	PÊCHEUR Auberge du	9831 Deurle	357
B 20	PRINSENHOF Hôtel	8000 Brugge	355
B 93	SAINT AUBERT Manoir de	7542 Mont St Aubert	365
B 43	SAINTE CÉCILE Hostellerie	6820 Sainte Cécile sur Sémois	359
B 22	"TER HEIDE" Hostellerie	9971 Lembeke	356
B 65	WURFELD Kasteel	3680 Maaseik	363
L 22	GRAND CHEF Hôtel du	5610 Mondorf-les-Bains	366

NEDERLAND - PAYS-BAS - NETHERLANDS - NIE-DERLANDE			**368**

NL 80	BLOEMENBEEK Landhuish Hotel	7587 Ld De Lutte	377
NL 40	DE BLANKE TOP Hotel	4506 Jh Cadzand	373
NL 50	DE WITTE RAAF	2204 At Noordwijk	374
NL 70	DOENRADE Kasteel	6439 BE Doenrade	376
NL 10	GROOT WARNSBORN Landgoed Hotel	6816 Vp Arnhem Hollande	370
NL 30	HET ROODE KOPER Hotel	3852 Pv Leuvenum Ermelo	372
NL 20	OPDUIN TEXEL Hotel	1796 Ad De Koog Texel	371
NL 60	' T HOF VAN GELRE Hotel	7241 Ew Lochem	375

DANEMARK - DENMARK - DÄNEMARK			**378**

DK 1	HOSTRUP Kro Sdr.	6200 Aabenraa	380

Comment Réserver
How to Book
Vorgehen bei Buchungen

?

- En contactant directement l'hôtel de votre choix
  By contacting the hotel of your choice directly
  Sie nehmen direkt mit dem Hotel Ihrer Wahl Kontakt auf

- Gratuitement d'un relais à un autre
  Free of charge from one Relais to another
  Sie buchen Kostenlos von einem Relais zum anderen

- Notre **centrale de réservation** à votre service
  du lundi au vendredi de 9h à 18h
  Central Booking Service • Reservationszentrale

  Tél. : (33) (0)1 44 49 90 00
  Fax : (33) (0)1 44 49 79 01

  Via Internet
  http://www.relais-du-silence.com/

  Un n° de réservation vous sera donné pour confirmation
  A booking number will be given to you to confirm
  Zur bestätigung erhalten Sie eine Buchungsnummer

- U.S.A. : notre représentant   (1) 800 927 47 65
      : our representative   (1) 800 OK FRANCE
      : unser Vertreter

Chèque Cadeau
Gift voucher
Geschenkgutschein...

... pour offrir des moments de bonheur
To offer moments of happiness
So schenken Sie Momente des Glücks

Nous sommes à votre disposition
We are at your service
Wir stehen gerne zu Ihrer Verfügung

Tél. : 33 (0)1 44 49 79 00

Fax : 33 (0)1 44 49 79 01

http://www.relais-du-silence.com/

Pour répondre aux
besoins des **E**ntreprises

➔ **3** Services étudiés...

Hôtel

Relais du Silence
Silencehotel

● **Le livret Séminaire**
référence les établissements qui accueillent vos manifestations, et détaille toutes les informations nécessaires à leur organisation.

● **Le chèque cadeau**
Un moyen original du "Plaisir d'offrir" à sa famille, ses amis, ses collaborateurs, ses clients, un séjour dans les 318 Relais du Silence européens.

● **La Carte Soirée Etape Affaires**
Réservée aux commerciaux titulaires de cette carte, elle offre les prestations *dîner, chambre et petit déjeuner* à des tarifs unifiés dans les hôtels participants à l'opération.

Pour tout renseignement supplémentaire,
afin de bénéficier de ces avantages :

Tél. : ③③ (o)1 44 49 79 00
Fax : ③③ (o)1 44 49 79 01

http://www.relais-du-silence.com/

DATE :	DATE :	DATE : ....
DATE :	DATE :	DATE : ....
DATE :	DATE :	DATE : ....
DATE :	DATE :	DATE : ....

"Soirée Privilège" et Etape Affaire n'ouvrent pas **droit** au cachet de l'hôtel.
"Stopover Voucher" and special rates for business-travelers do not qualify for a stamp from the hotel.
"Übernachtungsgutscheine" und Sonderpreise für Handlungsreisende geben kein Anrecht auf einen Stempel des Hotels.

....✂

RELAIS DU SILENCE - SILENCEHOTEL - 17, rue d'Ouessant - 75015 Paris

Nom / Name / Name ....

Adresse / Adress / Anschrift ....

....

Profession / Occupation / Beruf ....

| Ce guide, édité tous les 2 ans, est disponible à partir de novembre. | *This guide is published every 2 years and is available from november.* | *Dieser alle zwei Jahre herausgegebene Hotelführer ist ab November erhältlich.* |
| ❑ Je souhaite recevoir le guide 2000 | ❑ *I wish to receive the 2000 guide* | ❑ *Bitte senden Sie mir den 2000 Führer* |

Cadeau Fidélité
Fidelity Present
Treue Geschenk

A chacun de vos séjours dans une de nos maisons, faites tamponner une des cases ci-contre.

Adressez cette page ainsi complétée au siège des Relais du Silence-Silencehotels.

Vous recevrez une **Soirée Privilège** pour deux personnes dans un de nos 319 hôtels selon disponibilité.

Whenever you stay in one of our hotels, present this page of your hotel guide and ask for a stamp.

Once completed send this page to our headoffice Relais du Silence-Silencehotel.

You will receive a **"Stopover Voucher"** for two persons in one of our 319 hotels, according availability.

Lassen Sie bei jedem Ihrer Aufenthalte in einem unserer Häuser eines der nebenstehenden Felder abstempeln. Senden Sie diese Seite vollständig ausgefüllt an das Hauptbüro Relais du Silence-Silencehotel. Sie erhalten einen **Übernachtungsgutschein** (Halbpension) für zwei Personen in einem unserer 319 Hotels, je nach Verfügbarkeit.

IMPORTANT : 12 Relais différents dans une période de 12 mois
Valid only for overnight stays in 12 different Relais during a period of 12 months
WICHTIG: in 12 verschiedenen Relais in einem Zeitraum von 12 Monaten

Crédits photos des hôtels :

Propriétaire Editeur : Relais du Silence SA COOP
    Siège social : 17, rue d'Ouessant - 75015 PARIS
Rédaction : Relais du Silence-Silencehotel International
    Siège social : 17, rue d'Ouessant - 75015 PARIS
    Responsable : Danielle JOUANNY.
Réalisation : EDITIONS SR - Robert SÉJOURNÉ - 91160 Saulx-les-Chartreux (France) - Tél. : 33 01 64 48 32 32.
Coordination et suivi de fabrication : Paul ALVES assisté de Gilles DUCLOS.
P.A.O., Maquette et mise en page : Philippe LETOURNEUR assisté de Véronique MITTELHAUSSER.
Couverture : Création LINÉAIRE - 52, rue du Château - 92600 Asnières.
Imprimé en France par MAURY IMPRIMEUR SA - ZI Route d'Etampes - BP 12 - 45331 MALESHERBES Cedex - Tél. : 33 02 38 32 34 34.
Ont collaboré à cette édition : Marianne, Isabelle et Gérard JOUANNY, ainsi que Ursula DRISKELL.

Nous remercions également pour les prêts de photographies, documents et informations diverses :
Alsace-Lorraine : Pascal BODEZ, J.C. KANNY, O.T. du Bas-Rhin et C.R.T. Lorraine - *Aquitaine :* C.D.T. Dordogne - Gironde - Lot.
Bourgogne - Franche-Comté : Photos : CHASTEL, C. GARNIER, D. RONDOT, A. BERVALOT, G. CITEAU, C.R.T. Bourgogne et Franche-Comté . *Bretagne - Pays de la Loire :* O.T. de Trébeurden, Ph. BONNEFOY, C.R.T.B., J.P. CORBEL, I. WAMAÈRE, C.D.T. 29 : UGUET, E. PELLICOT. *Centre :* C.D.T. Loir-et-Cher, C.D.T. Eure-et-Loir, C.R.T.L. Centre et Val-de-Loire. *Corse - Côte d'Azur :* C.R.T. 06, Eric BRISSAUD. *Languedoc-Roussillon :* Photothèque Pyrénées - Roussillon : F. OREL - CCI Perpigan, Ph. PALAU - Maison du Tourisme de Perpignan, Alain CHOISNET. *Limousin-Auvergne :* C.D.T. Haute-Loire, Luc OLIVIER, J.J. ARCIS, Christophe GIRAULT. *Midi-Pyrénées :* C.D.T. Lot et Aveyron, B. PETIT. *Nord-Pas de Calais-Picardie-Champagne-Ardennes :* C.R.T. Champagne-Ardennes, Yves FLATARD, C.D.T. Aisne, Photos : JACQUOT, VAUBOURG, Michel JOLYOT. *Normandie :* C.R.T. de Normandie, H. GUERMONPREZ - Photos : Daniel St-JEAN - O.T. du Calvados - Maison du tourisme d'Honfleur. *Poitou-Charentes :* C.D.T. de Vendée, Photos : WEMAERE, C.D.T. Poitou, C.R.T. Poitou-Charentes.
Provence : C.R.T. P.A.C.A., N. LEJEUNE. *Rhône-Alpes :* C.R.T. Rhônes Alpes et Haute Savoie, Aline PERIER.

Allemagne : O.N.T. Allemand à PARIS - Südliche Weinstrasse Zentrale für Tourismus Landau - Reger Studios - Amt für lübeck-Werbung und Tourismus - Photos : Huber. *Grande-Bretagne :* O.T. - 19, rue des Mathurins à PARIS, Tél. : 01 44 51 56 20 - West Country Tourist Board, Photos : Philippe LETOURNEUR et Bob BERRY. *Autriche :* Labor PFEIFER, KURVERWATUNG, SOMMERFRISCHE SERVUS IN OSTERREICH. *Belgique-Luxembourg :* Vlaams, Commissariaat Generaal Voor Toerisme Brussel, O.N.T. du Luxembourg - Photos : Dirk SCHRÖDER.
Pays-Bas : O.N.T. des Pays-Bas. *Suisse :* O.N. Suisse du Tourisme, 11, rue Scribe à PARIS, Tél. : 01 44 51 65 51, O.N.T. Suisse, Photos : PFENNIGER, SCHWAB, Ph. GIEGEL, C. SONDEREGGER, D. BRAWAND. *Italie :* APT IAGO MAGGIORE GIACOMO CARIOLI, Ente Nazionale Italiano per il Turismo (E.N.I.T. Roma), Fiorenza LODI, O.N.T. Italie - 23, rue de la Paix à PARIS, Tél. : 01 42 66 03 96.
Espagne : O.N.T. - 22, avenue Marceau à PARIS, Tél. : 01 44 43 18 47. Andorre : Enric RIBA VALLS, O.N.T. - 26, avenue de l'Opéra à PARIS, Tél. : 01 42 61 50 55.
Canada : Thierry JOURNÉ et Monique GAUVREAU-PROULX, Ambassade - 35, avenue Montaigne à PARIS - Tél. : 01 44 43 29 00.

Photothèque et documentation : Les Relais du Silence/Silencehotel à PARIS, Tél. : 01 44 49 79 00.
Légendes :   O.T.   : Office du Tourisme   C.R.T. : Comités Régionaux du Tourisme
              O.N.T. : Office National de Tourisme   C.D.T. : Comités Départementaux du Tourisme.

Dépôt légal : 4ème trimestre 1997.

Vos Appréciations
Your Opinions
Ihre Bewertungs

Nous avons au plus haut point le désir de vous satisfaire et vos avis nous sont précieux.

Par avance merci de nous adresser la fiche d'appréciations (voir au verso de cette page).

We most ardently desire to give you full satisfaction, and your opinions are very valuable to us.

Kindly send us the special form for comments (see the other side of this page)

Ihnen zu Diensten zu stehen ist unser grösstes Anliegen Ihre Meinung ist daher für uns von höchstem Wert.
Wir danken Ihnen im voraus für die Zusendung des Bewertungs- bogens (siehe umscitig)

Relais du Silence - Silencehotel
17, rue d'Ouessant - F 75015 Paris

Je souhaite recevoir le guide 2000
I wish to receive the 2000 guide book
Bitte senden Sie mir den 2000 Fürher

Votre nom / Name / Nahme ....

Votre adresse / Adress / Anschrift ....

Votre profession / Occupation / Beruf ....

Relais du Silence / Silencehotel

	n° Relais ..... n° Chambre ..... Date				n° Relais ..... n° Chambre ..... Date				n° Relais ..... n° Chambre ..... Date				n° Relais ..... n° Chambre ..... Date				n° Relais ..... n° Chambre ..... Date			
	A	B	C	D	A	B	C	D	A	B	C	D	A	B	C	D	A	B	C	D
Accueil / Welcome / Empfang																				
Tranquillité / Silence / Ruhe																				
Cadre / Location / Umgebung																				
Atmosphère / Atmosphere / Atmosphäre																				
Confort / Comfort / Komfort																				
Chambre / Room / Zimmer																				
Literie / Bedding / Bett																				
Propreté / Cleanliness / Sauberkeit																				
Service / Service / Bedienung																				
Cuisine / Cooking / Küche																				
Petit déjeuner / Breakfast / Frühstück																				
Rapport qualité-prix / Value for money / Preis-Leistungs-Verhältnis																				

(A) Très bon / Very good / Sehr gut

(B) Bon / Good quality / Gut

(C) Quelconque / Average / Mittelmässig

(D) Mauvais / Poor / Schlecht